TRADUÇÃO DE
CAROL CHIOVATTO

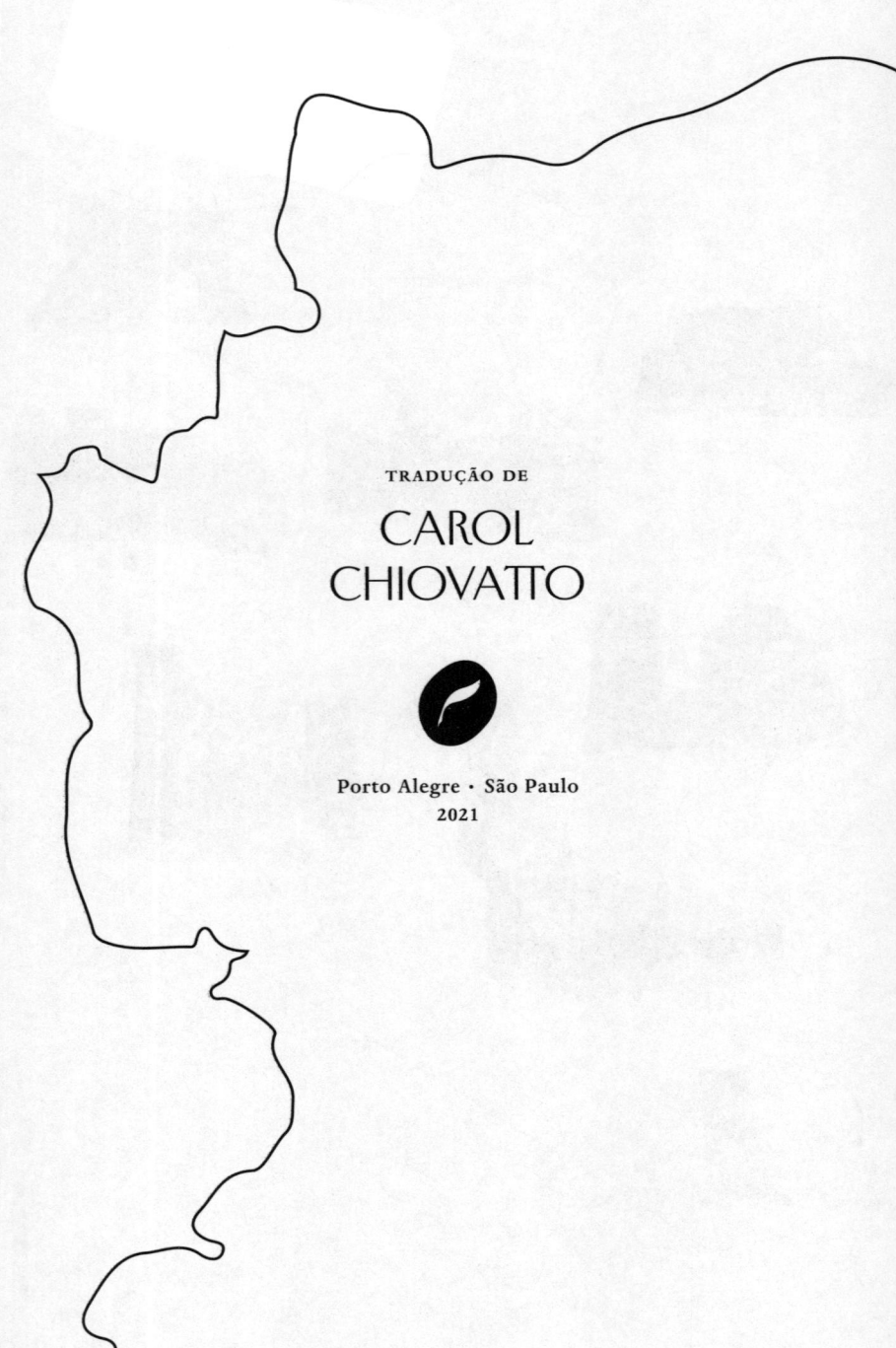

Porto Alegre · São Paulo
2021

O MAPA DE SAL & ESTRELAS

ZEYN JOUKHADAR

Copyright © 2018 Zeyn Joukhadar
Título original: *The map of salt and stars*

CONSELHO EDITORIAL Gustavo Faraon e Rodrigo Rosp
PREPARAÇÃO Carlos André Moreira
REVISÃO Raquel Belisario e Rodrigo Rosp
CAPA E PROJETO GRÁFICO Luísa Zardo
FOTO DO AUTOR Tina Case

DADOS INTERNACIONAIS DE CATALOGAÇÃO NA PUBLICAÇÃO (CIP)

J86m Joukhadar, Zeyn.
O mapa de sal e estrelas / Zeyn Joukhadar ;
trad. Carol Chiovatto — Porto Alegre:
Dublinense, 2021.
368 p. ; 21 cm.

ISBN: 978-65-5553-027-8

1. Literatura Norte-Americana.
2. Refugiados – Síria. 3. Ficção. I. Chiovatto,
Carol. II. Título.

CDD 813.6

Catalogação na fonte:
Ginamara de Oliveira Lima (CRB 10/1204)

Todos os direitos desta edição
reservados à Editora Dublinense Ltda.

EDITORIAL
Av. Augusto Meyer, 163 sala 605
Auxiliadora • Porto Alegre • RS
contato@dublinense.com.br

COMERCIAL
(51) 3024-0787
comercial@dublinense.com.br

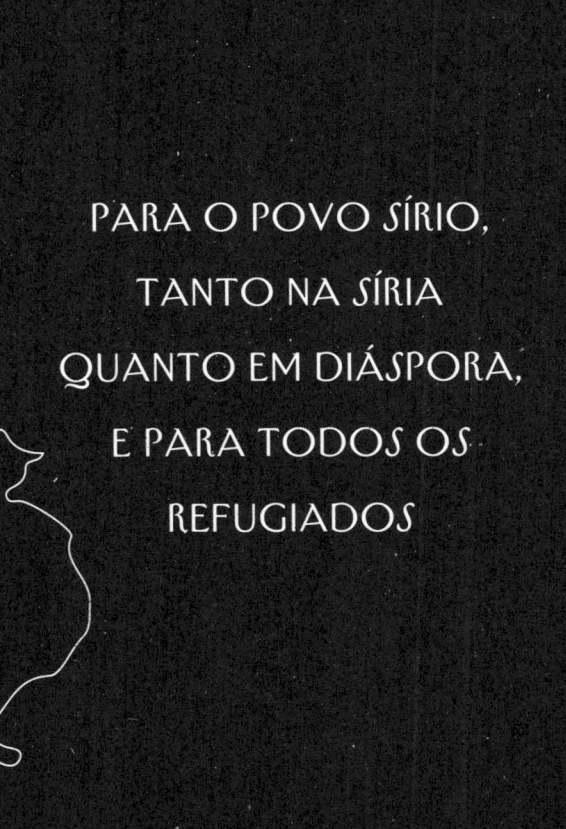

PARA O POVO SÍRIO,
TANTO NA SÍRIA
QUANTO EM DIÁSPORA,
E PARA TODOS OS
REFUGIADOS

PARTE I
SÍRIA

Ó
meu amor, você
está morrendo de
um coração partido. As mulheres
pranteiam na rua. O arroz foi espalhado, e as lentilhas, derramadas.
O bom linho foi pisoteado. Lágrimas inundam o wadi. Em
qual língua você me contou que tudo o que amamos era um
sonho? Não sonho mais em árabe — não sonho mais e ponto.
Quando fecho meus olhos, vejo os seus, meu amor: duas pedras
pálidas no rio. Seus braços, o mármore rachado de séculos. As estrelas,
seu manto; as colinas, degraus de pedra. Costumávamos nos mover tão
rápido quando estávamos sonhando. Abarque o mar em seu umbigo
e lave minhas lágrimas. Minhas lágrimas e as suas misturam-se, meu
amor. Não queria dormir, não agora, mas devo. Por que temermos
a morte quando deveríamos temer a queda? Tudo desmorona à nossa
volta — o seu verde sussurrante, a curva do relâmpago nos seus
pulsos. Os planetas sequestrados se retorcem em fuga. Foi
aqui que minha mãe nasceu, na curva da sua coluna?
Eu sangro; minha carne são asas recém-nascidas.
Até a aurora quando eu fugir — nunca voltarei,
ó meu amor —, até essa manhã, envolva-me
com suas mãos pálidas. Encha a minha boca
com a bruma de seu hálito, seu coração
uma semente de romã. Ó meu amor,
você estará comigo até o fim,
até o mar se abrir, até nossa
memória fraturada nos
curar.

A TERRA
E A FIGUEIRA

A ILHA DE MANHATTAN tem buracos, e é lá que Baba dorme. Quando eu lhe disse boa noite, ele, um embrulho branco, desabou; o buraco que cavaram para ele, tão fundo. E havia um buraco em mim também, e nele caiu minha voz. Ela entrou na terra junto com Baba, bem fundo no osso branco da terra, e agora se foi. Minhas palavras afundaram como sementes, minhas vogais e o espaço vermelho das histórias esmagados sob minha língua.

Acho que Mama perdeu as palavras também, porque, em vez de falar, suas lágrimas regavam tudo no apartamento. Naquele inverno, encontrei sal em todo canto — sob as espirais do forno elétrico, entre os meus cadarços e os envelopes das contas, na casca das romãs na tigela de frutas com borda dourada. O telefone tocava com ligações da Síria, e Mama limpava o sal do fio, lutando para desembaraçar seus caracóis.

Antes de Baba morrer, quase nunca recebíamos ligações da Síria, só emails. Mas Mama disse que, numa emergência, você precisa ouvir a voz da pessoa.

Aparentemente, a única voz que restara a Mama falava árabe. Mesmo quando as vizinhas trouxeram cozidos e cravos brancos, Mama engoliu as palavras. Como pode as pessoas terem só uma língua para o luto?

Naquele inverno, foi a primeira vez em que ouvi a voz amarelo-mel de Abu Said. Huda e eu às vezes ficávamos do lado de fora da cozinha escutando, os cachos castanho-acinzentados de Huda esmagados contra o batente como lã no carretel. Huda não conseguia enxergar a cor da voz dele, como eu, mas ambas sabíamos que era Abu Said no telefone porque a voz de Mama voltava ao lugar com um estalo, como se todas as palavras que ela falara em inglês houvessem sido uma sombra de si mesmas. Huda percebeu antes de mim — Abu Said e Baba eram dois nós no mesmo cordão, um fio cuja ponta Mama temia perder.

Mama contou a Abu Said o que minhas irmãs andavam sussurrando havia semanas — as contas de luz por abrir, os mapas que não vendiam, a última ponte que Baba construiu antes de adoecer. Abu Said disse que conhecia pessoas na universidade, em Homs, que poderia ajudar Mama a vender os mapas. Ele perguntou: que lugar melhor para criar três meninas do que a terra de seus avós?

Quando Mama nos mostrou nossas passagens de avião para a Síria, o "U" em meu nome, Nur, era uma mancha fina de sal. Minhas irmãs mais velhas, Huda e Zahra, a atormentaram por conta dos protestos em Dara'a, coisas que víramos nas notícias. Mas Mama lhes disse para não serem tontas, que Dara'a era tão ao sul de Homs quanto Baltimore de Manhattan. E Mama bem saberia, pois vive de fazer mapas. Mama tinha certeza de que as coisas se acalmariam, que as reformas prometidas pelo governo permitiriam à Síria ter esperança e brilhar novamente. E, mesmo eu não querendo partir, fiquei empolgada para conhecer Abu Said, empolgada em ver Mama sorrindo de novo.

Eu só vira Abu Said em fotos polaroides dos anos 1970, de antes de Baba deixar a Síria. Na época, Abu Said usava bigode e uma camiseta laranja, e ria com alguém fora do enquadramento, Baba sempre logo atrás. Baba nunca chamou Abu Said de irmão, mas eu sabia que o era porque estava em todo lugar: comendo o iftar nas noites do Ramadã, jogando cartas com Sitto, sorrindo à mesa de uma cafeteria. A família de Baba o adotara. Tornaram-no um deles.

Quando veio a primavera, os castanheiros-da-índia floresceram brancos como grãos gordos de halita sob nossa janela. Deixamos o apartamento de Manhattan e as romãs incrustadas de lágrimas.

Os trens de pouso do avião ergueram-se como pés de pássaros, e semicerrei os olhos à janela, na direção da faixa estreita da cidade onde eu vivera por doze anos inteiros, e do oco verde escavado pelo Central Park. Procurei Baba. Mas a cidade estava tão lá embaixo que eu não conseguia mais enxergar os buracos.

Mama uma vez disse que a cidade era um mapa de todas as pessoas que viveram e morreram nela, e Baba disse que todo mapa era, na verdade, uma história. Esse era o jeito de Baba. Pessoas lhe pagavam para projetar pontes, mas ele contava histórias de graça. Quando Mama pintava um mapa e uma rosa-dos-ventos, Baba apontava monstros marinhos invisíveis nas margens.

No inverno antes de Baba entrar na terra, ele nunca deixou de contar uma história na hora de dormir. Algumas eram curtas, como aquela sobre a figueira que crescia em seu quintal quando ele era criança na Síria, e algumas eram épicos tão incríveis e cheios de reviravoltas que eu tinha de esperar noite após noite para ouvir mais. Baba fez a minha favorita, a história da aprendiz de cartógrafo, durar dois meses inteiros. Mama ouvia à porta, trazendo um copo d'água quando ele ficava rouco. Quando ele perdeu a voz, eu contei o fim. Então a história se tornou nossa.

Mama costumava dizer que as histórias eram o modo de Baba compreender as coisas. Ele tinha de desfazer os nós do mundo, ela dizia. Agora, mais de nove mil metros acima dele, estou tentando desfazer o nó que ele deixou em mim. Ele disse que um dia eu lhe contaria nossa história. Mas minhas palavras são terra selvagem, e não tenho um mapa.

Pressiono o rosto contra a janela do avião. Na ilha abaixo de nós, os buracos de Manhattan parecem um rendilhado. Procuro aquele onde Baba está dormindo e tento me lembrar de como começa a história. Minhas palavras atravessam o vidro aos tropeços, caindo na terra.

EM HOMS, agosto é quente e seco. Faz três meses desde nossa mudança para a Síria, e Mama não derrama mais lágrimas nas romãs. Não as derrama em lugar algum.

Hoje, como todo dia, procuro pelo sal onde deixei minha voz — na terra. Saio até a figueira no jardim de Mama, carregada de frutas exatamente como eu havia imaginado a figueira no quintal de Baba. Pressiono meu nariz contra as raízes e inspiro. Estou de bruços, com o calor das pedras em minhas costas, minhas mãos sujas de terra avermelhada até os nós dos dedos. Quero que a figueira leve a história de volta para Baba do outro lado do oceano. Eu me inclino para mais perto a fim de sussurrar, roçando as raízes com meu lábio superior. Sinto gosto de ar e óleo roxos.

Um pássaro amarelo bica o chão, procurando minhocas. Mas o mar aqui secou há muito tempo, se é que algum dia chegou até aqui. Baba ainda jaz onde o deixamos, marrom, rígido e seco como gravetos? Se eu voltasse, teria as lágrimas grossas que deveria ter derramado na ocasião, ou o mar em mim secou para sempre?

Esfrego o casco da figueira até limpá-lo do cheiro de água. Conto a Baba nossa história, e talvez encontre o caminho de volta àquele lugar aonde minha voz foi, e Baba e eu não fiquemos tão sozinhos. Peço à árvore para levar minha história por suas raízes, enviá-la lá para baixo, onde é escuro, onde Baba está dormindo.

— Faça-o receber — digo. — Nossa favorita, sobre Rawiya e al-Idrisi. Aquela que Baba me contava toda noite. Aquela em que eles mapearam o mundo.

Mas a terra e a figueira não conhecem a história como eu, então a conto de novo. Começo como Baba sempre o fez:

— Todo mundo conhece a história de Rawiya — sussurro. — As pessoas só não sabem que conhecem.

E então as palavras retornam, como se nunca houvessem partido, como se o tempo todo tivesse sido eu a contar a história.

Lá dentro, Huda e Mama fazem tinir tigelas de madeira e porcelana. Esqueci completamente o jantar especial para Abu Said hoje à noite. Talvez eu não consiga terminar a história antes de Mama me chamar para ajudar, sua voz cheia de margens vermelhas.

Pressiono o nariz contra o chão e prometo à figueira que encontrarei um meio de terminar.

— Não importa onde eu esteja — digo. — Colocarei minha história no chão e na água. Então ela chegará a Baba, e a você também.

Imagino as vibrações de minha voz viajando milhares de quilômetros, penetrando a crosta terrestre, enfiando-se entre as placas tectônicas sobre as quais aprendemos na aula de ciências no último inverno, enterrando-se na escuridão onde tudo dorme, onde o mundo é de todas as cores ao mesmo tempo, onde ninguém morre. Começo de novo.

TODO MUNDO CONHECE a história de Rawiya. As pessoas só não sabem que conhecem.

Era uma vez uma viúva pobre e sua filha, chamada Rawiya. As duas começavam a passar fome. A vila de Rawiya, Benzú, ficava à beira do mar em Ceuta — uma cidade na atual Espanha, um pequeno distrito numa península africana cravada no Estreito de Gibraltar.

Rawiya sonhava em ver o mundo, mas ela e a mãe mal conseguiam comprar cuscuz, mesmo com o dinheiro que o irmão de Rawiya, Salim, trazia para casa de suas viagens marítimas. Rawiya tentava se contentar com seu bordado e sua vida pacata com a mãe, mas andava inquieta. Amava subir as colinas e passear no bosque de oliveiras com seu amado cavalo, Bauza, e sonhar com aventuras. Ela queria partir e buscar fortuna, para salvar a mãe de uma vida comendo mingau de cevada, numa casa de gesso sob o semblante rochoso do Jebel Muça, observando a costa à espera do barco de seu irmão.

Quando Rawiya enfim decidiu sair de casa, aos dezesseis anos, tudo o que tinha para levar consigo era sua funda. Seu pai a fizera quando ela era pequena e atirava pedras nas libélulas. Não a deixaria para trás. Guardou-a em sua bolsa de couro e selou Bauza sob a figueira próxima à casa da mãe.

Rawiya temia contar à mãe por quanto tempo ficaria longe, pensando na possibilidade dela tentar impedi-la.

— Vou só até o mercado em Fez para vender meu bordado — disse Rawiya.

Mas a mãe de Rawiya franziu o cenho e pediu-lhe para prometer ter cuidado. Naquele dia, o vento soprou com força do estreito, sacudindo o lenço da mãe e a barra de sua saia.

Rawiya havia enrolado um tecido vermelho ao redor do rosto e do pescoço, ocultando o cabelo recém-cortado.

— Não ficarei longe por mais tempo do que o necessário — disse à mãe.

Não queria que ela soubesse, mas andava pensando na história que ouvira muitas vezes — a história do lendário cartógrafo que vinha ao mercado de Fez uma vez por ano.

O vento abria e fechava o lenço de Rawiya como um pulmão. Ocorreu-lhe o pensamento doloroso de que não sabia por quanto tempo ficaria longe. Interpretando a tristeza da filha como nervosismo, a mãe de Rawiya sorriu. Pegou do bolso uma misbaha de contas de madeira e colocou-a nas mãos da menina.

— Minha mãe me deu essas contas de oração quando eu era uma menina — disse. — Se Deus quiser, elas vão confortá-la enquanto você estiver longe.

Rawiya abraçou a mãe com força e disse-lhe que a amava, tentando guardar seu cheiro na memória. Então subiu na sela de Bauza, que apertou os dentes contra o freio com um estalo.

A mãe de Rawiya sorriu para o mar. Viajara para Fez uma vez e não se esquecera da jornada.

— Todo lugar onde você vai se torna uma parte de você — disse à filha.

— Mas nenhum lugar mais do que o lar.

A jovem foi mais sincera nisso do que em qualquer outra coisa que dissera. E então Rawiya de Benzú cutucou o cavalo até ele se voltar para a estrada em direção ao interior, passando os picos elevados e planícies férteis do montanhoso Rife, onde viviam os berberes, rumo à Cordilheira do Atlas e aos mercados fervilhantes de Fez, que acenavam do sul, chamando-a.

A estrada da rota comercial dava voltas em colinas de calcário e planícies verdejantes de cevada e amendoeiras. Por dez dias, Rawiya e Bauza seguiram seu caminho pela estrada tortuosa, aplanada pelos sapatos dos viajantes. Rawiya lembrou a si mesma de seu plano: encontrar o lendário cartógrafo, Abu Abd Allah Muhammad al-Idrisi. Planejava tornar-se sua aprendiz, fingindo ser o filho de um mercador, e fazer fortuna. Daria um nome falso — Rami, cujo significado era "aquele que atira a flecha". Um nome bom e forte, disse a si mesma.

Rawiya e Bauza atravessaram as colinas verdes que separavam o cotovelo dobrado do Rife da Cordilheira do Atlas. Subiram encostas altas encimadas por florestas de cedros e sobreiros, cujos galhos macacos faziam farfalhar. Desceram vales com flores silvestres amarelas a perder de vista.

A Cordilheira do Atlas era o reduto dos almóadas, uma dinastia berbere que buscava conquistar todo o Magreb, as terras do norte da África a oeste do Egito. Ali, nas terras deles, cada som deixava Rawiya apreensiva, mesmo o farejar de um javali selvagem e os ecos dos cascos de Bauza nas falésias de calcário. À noite, ela escutou sons distantes de instrumentos e cantoria. Achou difícil dormir. Pensou nas histórias que escutara quando criança — contos sobre um ameaçador pássaro grande o bastante para carregar elefantes, lendas de vales fatais repletos de cobras gigantes com escamas de esmeraldas.

Finalmente, Rawiya e Bauza alcançaram uma cidade murada em um vale. Caravanas de mercadores vindas do Saara e de Marrakesh espalhavam-se na planície relvada, pontilhada por eucaliptos. O Rio Fez era uma corda verde dividindo a cidade em duas. Os queixos dobrados do Alto Atlas lançavam sombras compridas.

Dentro dos portões da cidade, Bauza trotou em meio às casas de gesso pintadas em tons de rosa e açafrão, minaretes coroados de verde e janelas em arcos dourados. Rawiya ficou deslumbrada pelos telhados de jade e pelos jacarandás floridos da cor de relâmpagos roxos. Na almedina, os mercadores sentavam-se de pernas cruzadas atrás de imensos cestos de especiarias e grãos. A tapeçaria de cores atraía o olhar de Rawiya: o índigo fosco dos figos maduros, o vermelho-ferrugem da páprica. Lampiões suspensos de metal fundido e vidro colorido lançavam minúsculas pétalas de luz que se agarravam aos becos cobertos de sombras. Crianças passavam tagarelando pelas ruas, cheirando a couro curtido e especiarias.

Rawiya guiou Bauza até o centro da almedina, onde esperava encontrar o cartógrafo. A poeira das ruas pintava os cascos de Bauza. No calor do dia, a sombra de pedras entalhadas e azulejos de mosaicos criava uma sensação fria, refrescante. Os gritos dos mercadores e vendedores de especiarias ensurdeciam Rawiya. O ar estava denso com o cheiro de suor e óleo, o almíscar de cavalos, camelos e homens, a pungência de romãs, o adocicado de tâmaras.

Rawiya procurou em meio aos mercadores e viajantes, interrompendo vendas de especiarias, perfumes e sal, perguntando por um homem que viajava sob o peso de pergaminhos enrolados em couro e esboços de lugares onde ele já estivera em papel de pergaminho, um homem que velejara pelo Mediterrâneo. Ninguém sabia onde encontrá-lo.

Rawiya estava prestes a desistir quando ouviu uma voz:

— Conheço quem você procura.

Ela se virou e viu um homem abaixado diante de um camelo amarrado a uma oliveira. Estava sentado num pequeno pátio deslocado da almedina, com o turbante branco bem preso ao redor da cabeça, os sapatos de couro e a túnica banhados numa camada brilhosa de poeira da viagem. Gesticulou para ela se aproximar.

— Você conhece o cartógrafo? — Rawiya entrou no pátio.

— O que você quer com ele? — O homem tinha uma barba curta e escura, e seus olhos ao observá-la eram obsidianas polidas.

— Sou o filho de um mercador — disse a jovem, empilhando palavras. — Quero oferecer meus serviços ao cartógrafo. Quero aprender sua profissão e me sustentar com ela.

O homem deu um sorriso felino.

— Vou lhe dizer onde encontrá-lo se você solucionar três enigmas. Aceita?

Rawiya aquiesceu.

— O primeiro enigma é o seguinte — disse o homem. E falou:

> QUEM É QUE VIVE PARA SEMPRE,
> QUE NUNCA SE CANSA,
> QUE TEM OLHOS EM TODOS OS LUGARES
> E MIL ROSTOS?

— Deixe-me pensar.

Rawiya deu batidinhas no pescoço de Bauza. A fome e o calor a haviam deixado tonta, e a menção a alguém que nunca se cansa a fez pensar na mãe. Perguntou-se o que ela estava fazendo — provavelmente observando o mar à espera de Salim. Fazia tanto tempo desde que ela tivera a companhia de Baba em sua incansável vigia sobre as águas, ou para acompanhá-la na caminhada pelo bosque de oliveiras. Rawiya lembrou-se de quando era pequena, de como Baba lhe contara sobre o mar, o metamorfo imortal...

— O mar! — Rawiya exclamou. — Vive para sempre, tem humor mutável. O mar tem mil rostos.

O homem riu.

— Muito bom.

E continuou com o segundo enigma:

> QUAL É O MAPA QUE VOCÊ LEVA CONSIGO
> A TODO LUGAR AONDE VAI —
> O MAPA QUE O GUIA E AMPARA
> NO CAMPO E NO SOL E NA NEVE?

Rawiya franziu o cenho.

— Quem sempre leva um mapa? Você quer dizer um mapa na sua cabeça? — Baixou o olhar para as próprias mãos, para as veias delicadas percorrendo a extensão do pulso e da palma. Mas então...
— O sangue traça um tipo de mapa, uma rede de estradas no corpo.

O homem fitou-a.

— Muito bem — disse ele.

Rawiya trocou o peso de um pé para o outro, impaciente.

— O terceiro enigma?

O homem inclinou-se para frente.

> QUAL É O LUGAR MAIS IMPORTANTE EM UM MAPA?

— Só isso? — perguntou Rawiya. — Isso não é justo!

Mas o homem apenas comprimiu os lábios e esperou, então ela gemeu e pensou muito.

— Onde quer que você esteja no momento — disse Rawiya.

O homem deu aquele sorriso felino outra vez.

— Se você soubesse onde está, por que precisaria do mapa?

Rawiya puxou a manga de sua túnica.

— O lar, então. O lugar para onde está indo.

— Mas você sabe disso, se está indo para lá. É essa a sua resposta final?

As sobrancelhas de Rawiya uniram-se. Nunca vira um mapa antes.

— Esse enigma não tem resposta — disse a jovem. — Você não usaria um mapa a menos que não soubesse para onde está indo, a menos que nunca tivesse ido a certo lugar antes... — De repente, fez sentido, e ela sorriu. — É isso. Os lugares mais importantes de um mapa são aqueles para onde você nunca foi.

O homem levantou-se.

— Você tem um nome, jovem solucionador de enigmas?

— Meu nome é... Rami. — Rawiya olhou para a almedina, atrás de si. — Você vai me levar até o cartógrafo? Respondi suas perguntas.

O homem riu.

— Meu nome é Abu Abd Allah Muhammad al-Idrisi, acadêmico e cartógrafo. Estou honrado em conhecê-lo.

O sangue latejou no peito de Rawiya.

— Senhor... — Ela abaixou a cabeça, afobada. — Estou a seu dispor.

— Então você partirá comigo para a Sicília em uma quinzena — disse al-Idrisi —, rumo ao palácio do Rei Rogério II de Palermo, onde uma grandiosa e ilustre tarefa nos aguarda.

───◆───

EU MAL COMECEI a contar a história de Rawiya à figueira, quando uma explosão ao longe sacode as pedras sob minha barriga. Minhas entranhas dão um salto. Um estrondo baixo vem de alguma outra vizinhança na cidade, profundo e distante.

É a terceira explosão em três dias. Desde que nos mudamos para Homs, ouvi estrondos como esse apenas duas vezes, e sempre ao longe. Virou uma espécie de trovão — assustador se você pensar demais a respeito, mas não algo que atingiria sua casa. Nunca ouvi tão perto antes, não perto do nosso bairro.

As vibrações se dissipam. Espero outra pancada de medo, mas não vem. Tiro os dedos do solo com os polegares ainda tremendo.

— Nur. — É a voz de Mama, cálido marrom do cedro, com as bordas inclinando-se ao vermelho. Está irritada. — Entre e me ajude.

Beijo as raízes da figueira e coloco a terra de volta no lugar.

— Vou terminar a história — digo-lhe. — Prometo que vou.

Giro o corpo para apoiá-lo nos calcanhares e limpo a sujeira dos joelhos. Minhas costas estão no sol, minhas escápulas tesas de calor. Aqui faz um tipo de calor diferente, não como o de Nova Iorque, onde a umidade obriga você a deitar no chão diante de um ventilador. Aqui é um calor seco, e o ar racha seus lábios até criar feridas.

— Nur!

A voz de Mama está tão vermelha que fica quase branca. Vou para a porta aos tropeços. Me desvio da lona estirada, secando no batente, os mapas emoldurados para os quais Mama não tem espaço dentro de casa. Mergulho no escuro fresco, minhas sandálias batendo na pedra.

Lá dentro, as paredes inspiram sumagre e suspiram o travo de azeitonas. Óleo e banha chiam numa panela, estourando em erupções de amarelo e preto aos meus ouvidos. As cores das vozes e dos cheiros se misturam diante de mim como se estivessem projetadas numa tela: os agudos e as curvas da risada rosa e roxa de Huda, o agudo cor de tijolo de um cronômetro de cozinha, a pontada verde do fermento biológico.

Uso só os pés para tirar as sandálias na porta da frente. Na cozinha, Mama resmunga em árabe e estala a língua. Consigo entender um pouco, mas não tudo. Palavras novas parecem brotar de Mama o tempo todo desde que nos mudamos — expressões interessantes, coisas que eu nunca ouvira, mas soam como se ela as houvesse dito a vida toda.

— Suas irmãs. Onde estão?

Mama está com as mãos numa tigela de carne crua e temperos, amassando seu conteúdo, soltando um cheiro picante de coentro. Ela trocou as calças por uma saia hoje, uma coisinha azul-escura, fina como papel, que chicoteia a parte de trás de seus joelhos. Não está usando avental, mas não tem uma mancha de óleo sequer na blusa branca de seda. Acho que nunca na vida a vi com um pingo sequer de óleo ou uma nódoa de farinha nas roupas.

— Como eu vou saber?

Espio o balcão para ver o que ela está fazendo. Esfirra? Espero que seja esfirra. Amo o cordeiro apimentado e os pinhões, as rodelas finas de massa crocante com óleo.

— Mama. — Huda entra, vinda da despensa, seu lenço de cabeça com desenhos de rosas sujo de farinha, os braços cheios de vidros de tempero e maços de ervas do jardim. Ela põe tudo no balcão. — Acabou o cominho.

— De novo! — Mama joga as mãos para cima, rosadas com o caldo do cordeiro. — E a preguiçosa da Zahra, hein? Ela vai me ajudar com as tortas ou não?

— Trancada no quarto, aposto.

Ninguém me escuta. Zahra andou enfiada no celular ou entocada no quarto que compartilha com Huda desde que nos mudamos para Homs. Desde que Baba morreu, ela ficou má, e agora estamos presas com ela. As pequenas coisas que nos faziam seguir em frente quando Baba estava doente se foram — comprar doces na venda, bater um paredão nas laterais dos prédios. Mama faz seus mapas, Zahra joga no celular, e tudo o que eu faço é esperar esses dias longos e escaldantes acabarem.

Zahra e Huda sempre falaram da Síria como se fosse nossa casa. Conheciam-na bem antes de Manhattan, diziam parecer-lhes mais real do que a Avenida Lexington ou a Rua 85. Mas esta é minha primeira vez fora da Amreeka — que é como chamam a América aqui — e todo o árabe que pensei saber não serve para muita coisa. Não me sinto em casa aqui.

— Ache sua irmã. — A voz de Mama tem aquela borda vermelha de novo, um sinal de alerta. — A noite de hoje é especial. Queremos tudo pronto para Abu Said, não é?

Isso me comove, e saio de fininho para procurar Zahra. Ela não está no quarto que divide com Huda. As paredes rosadas suam com o calor. As roupas e joias de Zahra estão jogadas por todo lado em seu edredom amassado e no tapete. Escolho um trajeto por cima dos jeans e camisetas amarrotados e de um sutiã perdido. Examino um vidro do perfume de Zahra na cômoda. A garrafa de vidro é como uma gema gorda e roxa, como uma ameixa transparente. Aplico um pouco nas costas da mão. Cheira a lilases podres. Espirro no sutiã de Zahra.

Volto pelo corredor nas pontas dos pés, atravesso a cozinha e entro na sala. Meus dedos afundam no tapete persa vermelho e bege, bagunçando o cuidadoso arranjo que Mama fez com o aspirador. Um rádio retumba algo que supostamente seria música: trinados vermelhos de guitarra, nódoas pretas de caixetas. Zahra está largada no sofá baixo, digitando em seu smartphone, com as pernas jogadas sobre o braço de tecido florido. Se Mama a visse com os pés nas almofadas, gritaria.

— Verão de 2011 — Zahra fala de modo arrastado no calor. — Eu deveria me formar no ano que vem. Turma de 2012. Planejamos pegar a estrada até Boston. Deveria ter sido o melhor ano de todos.

— Ela vira o rosto para as almofadas. — Em vez disso, estou aqui. Está setenta graus. Não temos ar condicionado e tem o jantar idiota da Mama hoje à noite.

Ela não consegue me ver perfurando as suas costas com os olhos. Zahra só está com ciúmes por Huda ter terminado o ensino médio antes de partirmos de Nova Iorque e ela não. Ela não parece se importar com meus sentimentos, que é tão ruim perder seus amigos aos doze quanto aos dezoito. Dou batidinhas nas suas costas.

— A sua música é idiota. E não está setenta graus. Mama quer você na cozinha.

— O cacete.

Zahra cobre os olhos com o braço. Seus cachos negros pendem da lateral do sofá, seus olhos teimosos semicerrados. O bracelete dourado em seu pulso a faz parecer arrogante e adulta, como uma dama rica.

— Você ia ajudar com as tortas. — Puxo seu braço. — Ande. Está quente demais pra continuar te puxando.

— Está vendo, gênia? — Zahra se levanta do sofá com uma arrancada, dando preguiçosos passos descalços até o rádio a fim de desligá-lo.

— Acabou o cominho de novo. — Huda entra, secando as mãos num trapo. — Quer vir?
— Vamos comprar sorvete. — Eu me abraço à cintura de Huda. Zahra reclina-se no braço do sofá.
Huda aponta a cozinha com um gesto brusco do polegar.
— Tem uma tigela de cordeiro com seu nome nela — diz a Zahra —, se não quiser fazer as compras.
Zahra revira os olhos para o teto e nos segue para fora.
Mama nos chama quando passamos.
— Quero que se comportem da melhor maneira hoje à noite, todas vocês. — Ela abaixa o queixo, fitando Zahra. Enfia coentro no cordeiro, abrindo a carne ao meio. — Aqui, no meu bolso. — Ela gesticula para Huda, erguendo as mãos oleosas. — Um pouquinho a mais, caso o preço tenha subido de novo.
Huda suspira e pega algumas moedas do bolso da saia de Mama.
— Tenho certeza de que não vai ser tudo isso.
— Não discuta. — Mama se vira de volta para o cordeiro. — Todos os preços subiram no mês passado. Pão, tahine, o próprio custo de vida. E ouçam: tomem cuidado. Nada de multidões, nada desse assunto louco. Vão à loja e depois voltem direto para casa.
— Mama. — Huda dedilha a pasta de farinha seca no tampo do balcão. — Não vamos nos meter com isso.
— Ótimo. — Mamãe olha Huda de relance. — Mas hoje é sexta. Vai ser pior.
— Teremos cuidado. — Huda apoia um cotovelo no balcão e olha para cima por baixo de suas sobrancelhas espessas, onde há gotículas de suor. Remexe os pés, fazendo a barra de sua saia leve ondular. — Mesmo.
Nos últimos dois meses, Mama diz toda hora para evitarmos multidões. Parece que elas surgem em todo lugar — multidões de rapazes protestando, pessoas protestando contra os protestos, rumores de brigas entre os dois grupos. Nas últimas semanas, eles se tornaram tão ruidosos e irados que se pode ouvir seu canto e os megafones pelo bairro inteiro. Mama passou meses dizendo que estar no lugar errado na hora errada pode fazer você ser presa —

ou pior. Mas, como em Nova Iorque, manter-se ensimesmada nem sempre impede os problemas de acharem você.

Fecho os olhos e tento pensar em outra coisa. Inspiro todos os cheiros de tempero da cozinha, tão intensos que sinto suas cores dentro do peito.

— Dourado e amarelo — eu digo. — Massa à base de óleo. Sabia que era esfirra.

— Essa é minha Nur, em seu mundo de cores. — Mama sorri, voltada para a carne de cordeiro, suor brilhando na linha do cabelo. — Formas e cores para cheiros, sons e letras. Queria conseguir enxergar.

Huda amarra melhor os cadarços.

— Dizem que a sinestesia está ligada à memória. Memória fotográfica, sabia? Aquela na qual você pode voltar e ver as coisas com os olhos da mente. Então a sua sinestesia é como um superpoder, Nur.

Zahra ri baixinho.

— Está mais para uma doença mental.

— Segure a língua. — Mama esfrega as mãos. — E vão andando, pelo amor de Deus. Já são quase cinco horas. — Ela sacode água dos dedos antes de secá-los. — Se a luz acabar de novo hoje, vamos ter que comer cordeiro e arroz gelados.

Zahra vai para a porta.

— Boa memória, é? É por isso que Nur tem que contar cem vezes a história de Baba sobre al-Idrisi?

— Cala a boca, Zahra.

Sem esperar por uma resposta, ponho as sandálias e abro a porta da frente. Afasto do rosto a cortina de galhos da figueira. Manchas de sombra se movem nos mapas de Mama. Saindo de nosso bequinho, bolinhas azuis de conversa vêm rolando até nós. Um carro passa sibilando, seus pneus dando um assobio cinza. Uma brisa branca farfalha folhas castanhas.

Caminho na sombra do prédio vizinho, arrastando os pés enquanto espero Huda e Zahra amarrarem os sapatos. Quero pressionar o rosto de volta na terra salgada do jardim, mas, em vez disso, cutuco os cantos das lonas de Mama com o dedão do pé.

— Por que ela deixa todos esses aqui fora?

Huda vem para fora. Olha de relance os mapas pintados, empilhados para secar como dominós contra a parede.

— Há uma quantidade grande demais deles, para mantê-los dentro de casa — ela diz. — Secam mais rápido aqui fora.

— Os mapas não vendem como vendiam quando nos mudamos — diz Zahra, secando suor da lateral de seu rosto. — Perceberam?

— Nada está vendendo — diz Huda. Ela pega minha mão. — Yalla. Vamos andando.

— O que você quer dizer, nada está vendendo? — pergunto. O hijab com estampa de rosas de Huda bloqueia o sol. — Compramos pistache e sorvete o tempo todo.

Huda ri. Sempre gostei de sua risada. Não é como a de Zahra, puro nariz e guincho. Huda tem uma risada gostosa, rosa-arroxeada, subindo como um chicote no finalzinho.

— Sorvete sempre vende — ela diz.

As pedras da calçada soltam vapor como pão recém-saído do forno e queimam as solas dos meus pés através das sandálias de plástico. Pulo de um pé para o outro, tentando não deixar que Zahra veja.

Viramos na rua principal. Alguns carros e ônibus azuis circundam a praça, enroscando-se entre as vias. Estamos no Ramadã e as pessoas parecem dirigir mais devagar, caminhar mais devagar. Depois do iftar hoje à noite, homens grisalhos de barriga cheia irão andar pelas ruas da Cidade Velha com as mãos cruzadas às costas, e as mesas externas das cafeterias estarão lotadas de pessoas bebendo café com cardamomo e passando entre si as mangueiras dos narguilés. Mas, por ora, as calçadas estão quase vazias, mesmo no nosso bairro de maioria cristã. Mama sempre diz que os cristãos e os muçulmanos vivem lado a lado nesta cidade há séculos, que eles continuarão a pedir emprestado uns aos outros farinha e agulhas de costura por muitos anos.

O bracelete dourado de Zahra dança, lançando elipses de luz. Ela observa o lenço de Huda.

— Está com calor?

Huda olha Zahra de lado.

— Não me incomoda — diz, o mesmo que vem dizendo desde que começou a usar o lenço no ano passado, quando Baba adoeceu.
— E você, não está com calor?
— Talvez eu use um quando ficar mais velha. — Ergo uma mão e passo os dedos na bainha de algodão. — Este é o meu preferido, por causa das rosas.
Huda ri.
— Você é pequena demais para se preocupar com isso.
— Você ainda nem menstruou — diz Zahra.
— Sangrar não é o que torna você adulta — eu digo.
Zahra inspeciona suas unhas.
— Você claramente não sabe o que significa ser adulta.
Nós viramos numa construção de tijolinhos. O calor cintila ao se desprender do chão e do cabelo preto de Zahra. Mais adiante na rua, um homem vende o chá do jarro de prata em suas costas, mas não tem clientes. Ele desce devagar os degraus de um prédio residencial, limpando suor debaixo do chapéu.
— Uso o lenço para me lembrar que pertenço a Deus — diz Huda.
Penso em nossa estante de livros na cidade, o Corão e a Bíblia lado a lado, Mama e Baba trocando anotações. Mama costumava nos levar à missa em alguns domingos e, em sextas-feiras especiais, Baba nos levava à jumu'ah.
— Mas como você decidiu? — pergunto.
— Você vai entender um dia.
Cruzo os braços.
— Quando crescer, certo?
— Não necessariamente. — Huda pega minha mão de novo, afastando meus braços um do outro. — Quando for a hora.
Franzo a testa e me pergunto o que isso quer dizer.
— Qual a idade de Abu Said? — pergunto.
— Por quê?
— Hoje não é um jantar de aniversário?
Zahra ri.
— Você nunca presta atenção, sua estúpida?
— Ela não tem culpa — diz Huda. — Eu não contei pra ela. — Pousa a mão na coxa, os dedos rígidos. Há algo que não quer dizer.

— Hoje é o aniversário da morte do filho de Abu Said. Mama não queria que ele ficasse sozinho.
— Ele tinha um filho?
De algum modo, nunca havia imaginado que Abu Said tivesse uma família.
— E vamos distraí-lo com comida. — Zahra chuta uma pedra e solta um riso zombeteiro. Chega a parecer enfurecida. — Estamos preocupadas com cominho.
— Então Abu Said está igual à gente. — Baixo o olhar para minhas sandálias de plástico, ainda quentes de andar nas pedras da calçada. — Falta para ele o ingrediente mais importante.
Huda diminui o passo.
— Nunca pensei por esse ângulo.
O sol faz o teto prateado dos carros cintilar.
— Devíamos brincar de girar com ele — digo.
— Brincar de girar? — Zahra dá um sorriso desdenhoso. — Falando em inventar.
Huda verifica as placas de rua antes de darmos as costas ao emaranhado de carros. Esta rua está mais fresca e os portões de ferro das casas se curvam nas formas de pássaros e ramalhetes de pétalas de flores. Mulheres de vestidos frisados regam jardineiras ou se abanam nas varandas de cima. Passamos por uma calçada de prédios delineada por minúsculos seixos, e apanho um.
Huda agarra minha mão outra vez e a aperta.
— Brincar de girar. Como se faz?
Sorrio e pulo diante dela, andando de costas e sacudindo as mãos.
— Você fecha os olhos e fica girando. Então a magia te conduz por diferentes níveis, e você conta até dez enquanto roda, um giro para cada nível que atravessa. E quando abre os olhos, as coisas parecem as mesmas, mas a magia as deixa diferentes.
— Níveis? — Huda inclina a cabeça na direção de vozes ao longe, o latido preto-alaranjado do escapamento de um carro.
— Níveis de existência — eu digo, abrindo os braços. — Existem diferentes camadas de realidade. Tipo, embaixo desta tem mais uma, e outra abaixo dela. E todos os tipos de coisas que nem imaginamos estão acontecendo o tempo inteiro, coisas que não vão

acontecer antes de um milhão de anos ou coisas que já aconteceram muito, mas muito tempo atrás.

Me esqueço de prestar atenção nos meus pés e esbarro na borda da calçada.

— Nur pirou de novo — diz Zahra.

— Então essas outras realidades correm paralelas à nossa, ao mesmo tempo, como correntes diferentes do mesmo rio? — diz Huda. — Então existe um nível onde Fernão de Magalhães ainda está navegando ao redor do mundo.

— E um onde a Nur é normal — diz Zahra.

— Talvez exista um nível onde todos temos asas — diz Huda.

— E um nível onde você possa ouvir a voz de Baba — eu digo.

As palavras me agarram como se meus pés houvessem criado raízes até o outro lado do planeta, e paro diante do portão de ferro de um prédio residencial. O pânico pesa em meus tornozelos, o pensamento de que nunca mais ouvirei as histórias de Baba ou sua voz. Por que a ausência de uma história tinha que deixar um buraco tão grande, quando não passa de um fluxo de palavras?

O sol goteja por entre as folhas de um álamo torto. Mercados halal e restaurantes de shawarma para levar, fechados, delineiam o quarteirão seguinte. Seus donos devem ter ido para casa cedo para o desjejum. Ninguém diz nada, nem Zahra. Ninguém menciona que Mama e Baba viviam aqui na Cidade Velha quando Huda e Zahra eram apenas bebês. Ninguém se gaba de conhecer todas as lojas e restaurantes, nem do fato de até Zahra falar árabe melhor do que eu.

Mas sinto tudo isso, o quanto essa cidade não é meu lar, o modo como ninguém pendura cobertores em suas varandas em Nova Iorque, o modo como o Central Park tinha bordos em vez de tamareiras, como não há pizzarias ou carrinhos de pretzel nas ruas daqui. Como árabe soa engraçado em minha boca. Como não posso mais ir andando para a escola com meus amigos, nem comprar chiclete do Sr. Harcourt na banca de jornal. Como às vezes esta cidade treme e desmorona à distância hoje em dia, como me faz morder o lábio tão forte que engulo sangue. Como minha casa se foi. Como, sem Baba, sinto que minha casa se foi para sempre.

Os tênis de Huda lançam vespertinas sombras vermelhas. Os prédios imensos, de pedra amarela e branca, escancaram-se. Em algum lugar, alguém derrama um copo d'água por uma janela, e as gotas escorrem em branco e prateado até a sarjeta.

Huda se agacha na calçada diante de mim, juntando as dobras da saia entre os joelhos.

— Não chore — ela diz, secando meu rosto com a rosa de algodão na ponta de seu hijab.

— Não estou chorando, Huppy.

Apunhalo meu rosto com o antebraço, errando o nariz. Huda me abraça, e me inclino contra ela como uma tigela de madeira. Ela está quente, seu calor dourado e vermelho como as maçãs McIntosh. Pressiono o rosto nas dobras macias de tecido onde seu lenço encontra o pescoço de sua camiseta.

A risada de Zahra é puro cascalho.

— Quantos anos você tem, três? Ninguém te chama de Huppy mais.

Faço uma careta para Zahra.

— Cala a boca.

— Ela pode me chamar do que quiser — diz Huda.

Caminhamos em silêncio pelo resto do quarteirão até a loja de temperos, e Zahra evita meus olhos. Eu deveria ter me controlado: ninguém falou muito de Baba desde o funeral. Baba é o fantasma sobre o qual não falamos. Às vezes me pergunto se Mama, Huda e Zahra querem fingir que sua doença nunca existiu, que o câncer não apodreceu seu fígado e coração. Acho que é como brincar de girar: às vezes você preferiria estar em qualquer outro nível mágico que não o seu. Mas não quero esquecê-lo. Não quero que seja como se ele nunca tivesse existido.

Dentro da loja de temperos, as gôndolas estão abarrotadas de sacos, latas e vidros, tigelas abertas de pós vermelhos e amarelos com etiquetas num minúsculo árabe escrito à mão. Um homem sorri para nós de trás do balcão, abrindo as mãos. Fico nas pontas dos pés e estendo os dedos na direção de cestas cheias de cravos inteiros e cardamomo com casca, parecidos com miçanguinhas de madeira.

Zahra segura o braço de Huda, seu bracelete balançando.

— Pensei numa brincadeira — Zahra diz em inglês, para eu poder entender. Ela sorri de um jeito lento e cuidadoso, que de algum modo sai cruel. — Por que a Nur não pede o cominho?

Huda fulmina Zahra com o olhar.

— Não comece.

— Ela pode praticar o árabe — diz Zahra, e sorri com a mão sobre a boca.

O homem atrás do balcão espera, coçando a sombra de sua barba por fazer. Limpo as mãos úmidas nos shorts. Do lado de fora, um vendedor de chá passa.

— Shai — ele anuncia. — Shai.

Eu penso, *chá*. Conheço essa palavra. Aperto os olhos na direção de uma tapeçaria repuxada nos fundos da loja, um fio solto de lã vermelha tiritando sob o ventilador. Tento lembrar como se diz *eu quero*.

O homem atrás do balcão me faz uma pergunta que não entendo. Sua voz é toda de arremetidas verdes, os pontos pretos das consoantes em meio a elas.

— Vamos — diz Huda. — Não é...

— Ana... — Minha voz quebra o calor, e todo mundo se cala. Eu só consegui falar a palavra *eu*. Engulo em seco, afundando as unhas na palma da mão, usando a dor para acalmar meus nervos. — Ana...

— Meu cérebro coça e ferve, rajadas solares de vermelho e rosa, e mesmo eu me lembrando da palavra para cominho, *al-kamun*, ainda não lembro como dizer *eu quero*. Devo ter dito dezenas de vezes, mas, com todos me encarando, minha mente se esvazia.

— Shu? — o homem diz. O quê?

— Ana... al-kamun.

O homem ri.

— Você está comendo? — Zahra dá gargalhadas.

— Ana ureedu al-kamun — eu digo, mais alto. — Eu sei dizer. Sei mesmo!

— Sei que sabe — diz Huda.

Zahra pechincha com o lojista. Pressiono minha bochecha no ombro para não deixar meus olhos lacrimejarem. As moedas tilintam na palma da mão de Huda enquanto ela as conta. Na saída, ela solta um assobio baixinho. Por sobre o emaranhado de meus cabelos encaracolados, ela sussurra a Zahra:

— Mamãe estava certa quanto ao preço.

No caminho de volta para casa, Zahra se recusa a calar a boca:

— Que tipo de síria é você? Nem fala árabe.

No fundo, ouço o que ela realmente quer dizer: que não sei o que significa ser síria.

— Para — diz Huda.

— Ah, é — diz Zahra. — Eu esqueço. Você não é síria. Você nem lembra da nossa casa antes de nos mudarmos para os Estados Unidos. Você é americana. Só fala inglês.

— Zahra! — Huda afunda as unhas no braço de Zahra.

Esta uiva, puxando o braço com força.

— Era só uma brincadeira. Credo.

Eu não sinto como se fosse. Zahra cruza os braços, fazendo seu bracelete de ouro cintilar no pulso. Quero arrancá-lo e jogá-lo no meio da rua para um carro achatá-lo.

Voltamos pelas ruas vazias da Velha Homs, o sol vermelho e comprido, os lojistas baixando as portas metálicas. Procuro em torno as raízes expostas de uma tamareira ou um trecho de terra limpa e nua.

Passamos de novo pelos tornozelos carecas do álamo torto. Eu me imagino pressionando meus dedos no tronco áspero, entrelaçando minha voz com as raízes.

COMO DUAS MÃOS

E FOI ASSIM QUE RAWIYA, uma menina pobre do vilarejo de Benzú, em Ceuta, na ponta da África, acabou indo velejar no Mediterrâneo. Ela queria reivindicar sua fortuna, voltar e sustentar a mãe. Seu pai, que morrera quando ela era pequenininha, teria desejado isso. Seu irmão, Salim, estava sempre fora, navegando pelo mar com uma tripulação de mercadores. A vida dele era difícil, e sua mãe nunca sabia quando seu navio aportaria, ou sequer se chegaria.

Então Rawiya deixou sua casa como Rami, com a funda do pai e a misbaha da mãe, juntando-se à expedição de al-Idrisi para mapear o Mediterrâneo inteiro — que não se chamava Mediterrâneo na época, mas Bahr ar-Rum, Mar Romano ou Mar de Bizâncio, ou às vezes Bahr ash-Shami, o Mar da Síria. Para al-Idrisi, aquele mar era o portão para muito do mundo habitado.

Mas o mundo de Rawiya era o ínfimo terreno de sua mãe em Benzú, o minúsculo bosquedo de oliveiras e a costa, os mercados de Ceuta, o porto em Punta Almina. Rawiya nunca imaginara que o mundo fosse tão grande.

Velejaram por mais de três semanas antes da tripulação começar a murmurar que logo se aproximariam da Sicília. Animada pela notícia, Rawiya ficou no convés da embarcação, com a capa envolvendo os ombros. O ar salgado aliviava um pouco o enjoo que a havia atormentado por semanas. Com uma pontada, pensou em Bauza, no deque inferior.

Al-Idrisi juntou-se a ela, a brisa formando dedos ásperos em sua barba curta e agitando sua calça saruel ao sabor do vento. Ele lhe disse que amava observar o mar, e o borrifo de sal ia esculpindo linhas ao redor de seus olhos, como se ele houvesse passado décadas rindo em vez de lendo. Rawiya queria dizer-lhe que observava a praia quando era criança, que Salim estava em algum lugar em meio às ondas naquele momento, mas segurou a língua. Mesmo agora, sua mãe o estaria esperando — e, ela percebeu com uma onda de vergonha, começando a se preocupar com ela.

— Passei anos da minha vida em torres e bibliotecas, lendo e recitando. — O peito de al-Idrisi encheu-se com o ar marinho. — Chegou então um momento em que eu não quis desperdiçar ainda mais anos do que já tinha desperdiçado. — Disse a Rawiya para tomar cuidado com as palavras: — Histórias são poderosas, mas se você guardar demais no coração as palavras dos outros, elas afogarão as suas próprias. Lembre-se disso.

Ainda não conseguiam avistar terra em parte alguma, apenas o mar em torno. O mastro gemia e as velas rangiam como as asas de cem albatrozes.

— Seu lugar não é numa biblioteca — disse Rawiya. — Você parece em casa aqui, como também parecia nas montanhas e na almedina.

— Já tive uma família, que teria concordado com você. — Al-Idrisi baixou os olhos para a água e apoiou os cotovelos na balaustrada. — O mar tem o poder de nos mostrar quem somos. Às vezes, acho que viemos da água, e ela nos chama de volta. Como a palma de uma mão tentando tocar a outra.

Rawiya deu as costas para as ondas esculpidas. Pensara que o mar aberto fosse plano, como um espelho ou uma moeda. Mas tinha cores e formas, tornando-se verde ou preto ante a aproximação de uma tempestade. Às vezes ficava vermelho e roxo e prateado e ouro branco. Tinha extremidades afiadas. Tinha seus humores, suas cianoses, seus ataques de riso.

— O mar é uma criança — disse Rawiya —, curioso, faminto e alegre ao mesmo tempo.

— O mar assume a forma que quiser — disse al-Idrisi.

E Rawiya pensou no pai, no modo como ele costumava observar o litoral enquanto cuidava das oliveiras, no modo como ele costumava dizer que o mar mudava de forma à noite. Pensou na curta doença do pai, em como ele fora escorregando irremediavelmente para as trevas, como se escorregasse de uma escada entre as oliveiras. Ela não havia tido a oportunidade de se despedir de verdade.

Al-Idrisi sorriu outra vez, agora mais brando.

— Descanse um pouco para ter forças quando aportarmos em Palermo — disse ele. — Haverá muito para vocês dois aprenderem.

Isso porque al-Idrisi trouxera consigo um segundo aprendiz, um rapaz chamado Bakr, que, enjoado, descansava no deque inferior.

— Você é o mais resiliente dos meus aprendizes, Rami — disse al-Idrisi. E riu.

Então afastou-se. Sua risada ricocheteou nas redes de carga e no mastro. Tornou-se a risada do pai de Rawiya, feita de ondulações verdes como as folhas de oliveiras lavadas pelo sol. Por sobre a balaustrada, Rawiya viu seu reflexo na superfície da água, o turbante vermelho e o rosto de moleque. Não se reconheceu.

DEPOIS DO FUNERAL DE BABA, após os vizinhos, meus professores e os amigos do trabalho de Baba terem ido embora, Mama guardou os cozidos e colocou os cravos num copo d'água. Os caules eram compridos demais para o copo, então, quando Mama deu as costas, Huda apanhou-o e o colocou ao lado da janela, com as flores se debruçando sobre o armário.

Mama não percebeu. Era como se estivesse num lugar onde ninguém conseguisse alcançá-la. Ela se movia pela cozinha como a brisa de um ventilador, acendendo o fogão a gás e enchendo demais a chaleira.

Enquanto estávamos sentadas ali sem dizer nada, Mama tirou com batidinhas os borrões de sua maquiagem e preparou um bule de um chá forte de sálvia, o tipo que deixava meus amigos nauseados, o tipo que eu amava.

O chá tinha o gosto das manhãs de sábado, quando Mama ia conosco até a venda para comprar legumes e tudo cheirava a frutas e água. Tinha o gosto das tardes de outono, quando Baba me levava ao Central Park e parava dentro da piscina de aspersores vazia, a fim de ficar da minha altura enquanto jogávamos bola. Tinha o gosto das histórias de dormir de Baba.

Então pedi a Mama a única das histórias de Baba que, com certeza, ela conhecia. Pedi que contasse a história de Rawiya e al-Idrisi.

Mama se inclinou sobre a mesa e juntou as sobrancelhas sobre o nariz, pensando em como começar. Mas, embora sempre ouvisse, Mama nunca contava histórias como Baba fazia.

— Muitos anos atrás, uma menina corajosa chamada Rawiya deixou Ceuta para ir a Fez fazer sua fortuna — disse ela.

— Mas não é assim que Baba começa — eu disse. — E a figueira? E Bauza?

Mama aproximou a cadeira da minha e alisou os jogos americanos trançados.

— Lembre-se de que até Baba falava que duas pessoas não contam uma história do mesmo jeito — ela disse.

Puxei um fio do meu jogo americano. Não queria uma nova versão da história, e sim a de Baba.

— Tenho saudade do jeito que ele contava.

— Nenhuma de nós tem a voz dele — Mama disse. Pegou minhas mãos para eu parar de puxar. Meus dedos deixaram uma lacuna nos fios trançados, bordas tosquiadas.

Naquela noite, depois de pôr meu pijama e ir à cozinha verificar os cravos, encontrei os primeiros anéis de sal na alça da chaleira. Eles formavam esboços de oceanos que eu nunca tinha conhecido, países que nunca vira.

◆

NO CAMINHO DA LOJA de temperos de volta para casa, Zahra implora para pararmos na joalheria. Mais à frente na rua, policiais montam guarda, mal-humorados no calor, sob um retrato do presidente. Gritos ecoam de algum lugar no coração do bairro. Fora os policiais, Huda e eu, o quarteirão está vazio. Eu me viro, balançando o vidro de cominho que carrego.

— Ela não pode andar logo? — Chuto pedrinhas. — Abu Said estará na nossa casa a qualquer momento.

— Não se preocupe — diz Huda. — Abu Said mora uma rua para baixo da loja de temperos. Se ele estivesse a caminho, nós o encontraríamos.

Eu bufo e franzo a testa.

— Mas para que Zahra precisa de mais coisa? Ela já tem aquele bracelete de ouro com os padrões idiotas.

— Você quer dizer a filigrana? — Huda dá de ombros e aperta os cadarços dos sapatos. — As pessoas gostam de coisas diferentes. Zahra gosta de ter uma aparência... específica.

— Mas ela faz coisas tão feias.

Minha sombra na calçada tem pernas longas como pescoços de girafas. Parecem ridículas atreladas às minhas sandálias.

Huda espia de relance o interior da joalheria, e pega minha mão.

— Que tal um sorvete?

Nos arrastamos pela pedra e pelo concreto quente, em direção à pequena sorveteria do quarteirão seguinte.

— Zahra tem muita coisa para entender — diz Huda —, mas não é uma garota ruim.

— O que tem para entender? — Remexo o vidro de cominho, observando as janelas acima das lojas de roupa e cafeterias. Mulheres se inclinam e sacodem tapetes e cortinas, soltando poeira. — Ela está ruim agora. É a pior irmã de todas.

— Não diga isso. — Huda e eu nos separamos sem nos soltarmos por causa de uma rachadura na calçada. Huda levanta o braço e curva o pulso com a minha mão abaixo, como o de uma dançarina. A brisa empurra sua saia para trás, como a esteira cinza-azulada deixada por um navio. — Algumas pessoas levam tempo para descobrir quem são. Sentem-se pressionadas por todas essas coisinhas que o mundo diz serem importantes. É como ser soprada de um lado para o outro no vento.

Cutuco a tampa do vidro de cominho. O pó lá dentro muda seus próprios cumes e picos de lugar.

— Isso não torna ok ser uma escrota.

— Não. Não mesmo.

Um homem de bicicleta passa por nós. Sua sombra corre pelo muro, percorrendo colunas de portas em faixas de preto e branco. O letreiro sobre a sorveteria ondula no calor e consigo ler mais ou menos as letras. O painel de vidro está aberto para deixar sair o calor. Há uma mesa e duas cadeiras de plástico do lado de fora, vazias.

Lá dentro, toalhas e fotos emolduradas decoram as paredes e ventiladores fazem cócegas de ar quente em nossos rostos. De vez em quando, há uma leve queda de energia, e as luzes se turvam para um tom marrom. Os ventiladores param.

Huda está de jejum para o Ramadã e por isso pede apenas uma casquinha para mim. Um homem cava uma porção de sorvete e lhe dá forma com as mãos, rolando-a em pistaches e prendendo-a na casquinha envolta com papel encerado. Atrás dele, um homem com chapéu de papel e camiseta bate o sorvete com um malho de madeira. Ele ergue o olhar para mim quando lhe agradeço, percebendo meu sotaque.

Do lado de fora, o calor ataca meu sorvete. Pego as gotinhas com a língua, segurando o cominho numa mão e a casquinha na outra.

Dou uma mordida no sorvete, estremecendo de frio.

— Como isso não acontece com você? — pergunto a Huda. — Ser soprada no vento e tal?

— Decidi que havia coisas mais importantes para mim do que aquilo que o mundo quer — ela diz.

— Por isso você colocou o lenço depois que Baba ficou doente?

Vapor escapa de minha boca. Huda me alcança um guardanapo. Passo o papel nas dobras meladas de meus dedos.

— Deus falou comigo — ela diz. — Chame ele como quiser. Deus em inglês. Alá em árabe. O universo. Existe uma bondade no mundo que falou comigo, que me ensinou a importância de saber quem você é. Você pode se perder. — Huda inclina-se e beija o topo de minha cabeça. — Você precisa escutar sua própria voz.

Uma grande explosão nos interrompe, exatamente como a que ouvi no jardim. Cacos de azulejo de cerâmica desmoronam dos andares superiores do edifício. Quero considerá-la um trovão — alta e inofensiva —, mas está próxima demais para isso. Estremeço e aperto os dentes, deixando marcas arroxeadas das minhas unhas no braço de Huda.

— O que é isso? — Arranco os dedos pegajosos da pele de Huda.

— De onde veio?

Huda franze a testa.

— Isso soou mais perto do que hoje de manhã.

Corremos de volta para a joalheria. Termino o sorvete, lambendo o açúcar das unhas. Tem gosto de madeira, como se o medo tivesse invadido minhas papilas gustativas.

Huda se inclina para dentro da joalheria e chama Zahra. Ponho as palmas da mão no concreto, sentindo as vibrações finais. Julgo poder sentir as fundações da cidade ainda tremendo. Me pergunto por quanto tempo os prédios vão aguentar. Me lembro de um boato que ouvi Zahra sussurrar a Huda na semana passada, que as bombas caíram onde a energia acabou. Elas não sabiam que eu estava ouvindo. Mas ouvi vários boatos — multidões voltando-se umas contra as outras, amigos escolhendo lados e pegando em armas, pessoas acusando as outras de causar problemas. Mas Mama e minhas irmãs e eu não queremos causar problemas. Eu só quero que os mapas de Mama sejam vendidos e quero que Zahra pare de me provocar e quero ouvir as histórias de Baba de novo. Penso no preço do cominho. Espero que o fogão e as luzes ainda estejam funcionando em casa. Lembro dos ventiladores oscilando na sorveteria.

Zahra sai aos tropeços com Huda, seus jeans e camiseta grudentos de calor. Viramos na Rua Quwatli, perto da velha torre do relógio, e passamos o vermelho e amarelo do hotel Qasr al-Raghdan. Tudo está mais barulhento aqui, até os gritos que parecem vir de todos os lugares ao mesmo tempo. O sorvete desliza pelo meu estômago.

Um táxi contorna a rotatória, retumbando Umm Kulthum no rádio, e afoga a gritaria. Umm Kulthum é minha favorita, e sempre será. Mama e Baba costumavam dançar ao som de sua música no nosso apartamento na cidade. Depois que Baba adoeceu, o CD ficou parado no aparelho, criando crostas de poeira. Eu costumava botar a música para tocar, esperando que eles dançassem de novo. Mas não dançaram.

Contornamos a praça, indo para casa sob as gelosias das janelas de apartamentos e as lojas fechando. A gritaria toda deve estar vindo dali: um aglomerado de rapazes da idade de Huda, reunidos em torno da velha torre do relógio, suas vozes giz e chocolate. A aglomeração estoura em gritos de ameixa, como notas de oboés, o instrumento que mais amo.

Imagino o que Mama diria se estivesse aqui. A multidão me faz querer correr, mas nós três paramos na esquina, assistindo. Alguns dos rapazes recém alcançaram a idade em que suas barbas começam a crescer, assimétricas e eriçadas. Outros vestem camisetas polo listradas ou camisas, com os jeans franzidos nas coxas e nos joelhos. Presto mais atenção e percebo algumas mulheres entre eles. Árabe enche o ar como um bando de pássaros sobressaltados. Eu me pergunto quem está de qual lado. Eu me pergunto se sequer há lados.

— É a mais intensa que já vi — diz Huda.

Zahra arrasta os tênis como se se preparasse para fugir.

— A mais intensa nos últimos dois meses, definitivamente — ela diz.

A gritaria golpeia e bale como uma música furiosa.

— O que eles estão dizendo? — pergunto.

Ninguém me escuta. O medo me pressiona como um polegar. Percebo estar suando quando sinto o cheiro do meu desodorante, verde-amarelado como canja de galinha. Que esquisito, cheirar a desodorante. Não é esse o oposto do seu trabalho?

Então Huda põe a mão nas minhas costas e me guia para longe do barulho. Mergulhamos em outra rua. Os gritos se reduzem a pontos pretos, estática de megafones. Você ainda pode ouvi-los por toda a Cidade Velha, um zumbido que não vai embora, não importa o quanto você fale mais alto.

A viela que leva à nossa casa está lotada de luz laranja quando chegamos. Viramos em meio aos prédios, e os sons por fim começam a esvanecer. Um novo mapa seca do lado de fora, apoiado no portão do jardim. Mama deve ter ficado impaciente de nos esperar e trabalhou nos mapas para passar o tempo. Ela sempre está fazendo alguma coisa, nunca para. Procuro o brilho da tinta a óleo, mas está liso. Inspeciono a rosa dos ventos dourada, as pinceladas de Mama pintadas à mão no alfabeto árabe. Suas letras criam cores diferentes das do inglês, mesmo aquelas que não sei pronunciar. Consigo ler algumas: a curva azul do *ūāū*, o *haa* laranja queimado, o *ayn* amarelo-enxofre. Huda abre o portão. No jardim, mais mapas emoldurados estão espalhados sob a figueira, secando à sombra. Mama deve tê-los realocado a fim de abrir espaço para os novos. As pedras fervem enquanto a tarde esvanece, misturando as fragrâncias de materiais químicos e terra. O sol baixo transforma as paredes amarelas de nossa casa em bronze, caindo em ripas através das persianas de madeira e das jardineiras de Mama.

Lá dentro, Mama sacode os pincéis numa caneca d'água, mais forte do que de costume. Geralmente não penso muito no assunto: Mama está sempre ocupada com os mapas hoje em dia, pintando o mundo para os professores e pessoas de casacos rígidos que vêm em casa comprá-los. Mas hoje não é como os outros dias, porque acabou a luz e Mama colocou velas na janela e na mesa de jantar. De quando em quando, me pego desejando que a luz volte, esperando que tenha apenas piscado como as luzes da sorveteria. Não volta.

Mama bate uma toalha na mesa e bagunça o cabelo quando entramos. Quando me vê olhando as velas, ela se força a sorrir.

— Onde está a aguarrás? — diz Zahra.

Mama alisa o cabelo.

— Hoje é tinta acrílica.

— Tem um cheiro bem melhor. — Eu finjo tapar o nariz. Huda belisca minha orelha. — Ai!

Mama estreita os olhos como costuma fazer quando está se divertindo com alguma coisa, mas não quer que você saiba. Huda põe o vidro de cominho no armário e Zahra vai se lavar. Ajudo Mama a guardar os pincéis e a limpar a paleta. Sinto como se conseguisse ouvir vogais árabes brilhantes ainda flutuando pela sala, vindas dos clientes de Mama hoje de manhã. Quando eu era pequena, ela falava árabe só com Baba. Agora fala árabe com todo mundo e inglês só comigo. Isso faz eu me sentir deslocada.

— Qual é a cor da letra "E"? — Mama pergunta.

Reviro os olhos. De novo o jogo das cores.

— Amarelo.

— E da letra "A"?

— Vermelho. É vermelho desde que aprendi a ler, Mama.

Mama sempre brinca disso comigo. Ela me pergunta qual a cor de uma letra ou de um número, como se estivesse me testando para saber se continuo a mesma. A essa altura, ela já não deveria saber que sim? Enquanto respondo suas perguntas, ela olha de relance para o mapa que vem pintando e pendura um lençol branco sobre ele.

Faço uma careta.

— Desse jeito, parece um cadáver.

Mama ri, o que significa que não estou encrencada.

— Pintei uma coisa nova — diz ela. — Um mapa especial. Pintei uma camada de cada vez.

Olho para ela com mais atenção.

— Por que você pintaria alguma coisa só pra pintar outra em cima?

— Tem que ser feito assim — diz Mama. — Às vezes, não basta colocar tudo de uma vez. Às vezes, é preciso mais de uma tentativa para acertar.

— Como daquela vez em que Zahra colocou hena no cabelo de Huda quando ela estava dormindo. — Eu rio. — E no dia seguinte a gente teve que fazer luzes vermelhas nela, porque não saía.

Mama ri também.

— Só porque você acrescenta alguma coisa, não significa que tinha dado errado. Talvez só não estivesse pronto.

Então algo racha dentro de Mama, e ela se senta ao meu lado à mesa. Sorri, mas parece esgarçada e velha, como se puxasse os emaranhados de um novelo enterrado dentro dela, como se procurasse por algo que deixou cair no escuro.

— Igual às velhas histórias que você gosta — ela diz, sorrindo com o ar de uma boa época nos olhos, a época em que tínhamos Baba. — Você precisa tecer duas histórias juntas para contar ambas direito. Ela une as palmas das duas mãos, então as abre. — Como duas mãos.

Zahra entra e abre o armário, procurando alguma coisa. Seu bracelete dourado cintila à luz vespertina. O vidro de cominho repousa bem na frente da porta do armário, ainda quente por causa das mãos de Huda, seu pó bronze estremecendo quando Zahra sacode a prateleira.

O PEDIDO DO LEÃO

POR MAIS UMA SEMANA, a proa do barco de Rawiya cortou as ondas esculpidas. Depois de um mês de viagem, finalmente alcançaram um litoral rochoso, com palmeiras que avançavam até o mar. Contornando a costa com o Monte Gallo à direita, adentraram uma baía calma, onde Palermo desdobrava-se sob a sombra de montanhas verdes. Rawiya ficou no convés ouvindo a algazarra de línguas da doca — italiano, grego, árabe, francês normando.

A cidade de Palermo ficava na costa noroeste da Sicília, uma ilha próspera e culta compartilhada por árabes e gregos, cristãos e muçulmanos. Palmeiras verde-douradas amontoavam-se ao redor de igrejas de mármore branco e mesquitas com teto abobadado. Ao norte da cidade ficava o pico de calcário do Monte Pellegrino, encurvado como a corcova de uma baleia.

— Bem-vindos a Palermo — disse al-Idrisi quando deixaram o barco —, o trono do rei normando, Rogério II.

O segundo aprendiz de al-Idrisi, Bakr ibn al-Thurayya, emergiu do deque inferior. O rapaz esbelto de cabelo preto, trajando uma rica capa verde-oliva, era filho de Mahmoud al-Thurayya, um famoso comerciante cujo sobrenome era a palavra árabe para a constelação que os gregos chamavam de Plêiades — as Sete Irmãs.

Al-Idrisi deu um tapinha nas costas dele.

— Conheci o pai de Bakr em Córdoba há muitos anos — disse ele. — Prometi ensinar a Bakr tudo o que sei.

Enquanto al-Idrisi cumprimentava os servos do Rei Rogério, Bakr virou-se para Rawiya.

— Você com certeza vai aprender muito como aprendiz de al-Idrisi, Rami — disse ele. — Sabia que ele viajou para Anatólia aos dezesseis? Al-Idrisi vem de uma linhagem de nobres e homens santos. Dizem que ele descende do Profeta, que a paz esteja com ele.

Rawiya assentiu e segurou a língua, ansiosa para não se denunciar. Mas Bakr, um rapaz do tipo curioso, perguntou:

— Você veio a Fez com uma caravana? Eu vim com uma companhia de comerciantes de especiarias. Meu pai fez arranjos para eu encontrar al-Idrisi em Fez. Disse que alguns anos como aprendiz me fariam bem.

Rawiya sorriu contra sua vontade.

— Vim sozinho, a cavalo — disse ela.

— De Ceuta? — disse Bakr. — Você tem sorte de não ter sido morto por salteadores.

Al-Idrisi, que estivera ouvindo a conversa, deu seu sorriso felino e disse:

— Escolhi Rami pela inteligência e pela coragem que Deus lhe deu. Lembre-se disso, Bakr. Seria bom para você pegar emprestada um pouco de tal ousadia.

Os servos do Rei Rogério encontraram Rawiya, Bakr e al-Idrisi nas docas e os levaram ao palácio. Passaram sob arcos cor de creme, amontoados de palmiteiros e pela igreja de São João dos Eremitas com seu trabalho em pedra decorativo e suas cúpulas vermelhas ao estilo árabe. O palácio ficava não muito longe do porto, com suas janelas enfeitadas por entalhes de rosas e vinhas, seus portões de madeira decorados com filigrana dourada. Servos levaram suas montarias ao estábulo. Rawiya deu um beijo de despedida em Bauza, dando-lhe discretamente um pouco de açúcar de tâmara quando ele esfregou o focinho em seu pescoço.

— Então esse é o cavalo que te trouxe em segurança até Fez — disse Bakr.

Rawiya deu batidinhas afetuosas na crina de Bauza.

— É meu desde que era um potro — disse ela. Bauza estava no auge da vida, ainda restando-lhe a melhor parte de uma década de boa saúde. — É um cavalo bom e forte, e mais corajoso do que a maioria.

Os três caminharam lado a lado até o saguão dourado do Palácio Real de Palermo. Servos vestindo seda dourada e branca estavam a postos sob os tetos com afrescos. O rei adiantou-se, vestindo as riquezas de seu reino. Sua túnica índigo tinha a bainha em veludo vermelho e estava presa por broches de ouro. Suas luvas de seda vermelha tinham bordados de águias douradas, e seu manto da mesma cor, um leão rompante, cujos músculos eram detalhados por rubis, a juba e as ancas decoradas por rosetas que indicavam as estrelas da constelação de Leão, pois, naquela época, as pessoas acreditavam que o rei recebia seu poder dos céus.

— Meu amigo. — O Rei Rogério apertou as mãos de al-Idrisi, não lhe permitindo fazer reverência. — Você finalmente voltou.

Muito tempo antes, o Rei Rogério ouvira falar do conhecimento cartográfico de al-Idrisi e seu estudo acerca das medidas da terra, e lhe pedira para vir à sua corte. Desde então, o acadêmico só deixara Palermo para encontrar aprendizes adequados à tarefa que o Rei Rogério lhe dera.

— Sábio rei — respondeu al-Idrisi —, caro amigo que me protegeu de meus inimigos. Estou ao seu dispor. Voltei conforme prometido, para criar para Vossa Majestade, enfim, se Deus quiser, uma verdadeira maravilha da cartografia.

— Sou eu que estou ao seu dispor — disse o Rei Rogério.

Retiraram-se para o escritório do rei, falando de seus planos. Um servo com o cabelo claro como a lua guiou Rawiya e Bakr para fora do saguão, cruzando um pátio largo onde pássaros cantavam das sacadas.

Do outro lado do pátio, o servo empurrou para o lado uma estátua de madeira, revelando uma passagem úmida. Instruiu Rawiya e Bakr a não contarem a ninguém a respeito da porta secreta, por se tratar de um túnel oculto utilizado apenas pelos servos para entregar comida aos convidados do rei.

Atravessaram o chão de areia do túnel. O servo abriu a porta do outro lado, e eles saíram na cozinha dos servos. Homens vestidos de linho branco alvoroçavam-se, carregando tigelas e panelas nos braços grossos.

O servo os acomodou em uma mesa larga, longe do caos da cozinha, e serviu-lhes tigelas fumegantes de ensopado de lentilha e pão cascudo. Trouxeram feijão alado fresco do jardim e o assaram junto com um peixe inteiro e berinjela. Rawiya e Bakr mergulharam o pão em ricota e manteiga, retiradas de vasilhames de cerâmica de gargalo comprido. A cozinha do palácio latejava com o calor de gordura assando, o cheiro lustroso da berinjela e o brilho da casca de laranja.

Depois do jantar, o servo voltou com uma bandeja de doces alongados, blindados com lascas de amêndoa. Rawiya, que acabara de comer a refeição mais rica de sua vida, pegou um delicado lacinho de massa e perguntou o que era.

— Essas iguarias são feitas com uma massa chamada *pasta reale* — disse o servo. Tratava-se de um tipo de pasta de amêndoa, uma especialidade siciliana feita pelas freiras de Martorana, no convento ao lado da igreja de Santa Maria dell'Ammiraglio.

Rawiya mordeu o doce. O calor da amêndoa e o travo cítrico floresceram ao tocar sua língua. Pensou com saudade nos biscoitos de tâmara de sua mãe e, culpada, lembrou-se do mingau de cevada que ela provavelmente estava comendo. Pela primeira vez, tê-la deixado para trás pesou com força nos ombros de Rawiya. Jurou que um dia sua mãe também experimentaria aquela *pasta reale* — uma massa própria para um rei.

NAQUELA NOITE, a lasca de lua manteve as pálpebras de Rawiya abertas. Levantando-se da cama, ela saiu para o pátio e olhou para cima, através dos pistaches, na direção dos sete pontinhos das Plêiades — Thurayya. Pensou no pai de Bakr. Era a cara dos ricos, ela pensou, darem a si mesmos o nome de estrelas.

Do outro lado do pátio silencioso, Rawiya percebeu a sombra escura de uma porta deixada entreaberta. Curiosa, mergulhou lá dentro, na absoluta escuridão.

Piscando nas trevas, Rawiya congelou ao som de movimentos vindos do outro lado do recinto. Bateu o dedão do pé e praguejou aos sussurros. Quando tateou à procura de uma vela, sentiu fileiras de algo macio e poeirento, como as dobras de pele animal.

Encolheu-se, recuando. Seriam elefantes? Ouvira histórias nos mercados, onde os comerciantes vendiam marfim, a presa inteira, e mães contavam histórias bárbaras para assustar crianças.

— Fui parar bem nos estábulos de elefantes — ela sussurrou.

— Não, você não está nos estábulos de elefantes, se é que isso existe — disse uma voz baixa. Um homem emergiu da escuridão, sua silhueta recortada contra uma janela.

Rawiya aproximou-se, envergonhada.

— Eu me perdi...

— Você sempre encontrará companheiros insones neste saguão — disse o homem.

Uma tocha foi acesa. Rawiya estava numa imensa biblioteca de quatro andares, cara a cara com o Rei Rogério em pessoa, vestido numa camisola branca.

Rawiya prestou uma reverência desengonçada.

— Perdão, Majestade...

O rei riu.

— Não precisa se desculpar. Seu mestre é um amigo querido. — Ele explicou que vinha com frequência à biblioteca à noite. Gesticulou na direção das prateleiras de livros, suas lombadas de ouro polido, marrom amarelado e couro vermelho-acastanhado. — Qualquer um que deseje companhia e conhecimento encontrará o que busca aqui. Estamos entre amigos.

— Peço perdão por dizê-lo — falou Rawiya —, mas não é estranho um rei vagar por seu palácio à noite, lendo?

— Talvez — disse o Rei Rogério. — Mas eu amo passar os dedos pelas lombadas de velhos amigos, me debruçar sobre volumes de matemática. Amo botânica e filosofia, geografia e mitologia. Então espero até tudo estar tranquilo e a lua, brilhando, e vago conforme a vontade.

— Perdoe-me por interrompê-lo — disse Rawiya.

O Rei Rogério dispensou o pedido com um aceno.

— Vamos, meu garoto — disse ele —, você é um hóspede em minha casa. Pode vagar por essas vias comigo sempre que quiser. — Ele puxou um volume da prateleira e o estendeu a ela.

Rawiya tocou as páginas douradas. A *Geografia* de Ptolomeu.

— Este lugar deve conter conhecimento do mundo inteiro — disse ela.

O Rei Rogério sorriu.

— Se seu mestre completar a missão, terá. É essa a tarefa da qual al-Idrisi e eu nos incumbimos: não apenas mapear o Mediterrâneo, mas criar um mapa do mundo inteiro, um mapa mais grandioso e mais preciso do que qualquer outro que o mundo já tenha visto.

NÃO PODEMOS COMER até o sol se pôr porque Huda e Abu Said estão em jejum pelo Ramadã. O sol poente sussurra no meu pescoço. Enquanto esperamos por Abu Said, as sombras vermelhas vão se alongando. Cato seixos do meio das raízes da figueira e escolho lascas de granito velho, rígidas como tábuas de piso, do solo pedregoso do jardim. Tiro meus tesouros dos bolsos, aqueles que coletei para Abu Said em nossa caminhada até a loja de temperos — algumas abóbadas de rocha rosa, um fragmento de turquesa incrustada no concreto, pedrinhas brancas das entradas das garagens de prédios. Do outro lado da viela, nossos vizinhos acendem velas e verificam seus quadros de distribuição de energia. Fico feliz com o fato do quarteirão de prédios bloquear a gritaria vinda da praça.

Abu Said, eu acho, amou cada pedra que já viu, mesmo aquelas pontiagudas, mesmo aquelas que brilham quando molhadas, mas ao sol secam para um tom fraco e decepcionante. Ao longo das tardes de um verão inteiro, descobri que Abu Said sabe tudo sobre pedras: pedregulhos arredondados, cristais de sal, placonas pretas com veios de quartzo, seixos delgados chapados como moedas. Me pergunto o quanto Abu Said sabe, e como. Lembro quando Baba se agachou perto de mim numa lâmina enrugada de rocha no Central Park e me contou o que era uma geleira, e imagino Abu Said contando a Baba a mesma coisa.

Ouço sua voz antes de vê-lo.

— Nuvenzinha?

Eu me viro de mãos cheias, o cabelo balançando como as folhas da figueira.

Abu Said se aproxima pelo beco. Sua voz amarelo-mel fica mais alta, rindo e cantando em árabe. A cor é mais clara e mais limpa do que pelo telefone. Quando chegamos a Homs, três meses atrás, a voz de Abu Said era a única coisa familiar.

Corro para encontrá-lo quando ele abre nosso portão de ferro.

— Abu Said!

Ele passa por cima das lonas e dá a volta em mapas postos para secar, evitando a tinta úmida com as bainhas de suas calças de linho. Sua aparência mudou em relação às fotos polaroides de Baba: seu bigode envolveu o queixo e formou uma barba, sua testa se enrugou no sol, seus ombros afundaram como se ele houvesse carregado algo pesado durante muito tempo. Mas Abu Said ainda tem a mesma teia de marcas de expressão de riso ao redor dos olhos cinzentos, e suas bochechas curtidas estão sempre repuxadas para cima para formar um largo sorriso.

Ele estende as mãos para mim. Encontro-o entre os eixos do portão, sacudindo os tesouros nos meus bolsos e punhos. Eu saltito e me remexo e pego as pedras que coletei, sorrindo sem fôlego.

— Peguei mais para a nossa coleção.

Abu Said abre as tigelas de suas palmas. Eu lhe passo as pedras que coletei nas ruas empoeiradas da Cidade Velha, no acostamento da estrada e atrás das vendas de legumes. Tentei durante o verão inteiro lhe mostrar algo que ele ainda não tivesse visto. Não consegui surpreendê-lo ainda, nem mesmo quando lhe trouxe lascas de mica em camadas cintilantes, nem quando lhe trouxe um pedaço de basalto preto semelhante a um queijo poroso, nem quando lhe trouxe rosas de gesso e lanças de arenito, ásperas como as bochechas de Baba.

Abu Said sabe todas as pedras de cor. Elas falam com ele, diz. Falam com ele, e ele me conta seus segredos. Não sei se acredito, mas nos bolsos do meu coração, sem nenhuma palavra, quero acreditar.

Cada pedra é diferente. Algumas vêm de cidades mais perto, outras são partes de continentes inteiros. Uma vez, sem saber, eu trouxe a Abu Said um punhado de mármore verde da China, pedaços de cobre azul-petróleo da Turquia, espessas lanças de granito da África. Cada pedra é diferente e toda pedra é a mesma coisa: brilhante e pronta para sussurrar seus segredos, se eu escutar.

Hoje, Abu Said segura minhas oferendas perto dos olhos e dos ouvidos. Zahra e Huda vêm para fora e param perto, esperando, ocultando seus sorrisos. Zahra está descalça e bate as unhas do pé pintadas no tornozelo, ajeitando o celular no bolso da calça jeans. Abu Said arranca histórias das pedras. Ele as chacoalha, e a poeira se alvoroça em suas fissuras. Ele acaricia a pele áspera da rocha, fechando os olhos. Finalmente, assente e pisca e fecha os dedos ao redor das pedras.

— E aí? — Ergo o olhar dos tesouros nas mãos de Abu Said. — Encontrei?

— Receio que ainda não. — Abu Said senta no jardim com as pernas cruzadas sob o corpo. — Não se sinta mal. Eu também nunca vi.

Aponto um punhal de calcita em sua palma.

— Não é essa?

Abu Said ri.

— Não, nuvenzinha — ele diz. — Você precisa continuar procurando.

Eu me aproximo de seus joelhos.

— Você já deve ter visto. Você já viu todas as pedras do mundo inteiro. Não acredito que exista uma rocha no planeta que não tenha sido aquecida pela palma da mão de Abu Said.

— Ah, mas esta pedra é única na terra inteira. — Abu Said gesticula para nos aproximarmos. — É a gema mais rara e preciosa, tão incrível que não tem nome.

Enrugo a testa, tentando fazer parecer que não me convenci, mas só funciona mais ou menos.

— Como você sabe que existe, se não tem nome?

— Minha nuvenzinha, sempre cética — diz ele. — Os gênios contaram aos homens muitas coisas que eles acharam difícil de acreditar.

Zahra cruza os braços.

— História de criança.

Os olhos de Abu Said ficam redondos e brancos.

— Oh, não, pequena. Os gênios são tão reais quanto eu ou você. Mas a maioria deles foi trancada em prisões apertadas muito tempo atrás. Eles esperam ser libertados, guardando o conhecimento do mundo antigo.

— E quanto à pedra? — pergunto.

Abu Said ri e joga as mãos para cima.

— Impaciente! Centenas de anos atrás, um grupo de viajantes encontrou uma velha garrafa de bronze, tampada com chumbo. Quando a abriram para poli-la, uma névoa verde emergiu em formas aterrorizantes: pássaros, leões e serpentes gigantes. No centro da névoa havia um homem estranho com um rosto semelhante a um raio. Era um gênio, preso durante séculos. Em troca de sua liberdade, ele contou aos viajantes sobre uma misteriosa pedra e os encarregou de encontrá-la. Apesar do nome dessa pedra ter se perdido no tempo, disse, eles a reconheceriam por sua cor quando iluminada.

— Sua cor? — Huda pergunta.

— Na sombra, a pedra é roxa como beterrabas maduras — diz Abu Said. — No sol, tem um brilho verde abrasador, como uma esmeralda.

Dá para perceber, pelo modo como Huda estreita os olhos e Zahra espia o celular, que elas não acreditam nele. Eu nunca admitiria, mas acho que acreditaria em qualquer coisa que ele dissesse.

Passei o verão inteiro procurando pela pedra sem nome de Abu Said nas ruas e azoques, mas não a encontrei. Peço a Huda para procurar reflexos de roxo e verde quando subimos até o topo do bosque de oliveiras do lado de fora da cidade, mas ela ainda não avistou nada. Às vezes ela me deixa sentar em seus ombros e, então, consigo ver tudo — Homs lá embaixo com suas antenas parabólicas e labirintos de prédios residenciais de concreto, o Rio Orontes a oeste do centro da cidade e a Antilíbano grisalha ao longe. Lá em cima, consigo ver tudo, menos o que estou procurando.

Todos entramos juntos quando Mama nos chama. Abu Said vem jantar uma vez por semana, mesmo Mama o convidando toda hora. Ela diz que ele não vem com mais frequência porque é solitário daquele modo que faz uma pessoa andar de um lado para o outro entre a janela e a porta. Acho que Abu Said é o tipo de solitário que sente falta de uma pessoa específica. Hoje eu me pergunto: está solitário por causa de Baba ou do filho?

— Fizemos um jantar especial — digo quando entramos.
Tiro as sandálias para Mama não gritar comigo por usar sapatos dentro de casa, e Abu Said faz o mesmo. Huda colocou nossa melhor louça à mesa, e Mama pôs no centro um vaso de flores silvestres azuis. A energia ainda não voltou, e as velas já estão na metade. Há pontos de cera na toalha boa de Mama, a branca com bordado dourado.
— Jantar especial? — A pele ao redor dos olhos de Abu Said se enruga quando ele sorri.
Mas não posso dizer mais. Quero dizer que sinto saudade de Baba como ele de seu filho, mas não posso. Quero perguntar se nós dois temos saudades de Baba, se sentimos falta da mesma pessoa. Mas as palavras ficam entaladas lá dentro, pesadas demais para sair.
Uma explosão marrom-escura sacode a casa. Ergo a cortina da janela da cozinha, procurando nuvens. Três dias atrás, uma partícula minúscula colidiu com o chão lá longe. Depois da explosão, uma pluma de poeira cinza subiu como tinta num copo d'água. Fiquei amedrontada, mas apenas daquele modo como você se sente quando assiste uma tempestade elétrica passar ao longe; contanto que esteja distante, você não teme ser atingida.
Agora espero as vibrações passarem. Tento me convencer de que não é o que estou pensando, de que estou esperando ver, através das cortinas, chuva no céu roxo. Mas não é um trovão, e nenhuma chuva vem. Não sinto o cheiro verde gelado de tempestades elétricas, como enfrentávamos na cidade. Eu costumava pôr a cabeça para fora da janela e inalar o ar repetidamente, tentando segurá-lo no nariz antes de ir embora, aquele cheiro limpo de eletricidade e água. Hoje tudo o que sinto são cachos verdes de enxofre, o fedor de cinzas.
Desejo que a luz volte, que as lâmpadas voltem à vida com um tremeluzir.
Meu sangue martela em minhas canelas. Agarro um copo vazio e vou à pia enchê-lo para Abu Said. Nada sai.
Fecho a torneira, então a abro de novo. Os canos sibilam e estalam, mas a torneira continua seca como ardósia. Enfio a cabeça na pia e espio a parte de dentro da torneira. Nada de água. Cem ara-

nhinhas rastejam na parte de trás de minhas pernas e meus ombros, aquele sentimento de haver algo errado.

Mama vem e põe a esfirra numa larga travessa de cerâmica.

— A água não está funcionando — eu falo. Viro a torneira para a água fria e para a quente para mostrar a ela o que quero dizer. Ela repousa a travessa e cerra os lábios, indo com passos duros até a geladeira. Abre depressa para não deixar o gelo escapar e empurra um jarro de água no meu colo.

— Não fique abrindo — ela adverte e se vira de volta para a esfirra. — Primeiro a luz, agora a água. Eu pressentia que as coisas poderiam ser assim hoje. Não beba demais. Esse jarro é tudo o que temos.

Olho do copo de Abu Said em minha mão para o beco do lado de fora da janela, a noite se aproximando. Me pergunto se nossos vizinhos sentiram as vibrações.

— Mas Mama...

— Mas nada. Encha o copo e sente já. Você está me deixando nervosa, andando de um lado para o outro desse jeito.

Ponho o copo na mesa e tento erguer o jarro. Está pesado e escorregadio com a condensação. Pouso na mesa, tentando segurá-lo melhor. Um jornal pende da pilha de correspondência, uma manchete grande e a foto de uma cidade que espeta o mar como um braço. Consigo discernir algumas das palavras em árabe, os nomes do Marrocos e da Espanha.

Sob a manchete há a foto de um homem rindo, inclinado contra um batente. Tem uma imensa barriga redonda e mole e olhos castanhos de pônei. Sinto já tê-lo visto antes, mas não consigo saber onde. O nome sob a foto está circulado em tinta vermelha, pequeno demais para ler.

— O que você está fazendo aqui? Me dê isso. — Mama tira o jarro de mim, avançando apressadamente até a sala de jantar com a travessa de esfirra na outra mão. — Yalla, sente e coma com suas irmãs.

Mama coloca o jarro e a travessa na mesa. Ajusta as velas antes de sentar com o guardanapo no colo. Empurro o copo para Abu Said, e Mama o enche.

— Não consigo me desculpar o suficiente pela luz — diz Mama enquanto serve. Seu rosto está corado. — Não sei o que está havendo.

— Não me importo. — Abu Said gesticula, minimizando o problema. — Também não tinha luz na minha casa.

Eu penso: na casa de Abu Said também? As aranhas sobem até minha clavícula.

Se Mama se surpreende, não demonstra. Ela agita os dedos para nós até desdobrarmos nossos guardanapos no colo.

— Tenho que te agradecer — diz ela. — Dois professores vieram aqui hoje e compraram vários mapas. Disseram ser seus amigos.

Abu Said aproxima sua cadeira da mesa, afundando ainda mais os ombros. Sorri.

— Seu marido, que Deus o tenha, era tão próximo de mim quanto minha mão do meu coração — diz ele. — Fico feliz em espalhar a palavra.

Servimos nossos pratos em silêncio. Atrás de Abu Said, na cozinha, a brisa agita as páginas do jornal. A foto da cidade perto do mar me faz pensar em Ceuta.

— É verdade que Ceuta tem uma estátua de al-Idrisi? — pergunto a Mama.

— Sim, Ceuta. — Ela afunda mais na cadeira, erguendo as mãos para o teto. — Paraíso na terra, habibti. Um agulheiro de maravilhas. Ceuta é onde o litoral do Magreb se estende na direção da Europa.

— E foi onde você conversou com Baba pela primeira vez — eu digo. — Essa história eu sei de cor.

— Estudávamos na Universidade de Córdoba — diz ela, passando a travessa de esfirra. — Eu estava na cartografia e seu pai estudava engenharia. Um grupo de amigos nossos foi a Ceuta no feriado. Seu tio foi viver lá anos depois, sabe.

Mama olha de relance para a cozinha, na direção da pilha de correspondências com o jornal dobrado em cima.

— Ceuta é parte da Espanha — eu digo. — Mas fica na África, certo? Tipo, no continente africano mesmo.

— Minha nuvenzinha — diz Abu Said. — Aprende rápido, como sempre.

Mas não consigo imaginar viver entre dois mundos desse jeito. Fui parar tão longe de Nova Iorque que às vezes não consigo imaginar que existam tantos lugares por aí, tantos mais do que os que já vi. Eles só continuam e continuam, esse mundo enorme, e eu minúscula, e Baba lá do outro lado.

Brinco com o arroz no prato, salpicado de pinhões.

— Você e Baba viram onde a África encontra a Europa.

— Nós e muitos outros. — Mama pousa a mão na bochecha.

— Àquela altura, eu já tinha estado na Europa inteira e no Oriente Médio, mas eu queria ver mais. Para onde quer que Alá te leve, você sempre anseia por algum outro lugar.

Ela fita os ramos de oliveira, cor de pele no crepúsculo. Então seus olhos passam por eles, na direção do centro da cidade, e ela não percebe Huda lhe passando a tigela de fatuche. Zahra não está ouvindo; encara o celular sobre a toalha.

Vem o estrondo, mais alto do que nunca, e aquele cheiro verde de enxofre. Paro de brincar com minha esfirra. Mama olha pela janela para a escuridão que acaba de cair. A preocupação enruga sua testa. Ela não vê o medo em meus olhos.

Da minha cadeira, consigo ver pela janela da cozinha por entre as cortinas. Uma bruma oleosa paira sobre o beco e não consigo ver se é o crepúsculo ou poeira. Ficou escuro demais para discernir cores. Inspiro pelo nariz outra vez, desejando desesperadamente o aroma de chuva.

DO OUTRO LADO DO PORTÃO DE FERRO

DEPOIS DE VÁRIAS SEMANAS felizes na corte do Rei Rogério, Rawiya, Bakr, al-Idrisi e a expedição despediram-se do soberano e embarcaram num navio com destino à Ásia Menor, onde sua jornada realmente começaria. Embora Rawiya houvesse precisado deixar Bauza para trás nos estábulos do rei, a expedição fora equipada com uma dúzia de servos, cavalos e camelos, além de comida e água para vários meses. Partiram da costa norte da Sicília, olhando a faixa escura da ilha de Ústica no horizonte. Povos fenícios habitaram a ilha um dia, mas suas grutas escuras estavam vazias agora. Alguns chamavam Ústica de "pérola negra", disse al-Idrisi, por causa da rocha vulcânica da ilha.

O barco voltou-se para o leste e então atravessou o Estreito de Messina ao sul. Em segurança, além das fortes correntes do estreito, passaram ilesos pela costa calabresa. Velejando na direção sudeste, cruzaram o Mar Jônico e então o Mar de Creta até alcançarem o litoral da Ásia Menor e baixarem as âncoras na cidade portuária de Iskenderun.

A partir da costa anatólia, a expedição rumou para sudeste, atravessando a Passagem de Belen para adentrar Bilad ash-Sham — o Levante — e a província síria do Império Seljúcida. Abaixo deles, um vale viçoso estendia-se, com suas encostas verdejantes de pinheiros. Enquanto descansavam, al-Idrisi fazia esboços num livro com encadernação de couro e descrevia o percurso da viagem. Eles virariam para o sul na província síria, atravessando as cidades de Halab, Hama, Homs e ash-Sham, a adorável Cidade de Jasmim. Contornariam o condado cruzado de Trípoli e o Reino de Jerusalém no litoral e continuariam no sentido oeste pelo Golfo de Aila até o Cairo, Alexandria e o Magreb mais além. Seu objetivo era mapear as terras entre a Anatólia e os postos avançados do Rei Rogério em Ifríquia, situadas além do Golfo de Sidra e a cidade de Barneek. De lá, um barco os levaria de volta a Palermo.

Seguindo as rotas comerciais rumo ao sul e, em seguida, ao leste, a expedição chegou dias depois à cidade de Halab, chamada Alep pelos francos, Aleppo em italiano. Halab, apelidada Al-Baida, "a Branca", por causa de seu solo pálido, era uma cidade antiga situada no limite ocidental da Rota da Seda. Depois de descansar e registrar descrições do azoque coberto de Halab, da cidadela fortificada e da Grande Mesquita, a expedição de al-Idrisi continuou no sentido sul, cruzando uma planície até o coração de Bilad ash-Sham e seguindo o Rio Orontes na direção de Hama. A cada noite, eles paravam num khan, um castelo de beira de estrada para acomodar viajantes.

Desde a partida de Palermo, Rawiya andara acordando antes de todo mundo. O khan estava cheio de viajantes, e ela temia ser pega se vestindo ou ser convidada para os banhos e acabar sendo descoberta. Já era difícil o bastante encontrar um recinto vazio para cortar seu cabelo com uma pedra.

Em cada khan, ela se acostumara a caminhar pelos pátios, observando os mercadores montando os mostruários de óleos e temperos, ao redor das mesquitas e fontes. Cada khan era essencialmente o mesmo: uma entrada ampla em forma de arco, um par de portas de ferro forjado, muros de calcário ou basalto talhado. Os fardos de couro e suprimentos dos viajantes delineavam as arcadas das salas de verão, e passagens escuras levavam às salas de inverno interiores. Os empoeirados pátios centrais eram abarrotados de cambistas e, no meio, ficava uma mesquita quadrada.

Numa manhã, no último khan na estrada para Hama, Rawiya acabara de acordar e rezar quando ouviu um baque surdo vindo do pátio central. Enrolando seu turbante, desceu do tablado onde a expedição dormia com um passo para a luz. Ao alvorecer, o khan deveria estar silencioso. Rawiya ouviu as tamareiras balançando os galhos como dervixes na brisa. O que tinha sido aquele som?

— Você acorda tão cedo, Rami. — Bakr apareceu, bocejando. — Até o sol ainda está dormindo.

— Ouvi um barulho — disse Rawiya. — Como o de alguém derrubando um saco de lentilhas.

Mas Bakr apenas bocejou e começou a guardar suas coisas. Rawiya observou o pátio outra vez. O passeio superior era murado, e ela não conseguia enxergar por cima das cabeças dos homens de saruel empoeirada que passavam por ele, fitando o sol por vir. O sol salpicou o horizonte de verde e rosa. À volta deles, mercadores desenrolavam seus tapetes e penduravam suas louças nas arcadas. Pelo portão do khan, a brisa trazia o aroma de água do vale do Rio Orontes.

Bakr falou dos comerciantes que conhecera no khan, mas Rawiya só ouvia em parte.

— A província da Síria é rica em comércio — ele disse. — Nur ad-Din é severo com seus inspetores do mercado. As taxas trazem grande riqueza.

Al-Idrisi apareceu, espreguiçando-se, e verificou os camelos.

— Espero que tenham dormido bem — disse. — Temos uma longa jornada adiante e não encontraremos um khan na estrada hoje à noite. Não, esta noite vamos avançar o máximo possível até Hama.

— Não vamos acampar na estrada, vamos? — perguntou Bakr.

Al-Idrisi arqueou as sobrancelhas e franziu o cenho.

— Se isso não lhe for aceitável, talvez você devesse ter refletido melhor sobre esta expedição. — Ele então sorriu, devagar. — Mas você é jovem e, quando vir as estrelas brilhando, irá me agradecer. Não, Bakr, não hoje à noite. Vamos acampar logo, logo.

Nessa conversa, al-Idrisi falou pela primeira vez em muitos dias. Ele costumava ficar imerso em pensamentos, enfiado em seu livro de anotações encadernado em couro, esboçando mapas. Apenas Bakr havia procurado os viajantes em cada khan, em busca de histórias. Al-Idrisi notara tudo, embora nada houvesse dito, como o pai de Rawiya fazia ao escutar as histórias dos viajantes berberes, quando

ela era pequena. Olhando o rio através dos portões, Rawiya se perguntou se o Orontes mudava de forma durante a noite, como o mar.
Uma gritaria irrompeu em torno deles.
— Morto! — um homem chorou. — Assassinado. Mutilado!
O proprietário do khan, um homem baixo e pesado em uma túnica listrada, correu para o portão.
— Encontraram um corpo no passeio superior — bufou. — Derrubado por alguma terrível fera alada, a carne arrancada por garras.
Rawiya pensou no baque — como um saco de lentilhas. Sentiu-se assustada e muito distante de casa, de um modo como não lhe acontecera antes. Fazia meses desde que assistira a Bauza assustando as gaivotas em Benzú com o gingado de seu pescoço. Àquela altura do ano, as vagens estariam gordas nas alfarrobeiras, os figos ainda verdes. No bosque de oliveiras, os íbis planando lançariam lascas de sombras.
— Garras, você disse? — perguntou al-Idrisi.
Do outro lado do portão, a planície acenava, chamando, a estrada para Hama sem sombra, exposta.

— MAMA?
A explosão é um trovão em meus ossos. A sala fica realmente imóvel; apenas os besouros se contorcem nas rachaduras das janelas. Meu pulso dispara. Na mesa, minha faca estremece contra meu guardanapo. As linhas na testa de Abu Said estão grossas e profundas como raízes de árvores.
— Deve estar vindo de outro bairro — diz Mama, mas para de comer.
Ela segura o garfo no ar, um bocado de salada de pepino pingando molho de iogurte. A luz recai sobre o triângulo de seu nariz, tão reto quanto a régua T de Baba.
— Tem certeza? — Abu Said diz algo em árabe.
Eu me curvo para frente a fim de tentar ouvir, mas é rápido demais para eu entender. Huda e Zahra se entreolham. Agora sei com certeza que há algo errado.

O celular de Zahra vibra na mesa, procurando sinal.
Mama responde a Abu Said com aspereza:
— Não seja ridículo. — Sua salada de pepino continua em suspenso, como se ela não tivesse certeza quanto a comê-la ou devolvê-la ao prato, como se não tivesse certeza de qual língua usar. — Acabamos de chegar aqui — ela diz, botando as palavras para fora com irritação. — Nasci aqui. Eu me mudei com minha família. Os negócios vão melhorar. Já passamos por coisas demais.
— Seria só por uma semana, duas no máximo — diz Abu Said.
— Isso vai passar. — Mama ergue e baixa o garfo. Comprime os lábios, prendendo-os entre os dentes como se tentasse prender as palavras. — Não nos metemos nessa história. Eu quero comprar pão. Não quero me preocupar com as minhas meninas indo ao mercado. Mantenho a cabeça baixa. Trabalho. Tenho três filhas para alimentar. Para onde eu deveria ir?

Abu Said abaixa a cabeça ao ouvir isso, deixando os ombros afundarem. Do lado de fora, o giro surdo das hélices de um helicóptero preenche a rua e um gato solta um choramingo agudo.

— Comam — diz Mama.

Ela se levanta, fazendo a saia longa sibilar quando mergulha para o outro lado da sala. Baba costumava dizer que Mama sempre foi uma dama, que poderia correr uma maratona de salto alto e lutar contra um leão sem rasgar a meia-calça.

Ela para na janela, abrindo uma fresta entre as cortinas amarelas, e as lâminas do helicóptero estouram em preto e roxo sobre nossas cabeças antes de seguirem em frente. Alguma coisa está acontecendo lá fora, pessoas ligando carros, bebês ganindo. A vizinhança crepita e zumbe com eletricidade, como um ninho de fios. O medo é um nó em minhas coxas, meus cotovelos, meus polegares.

Abu Said pigarreia e sorri, mas sua boca está torta, seus olhos cinzentos inteiramente errados.

— Me conte — ele me diz. — Por que você disse que hoje era especial?

Eu o encaro, tentando compreender o sentido de suas palavras. Vozes soam de algum ponto além do beco, sapatos batem na estrada. O vento ganha força e verte da janela aberta, arrancando pedaços da pintura do teto e derrubando no prato de Abu Said, salpicando sua esfirra de cinza.

Um novo som nos chega, chiando alto como um ventilador quebrado. Ensurdece todo o resto, até mesmo as buzinas dos carros e a gritaria. Isso me lembra do dia em que enterraram Baba no solo, o dia em que perdi minha voz.

Outra explosão, mais próxima. A casa estremece como um carro passando pela faixa de sonorizadores de uma avenida, fazendo meu maxilar ranger.

— Por que hoje? — Abu Said está tentando sorrir, distraindo-me do nó na minha garganta, quente e duro como carvão.

Eu sei que não deveria falar, não num dia assim. Sei que algumas coisas não se esquecem, não importa há quanto tempo tenham acontecido.

Mama enrijece na janela. Os besouros se apressam a deixar o parapeito, correndo com suas perninhas da grossura de um cílio.

— Peguem suas coisas — ela diz, e Huda e Zahra jogam as cadeiras para trás, meio em pé, meio sentadas, derrubando no chão os guardanapos amarrotados e o celular de Zahra.

Mama está tremendo muito, puxando as cortinas amarelas. A haste chacoalha.

— Temos que partir. Temos que sair daqui agora.

Eu me viro de volta para Abu Said. Seu sorriso falseou. O que restou parece fixo como se não houvesse tempo suficiente para apagá-lo de vez.

Minha voz cria afiados triângulos amarelos.

— Porque hoje é o dia que você perdeu o seu filho — eu digo, e algo suave abre caminho por trás dos olhos de Abu Said.

Mama pula para longe da janela. Não a ouço gritar.

Acontece rápido. O feroz chiado agudo, como um ar condicionado caindo de uma janela ou uma máquina de lavar cheia demais. O zumbido penetrante. Então o peso atinge minhas costas como um tapa.

Silêncio. Vermelho vira preto. Não há mais cores.

NÃO CONSIGO ENXERGAR NADA, nem mesmo quando pisco. Meus olhos ardem como se estivessem cheios de suco de limão. Quero esfregá-los até a dor passar, mas não consigo mover os braços.

Alguém tosse ao longe. Tudo cheira a um amarelo amargo. Soluços roxos flutuam por trás de minhas pálpebras. Quando as abro, a sala virou um amontoado de pedregulhos preto-acinzentados, como o fundo de uma pedreira. Um emaranhado de fios abre espaço em meio ao entulho, revelando fragmentos de uma tela plástica lacerada. O celular de Zahra.

O celular me traz de volta ao jantar, à última coisa que me lembro. Mama parada na janela.

— Mama? — Minha boca sente um gosto laranja ácido. — Huppy?

Não consigo ouvir minha voz por cima do amarelo badalando em minhas orelhas.

— Nur?

Uma mão surge do escuro. A aliança de Mama está coberta de pó cinza. Ela tira um pedaço da parede de cima de mim e me levanta, puxando-me. A dor vem quando me mexo — imensos talhos vermelhos de dor cruzam meus olhos, a consciência da pele de minhas canelas sendo esfolada nas pedras e no vidro, minha têmpora esquerda pegando fogo. Meus cotovelos estão curvados ao contrário e latejam mesmo depois de dobrados para o lado certo. Corto meus pés descalços.

— Onde está Huda? — pergunto. Mas minha voz se perde no meio do zunido e Mama não está me ouvindo. Fala sozinha, me puxando pela mão na direção de um gemido.

Não tem mais piso, apenas telhas e protuberâncias de isolamento rompido. Os olhos de Mama parecem os de corujas sob a poeira, seu cabelo acinzentado por ela. A poeira me faz tossir e tossir. A tosse me deixa em pânico mais do que a cor, me faz temer nunca mais conseguir respirar direito, como se a escuridão fosse me sufocar.

Agarro com as minhas duas mãos a de Mama e me grudo no seu pulso. Ela se curva para trás, desvencilhando-se, e me coloca num canto definido pela drywall desmoronada. Leio em seus lábios as palavras "fique aqui", mas não há som.

Conto minhas respirações. Uma espiral vermelho-rosada se enrola diante dos meus olhos, algo parecido com a sirene de uma ambulância. Noto um pouco por vez: é a cor de um dos vizinhos chorando em algum lugar, gemendo.

Está tão escuro que só consigo enxergar a rua porque algo está soltando fumaça, jogando calor em meu rosto. Toco minha testa e meus dedos deslizam. Meu rosto está pegajoso, como se banhado de suor, mas não é suor. O sangue gruda em minhas unhas.

— Onde está Huppy?

Mama não responde de novo. Minhas pernas estão instáveis, mas me aproximo aos tropeços. Mama puxa uma chapa do teto que quebrou a mesa de jantar em duas como torrada queimada. Ouço aquele fungar, os tufos roxos de alguém gemendo. Estico as pernas sobre os tijolos e fragmentos de tijolos. Mama dá um puxão na chapa de teto quebrado e sob ela há um pedaço rasgado de linho florido.

— Huppy!

Minhas entranhas se contorcem e a dor desaparece. Tudo se reduz ao lenço com o padrão de rosas de Huda e meus pulmões ardentes.

Tropeço nas pedras e telhas para alcançar Huda. Mama a puxa para cima e a estabiliza, então avança para a mesa quebrada com Huda sob seu braço. Um choro vem lá de baixo.

Com uma mão só, Mama dá um puxão na mesa, segurando Huda com a outra. Ela gesticula na direção da mesa, movendo os olhos de mim para a madeira quebrada. Tento ajudá-la, mas só puxo e puxo. Dou puxões fortes, minha inspiração difícil e rasa, afundando no medo. Não consigo. Não sou forte o suficiente para erguer nada.

Um homem cinza põe a mão no meu ombro. O pó se assentou sobre ele como uma barba de pelinhos finos, brotando do inchaço em seu pescoço e das dobras de pele sob seus olhos. Ele é uma sombra na nuvem de poeira que paira sobre nós.

Sei que deveria estar surpresa com o homem cinza, mas a dor se reduziu a dormência e não consigo sentir nada. Meus olhos se desviam dele e me concentro na rachadura da madeira da mesa.

Através dela, observo meio prato de porcelana sujo de óleo e gordura de cordeiro. É a única coisa que faz sentido.

Mama puxa Zahra de baixo da mesa e o homem cinza a ajuda. Eles se afastam aos tropeços.

A princípio, não me mexo. Fixo o olhar na mesa. Talvez, se eu mantiver meus olhos em algo familiar, todo o resto volte ao normal também. Mas o prato quebrado não tem a aparência que eu achei que teria, a porcelana não está inteira regular. Está quebradiça e branca na parte interna, calcária como um osso quebrado.

O mundo inteiro fica vermelho com os gritos vindos da rua. Sirenes soam de todos os lados ao mesmo tempo. A cidade estourou como uma bolha.

Sigo Mama até o jardim, tropeçando no concreto quebrado. As casas vizinhas estão iguais à nossa. Ombros grossos de metal se erguem na poeira. Cercas retorcidas e persianas se sobressaem como dentes.

Todas as construções de nossa rua foram arrasadas.

Quando eu era bem pequenininha, Mama me levava para brincar em quase todos os parquinhos de Manhattan. Íamos muito ao Central Park, mas não só lá. Íamos ao Seward Park, no Lower East Side; ao John Jay Park, no Upper East Side, perto da FDR Drive; ao Carl Schurz Park, margeando o Rio East com sua estátua de bronze do Peter Pan, e a muitos outros. Algo acabaria ficando para trás num deles.

Eu tinha só cinco ou seis anos quando perdi minha boneca preferida. Já nem parecia direito uma boneca, na época, provavelmente o motivo de ter sido tão difícil encontrá-la, pois ninguém sabia do que se tratava. Minha sitto a fizera com as próprias mãos e a enviara por correio de presente no meu quarto aniversário e, desde então, eu a levara comigo para todo lado. Ela tinha uma cara achatada engraçada, como uma fatia de melão, e um vestido de caxemira que Sitto mesma fez, com velcro nas costas. Eu havia desgastado seus olhos e os fios do seu cabelo, apagado o lado esquerdo da sua boca por andar sempre tão abraçada com ela, e feito tanto carinho no vestido a ponto de reduzi-lo a trapos. Quando a perdi, mal passava de um amontoado de tecido marrom e rosa, mas ela era tudo para mim.

Nós a procuramos em todo lugar, mas nunca encontramos, porque não conseguíamos descobrir em qual parque a havíamos deixado. Eu chorei e chorei. Foi a primeira vez que eu soube que algo tinha se perdido para sempre.

É como me sinto agora, olhando nossa rua. Essa rua, como todas as ruas que vi nas fotos polaroides de Baba, com as mesmas construções morenas, as mesmas arcadas em preto e branco sob as quais Baba e Abu Said vestiam camisetas laranja — essa rua realmente nunca mais voltaria.

— Nur... sua cabeça... você...

É o homem cinza, falando em meio à sua barba cinza emaranhada. Não consigo escutar o que ele está dizendo.

— Abu Said?

É ele sob o cinza. Encaro sua boca se movendo. Nenhum som sai. Ele toca o lado esquerdo da minha testa e me encolho e guincho. O mundo explode a partir das pontas de seus dedos, fogos vermelhos de dor.

Cambaleando, me sento numa pilha de tijolos. Estou no jardim, se é que se pode ter um jardim doméstico sem uma casa. Me deito nas pedras frias, com o beco de frente para mim, tentando esfriar o fogo em minha cabeça. Balanço os dedos dos dois lados, então toco minhas orelhas. Meu cabelo está molhado. Estou sangrando por toda parte.

Mama pendura Huda no ombro e vem devagar até mim. Vermelho se espalha no peito de Huda como tentáculos de medusas.

Uma vez vi uma medusa no Aquário de Nova Iorque — uma cubozoa. Ainda me lembro do seu nome: *Chironex fleckeri*, disseram. Era pequena e tinha longos cordões brancos. A placa próxima dizia que sua picada poderia matar você, mesmo ela tendo só trinta centímetros e tentáculos da espessura de fio dental. Eu me pergunto se isso é a mesma coisa. A dor é venenosa?

Mama deita Huda ao meu lado e nosso sangue se mistura como tinta derramada. As telas de Mama são silhuetas enormes. Algumas estão rasgadas, outras arrancadas de suas molduras. Estão espalhadas pelo jardim, no beco, nos galhos da figueira. Uma raiz se soltou da terra, estendendo um dedo. Estico minha mão em sua direção, mas não consigo agarrá-lo. Meus dedos estão escorregadios demais.

Em vez disso, toco o lenço florido de Huda. Sua boca está aberta, a barra do lenço rasgada. Seu ombro virou uma polpa vermelha de carne.

— Acorde, Huppy. Acorde! — Eu sacudo Huda, mas sua cabeça apenas balança de um lado para o outro no pescoço. É como se ela estivesse dizendo não, como se o mundo fosse demais para ela, como se ela fosse um gênio que dormiu mil anos numa garrafa ou numa pedra. Encosto o ouvido no seu pulso e não ouço nada. Minha barriga parece ter sido escaldada com gelo. Tento seu peito. Ouço um ritmo lento, como música embaixo d'água. Seu coração ainda está aí.

Deito o rosto na clavícula de Huda, ouvindo sua respiração. Para dentro — uma longa pausa — para fora. Respiro com ela. Penso na medusa, no modo como elas nunca parecem estar nem vivas, nem mortas. Huda está nesse lugar intermediário, mesmo sempre tendo sido forte o bastante para abrir todos os vidros de conserva, mesmo tendo ganhado uma medalha de ouro num torneio municipal de futebol, mesmo sendo a única que sabia consertar minha bicicleta quando quebrei a corrente.

Minutos passam e parecem horas. Zahra anda aos tropeços de um canto do jardim a outro, atordoada, então se abaixa cambaleando. Mama encontra uma toalha rasgada para pressionar no ombro de Huda. Quando o sangramento dela diminui, Mama e Abu Said procuram algo em meio aos destroços. Mama se abaixa para pegar alguma coisa. Ela se agacha e balança para frente e para trás, o comprimento da sua saia azul-marinho aprisionado entre suas panturrilhas e coxas, soltando lufadas de poeira cinza. Ela tem algo nas mãos — um pedaço do prato quebrado. Ela agarra aquele fragmento como se fosse seu rosário ou a misbaha de Baba; o encara, murmurando alguma coisa. Fito seus lábios. *A esfirra*, Mama diz. *O desperdício*.

Mama levanta e caminha até o canto do jardim. Seu mapa mais recente, aquele com as camadas de tinta acrílica, está para secar no portão. O mapa não foi emoldurado nem terminado. O lençol branco foi arrancado, mas, de algum modo, nada penetrou a tela. Ele está lá, decorado com amontoados de poeira. Mama pesca um saco de juta dos escombros da cozinha, o tipo onde vinha o arroz comprado em Chinatown. Usamos esses sacos para guardar brinquedos velhos. Mama pega o mapa e separa a tela de seus suportes de madeira. Enrola e a enfia no saco, fechando apertado e amarrando uma tira nele para carregá-lo. Eu me viro enquanto ela procura mais coisas para salvar: um tapete de oração coberto de fuligem, dois pares de tênis achatados. Ela vaga pelas ruínas novamente, mudando coisas de lugar, à procura de algo sem o que não partirá. Se agacha e raspa pedaços de parede e telha como se cavasse folhas velhas. De baixo de tudo, tira uma caixa de metal amassada, cuja tranca derreteu. Lá dentro estão nossos passaportes, incluindo o meu americano, rígido e azul, e o livreto do registro de família sírio, onde nossos nomes foram oficialmente lavrados. O registro de família perdeu o brilho das letras e sua face vermelha é macia e enrugada como couro velho. Mama agradece a Deus ao pegar nossos documentos, os únicos itens que nos restaram para provar que somos uma família.

Pressiono meu rosto contra a pedra do jardim. Cheira a queimado e verde-amarelado, a cor de imundície e doença. Os olhos de Zahra vazam lágrimas sobre os figos esmagados. Abu Said manca em meio aos destroços e à madeira carbonizada, inspecionando o invólucro queimado do celular de Zahra. Se afasta num sobressalto ao cortar o dedo num vidro quebrado. Sinto o cheiro de cominho queimado.

Uma brisa noturna agita as bordas do hijab de Huda. A brisa puxa um pedaço fumegante de jornal do fundo da casa, retalhando suas cinzas pelo beco. Leio a manchete em árabe enquanto ela queima, traduzindo pedaços de palavras: *Marrocos. Espanha.* Aquele pedaço de foto de jornal, o homem barrigudo, seus gentis e risonhos olhos castanhos. Abaixo, o círculo em vermelho ferve e escurece, o nome lá dentro se enrolando até virar fumaça.

PENAS SOBRE O SOL

A EXPEDIÇÃO DEIXOU o khan e seguiu o Rio Orontes para o sul, até os pântanos da planície de al-Ghab. Em alguns lugares, os sistemas de represas e aquedutos levavam água para irrigar as plantações dos arredores. Em outros, a água acumulava-se em piscinas onde bagres pretos nadavam. As montanhas costeiras ficavam a oeste, e a leste jazia a montanha Bani ʿUlaym, com seus flancos íngremes e as muitas nascentes que desaguavam no vale.

Durante quase uma semana, seus camelos foram caminhando com cuidado ao longo da margem do rio. Al-Idrisi mergulhou em anotações e esboços, copiando cada detalhe das voltas e curvas do Rio Orontes e marcando o comprimento da planície de al-Ghab. A expedição arrastou-se para o sul até sair nas planícies férteis que circundavam Hama, verdes e douradas por causa dos terrenos agrícolas. A brisa passava os dedos pela relva vistosa e pelos bosques de pistaches e, nas plantações, os velhos sulcos produzidos por rodas talhavam a terra vermelha. Um grupo ou outro de beduínos pastoreava suas cabras e ovelhas em meio aos arvoredos distantes. O Orontes serpenteava seu curso até o próprio coração da cidade de Hama, de cujos portões vertiam caravanas de mercadores.

Pararam em Hama a fim de passar a noite. Na ocasião, Rawiya escapou de seus companheiros. A cidade não era tão grande quanto Halab, mas, tendo sido construída às margens do Orontes, abundava em árvores e flores e na fragrância limpa de água.

No centro da cidade, Rawiya encontrou o Orontes outra vez e uma das noras de Hama, as grandes rodas d'água construídas pelos governantes bizantinos muitas centenas de anos antes. A nora era ligada a um aqueduto que mandava água para a cidade inteira. Rawiya ficou ouvindo a madeira úmida ranger e gemer ritmicamente. Soava quase como música, ela achava. A menina voltou, ainda ruminando a nota grave, como se a nora estivesse cantando. *Mãe, se ao menos você pudesse escutar*, ela pensou, a nota musical uma dor no peito.

A expedição deixou Hama no dia seguinte, seguindo o Orontes na direção da cidade de Homs. Quando chegou a hora das orações matutinas, usaram a água do rio para o abdesto, a fim de se limparem antes de rezar.

Os camelos abaixaram a cabeça para beber. A longa fileira de servos parou atrás deles qual uma cauda, espalhando esteiras e tapetes de oração ao longo da margem arenosa. Eles lavaram três vezes as mãos até os pulsos, os pés até os tornozelos, e os rostos, passando as mãos molhadas sobre os cabelos. Quando acabaram de se lavar, prepararam-se para encontrar a qibla, a direção da Caaba em Meca, a fim de saberem para onde permanecerem virados durante a reza. Para isso, al-Idrisi pegou um astrolábio.

O astrolábio era um disco prateado e achatado. Tinha a superfície da frente assinalada e entalhada como a face das engrenagens de um relógio, delicada como a seda dos aracnídeos. Essa cobertura entalhada, chamada aranha, indicava as posições do sol e de uma dúzia de estrelas quando o instrumento estivesse corretamente alinhado com o céu.

Virando o astrolábio ao contrário, al-Idrisi apontou para um mapa gravado no verso, que listava algumas cidades e o correspondente ângulo do sol em determinadas épocas do ano. Este se chamava "mapa da qibla".

— Depois de encontrarmos no mapa o ponto mais próximo a nós, podemos usar o ângulo do sol para encontrar a qibla — ele disse.

— Esses mapas sempre me confundiram — disse Bakr.

O canto do lábio de al-Idrisi torceu-se, e Rawiya pensou tê-lo visto sorrir.

— Talvez você queira tentar, Rami.

Ele lhe entregou o astrolábio. Era apenas um pouco mais largo do que uma romã, ainda retendo um pouco do calor da bagagem de al-Idrisi. A luz do sol refletia-se na superfície prateada. Rawiya examinou os pontos finamente entalhados que indicavam as estrelas, notando o intrigante símbolo de uma águia.

Rawiya virou o disco e estreitou os olhos sobre o mapa da qibla. Como nunca vira um astrolábio antes, estava nervosa. Vasculhou a lista de locais. Fornecia-se uma curva para cada uma das várias cidades. Sabia que, se conseguisse encontrar a inscrição correta, poderia usar a curva para descobrir a relação entre a localização do sol e a direção de Meca.

Ali. Encontrou a curva da qibla para o local mais perto de onde estavam, ash-Sham — Damasco.

— Achei — ela disse. Bakr e al-Idrisi aproximaram-se mais, seguindo seu dedo na direção do horizonte. — Se o sol está aqui, então a qibla deve estar... — ela se virou para o sul — ali.

Al-Idrisi deu seu sorriso felino.

— Muito bom. — Ele deixou o astrolábio cair na palma da mão de Bakr, e o rapaz agitou-se para agarrá-lo. — Viu, Bakr, se você falasse menos e observasse mais, conseguiria entender.

Os membros da expedição viraram-se para o sul e ajoelharam-se para rezar. Quando acabaram, ergueram o rosto na direção do sol nascente. Um grande pássaro branco os rodeava, bloqueando a luz.

— Que pássaro! — exclamou Bakr. — Deve ser o maior íbis que já vi!

Mas tanto Rawiya quanto al-Idrisi sabiam não se tratar de um íbis. Rawiya tocou sua funda no coldre de couro. O sol apoiava-se numa montanha, plano como bronze. A barriga cor de creme do pássaro lançava sombras ondulantes, suas garras flamejando. O corpo inteiro de Rawiya ficou tenso.

— Montem os camelos — gritou al-Idrisi. — Fujam!

A expedição desceu a colina aos borbotões, atravessando as plantações em direção ao abrigo de Homs, além do cotovelo do Orontes. A criatura desceu arremetendo, maior do que qualquer águia, com uma envergadura larga como o comprimento de um barco. Suas penas brancas e prateadas brilhavam como madrepérola. Seu berro poderia estilhaçar diamantes.

A fera ganhou terreno, investindo como vento sobre suas cabeças, dispersando os camelos assustados. Rawiya bradou para os servos aterrorizados, impelindo-os a continuarem. Tirou a funda de seu pai do coldre com um puxão e sua algibeira de pedras pontiagudas.

— Não vamos conseguir — gritou Bakr.

Al-Idrisi abaixou a cabeça contra o pescoço de seu camelo para cortar o vento.

— Homs está bem à nossa frente — ele disse. — Na cidade, ficaremos seguros.

As asas da criatura levantavam um redemoinho de poeira ao redor das orelhas deles. Os portões de ferro estavam bem adiante, mas o pássaro se reorganizava, endireitando-se como uma flecha, pronto para atacar. Ele logo os alcançaria do lado de fora dos portões.

Rawiya refreou seu camelo e virou-se para encarar o pássaro gigantesco. Apressou-se a colocar uma pedra na funda e puxar a tira. Seus dedos resistiram. Suas unhas destruídas engancharam no couro.

— Rami — al-Idrisi gritou, fazendo seu próprio camelo recuar.

— Dê a volta — gritou Bakr. — Você vai morrer.

Rawiya apertou os olhos contra o vento, prendendo a respiração, esperando o pássaro pôr-se ao alcance. Mirou nos olhos.

A criatura guinchou, esticando as garras, tapando o sol. Seu hálito pútrido atingiu o rosto de Rawiya, fedendo a ossos partidos e fígado podre.

Rawiya deixou a pedra voar, mas o furacão de asas prejudicou sua mira. A pedra atingiu a fera bem no fundo das penas de sua barriga. Ela berrou e ganhou altura, mergulhando por cima dos portões de Homs, um rastro de sombra verde-escura. Erguendo-se, deixou cair penas longas e pálidas, como espadas, e desapareceu por trás das colinas.

Bakr veio para o lado dela.

— Onde você aprendeu a fazer *isso*?

Rawiya mostrou a funda.

— Eu o teria atingido nos olhos, mas ele me viu chegando. Criou vento com as asas. — Ela desdobrou os dedos, deixando a tira de couro da funda afrouxar. — Um truque que meu pai me ensinou.

Al-Idrisi acariciou a barba, com seu turbante branco salpicado de poeira.

— Isso não é um truque — disse ele. — Um talento desses pode se mostrar útil numa estrada com muitos perigos. Como você sabia onde mirar?

— Meu pai me contava histórias quando eu era criança — disse Rawiya. — Contos sobre uma criatura egoísta e sedenta por sangue, sem amor a canções ou a coisas bonitas. Ele mata e rouba o que lhe dá vontade. Seu corpo inteiro é coberto por uma armadura de penas grossas, de modo que seu único ponto vulnerável é o olho.

Bakr estremeceu e prendeu a respiração.

— Que tipo de criatura é ele?

O sol erguia-se, vermelho-romã.

— É o terror pálido — disse Rawiya. — É o grande pássaro branco que os poetas chamam de roque.

AS LUZES SE APAGARAM. As luzes dos apartamentos, a iluminação das ruas, os semáforos. A cidade está mais escura do que jamais a vi, como o fundo do oceano. Manhattan nunca ficou escura assim. Baba dizia que Manhattan ficava mais viva à noite do que durante o dia.

Mama desliza um par gasto de sapatos nos meus pés. Observo através da cortina do meu cabelo. Minha cabeça não dói mais; meu corpo inteiro é um amontoado dormente. Esfrego os cotovelos, estremecendo com a primeira pontada de frio.

— Levante, Nur.

Suas mãos balançam os meus tornozelos, puxando os sapatos mais para cima, de modo a firmá-los em meus pés. As costuras já começaram a soltar, derretidas pelo calor, e se entrevê um par de dedos.

Mama tira cabelo emaranhado das bochechas. Quando volta a pôr as mãos nos meus pés, seus dedos estão úmidos. O sal voltou, rodeando meus tornozelos.

— Está escuro, Mama.
— Acabou a luz.
Besouros mastigavam sua voz.
As ruas da cidade são um labirinto de concreto retorcido e esqueletos de aço. A ideia de me levantar e caminhar faz meus dedos formigarem e minhas entranhas se retorcerem.
— Minha barriga está doendo — eu digo. — E eu quero deitar.
— Aqui não, habibti. Não estamos seguras aqui.
Mama toca a testa de Huda e joga para Zahra um par de tênis de lona com as línguas arrancadas. Zahra está com a cabeça apoiada nos joelhos e não quer calçá-los. Mama procura o celular esmagado de Zahra mais uma vez nos destroços da casa e pragueja ao encontrá-lo. Conta as moedas no bolso da saia. Enfia um maço chamuscado de notas no fundo de seu saco de juta.
Mama e Abu Said trocam palavras em árabe. Mexo os dedos do pé dentro do sapato. As pedras pressionam meu dedão. Nada parece real. Parece o minuto antes de você vomitar, quando você não consegue pensar em mais nada, só em sobreviver aos próximos cinco segundos. É essa a sensação. Eu me pergunto se a cidade inteira foi aplainada, e nós só não sabemos. Eu me pergunto quantos outros lugares ficaram sem luz hoje, quantos outros quarteirões estão sem iluminação.
Então me lembro do que Abu Said disse durante o jantar sobre sua casa estar sem luz, e minha nuca zumbe de medo como um rádio ganhando vida.
— E quanto à sua casa, Abu Said? — eu pergunto. — Ela ainda está lá?
Abu Said olha para Mama, mas ninguém me responde. Os ouvidos de todos nós estão zunindo. Então ele vai até Huda e a ergue no colo, como uma pilha de lenha. Os joelhos de suas calças estão retalhados, o linho manchado de sangue. Suas pernas se entortam para o lado sob o peso de Huda, seus ombros lutando para se manterem eretos. Ele não se parece em nada com o homem sorridente de bigode das fotos polaroides de Baba.
Mama puxa Zahra pelo pulso.
— Vamos descobrir — diz Abu Said.

Eles atravessam o portão do jardim primeiro — Mama, Zahra e Abu Said com Huda no colo. Sou a última a deixar a casa. A viela à minha frente é um cânion aberto, como se alguém houvesse cortado massa folhada com uma faca quente. Atrás de mim, a figueira rachada arrasta um galho numa janela quebrada, seu tronco besuntado de fuligem e sangue. Um figo marrom pende, em pedaços, atravessado por metal e pelas lascas de pedra afiadas. Suco e sementes escorrem, salpicando o portão. Eu toco o trinco, que gruda em meus dedos, me puxando de volta quando o solto.

Deixamos o jardim e a bagunça de molduras e telas, a tinta esparramada e os pratos quebrados. Caminhamos no escuro na direção da Rua Quwatli, mas as coisas não estão iguais, e mesmo que Abu Said provavelmente saiba aonde está indo, parece confuso.

Nossa rua não foi a única arrasada em nossa vizinhança. Outra rua foi bloqueada por muros que tombaram, telhados desmoronados, tijolos empilhados na via. Não reconheço as lojas com as fachadas demolidas, as cascas dos prédios residenciais de onde sofás e banheiras foram atirados sobre o meio-fio.

Há quantas fotos polaroides de lugares que não existem mais?

Damos meia-volta, tentando outro caminho. Tudo está cinza, aquela nuvem de poeira pendendo sobre a avenida. Respirar é difícil. Zahra choraminga alguma coisa sobre seus pés. Ela vai ficando para trás e Mama a puxa. Tenho cortes nos dedos do pé, mas não digo nada. Observo a mancha escura no ombro de Huda se espalhar, traço os contornos do sangue em seu peito e no de Mama. Penso em cubozoas.

Com toda a iluminação pública apagada e poeira cobrindo tudo, vamos tocando as paredes para nos guiarmos até o quarteirão seguinte. Nuvens escuras misturadas com fumaça encobrem a lua esta noite. De vez em quando, um carro vira a esquina voando com os faróis desligados e nos atiramos contra o muro mais próximo. Tentamos encontrar a Rua Quwatli, mas acabamos nos desviando para um bequinho tão antigo e estreito que nem tem calçada. Andamos em fila indiana.

Abu Said para e dá meia-volta. Huda pende, flácida, em seu colo. Ele parece exausto, como se estivesse carregando um monte de mármore. Me pergunto se seus bolsos ainda estão cheios de pedras. Me pergunto se as pedras na minha cômoda queimaram e racharam quando nossa casa desmoronou, se o vidro do perfume de ameixa de Zahra explodiu como uma batata no micro-ondas. Os meses que levei para coletar todas aquelas pedras ficam no meu estômago, uma dor indigesta.

Abu Said se funde com o escuro. O único ponto de luz é o lenço florido de Huda contra o colarinho de sua camisa. Seu braço pende, balançando como uma corrente.

Tateio em busca da mão de Mama, batendo meus dedos ao longo de sua coxa até encontrar a unha de seu polegar. Seguro firme e enterro a cabeça em seu flanco. Ela repousa a palma da mão sobre meu ouvido. Ela cheira a aguarrás velha — um cheiro azul-petróleo pungente — e a gordura de comida.

A mão de Mama bloqueia as vozes altas da próxima rua, os berros cinza-giz e os passos pesados. O saco de juta balança na sua outra mão, os cantos do mapa escapando e aparecendo, como penas largas. Apesar de tudo, as fronteiras pintadas dos países não borraram. Tinta acrílica seca depressa.

— A rua lateral está bloqueada — diz Abu Said. — Tem alguma coisa acontecendo na praça.

— Tem? — Mama cerra os punhos no meu cabelo.

— Para onde estamos indo? — A voz de Zahra está alta demais. — Não podemos ficar na rua a noite toda. E se acontecer de novo? E se...

— Quieta. — A voz de Mama é um sussurro áspero, granulosa como concreto.

— Precisamos de outra rota — diz Abu Said.

Ele se vira devagar de um muro do beco para o outro, como se esperasse uma porta abrir na pedra, como se alguém pudesse enviar do céu uma saída de emergência.

Zahra remexe as mãos, os músculos de seu pescoço rígidos como juncos.

— Temos de ir andando, Mama — ela sibila.

— Quieta! — As mãos de Mama passam depressa por seu rosto, seu cabelo, seu saco de juta. Ela está trêmula. — Na primeira semana de maio — ela diz, alto o suficiente apenas para conseguirmos ouvir. — Na primeira semana de maio, partimos.

Ela pressiona um punho contra a boca, empurrando as palavras de volta para o meio de seus lábios.

— Vocês podem ficar comigo — diz Abu Said. — Só me deixem pensar num outro caminho.

Uma mancha se espalha sobre a clavícula de Huda como uma asa.

Um helicóptero roça os telhados, agitando a poeira suspensa. Quando meus tornozelos e meus calcanhares começam a tremer com a rua, tudo em mim quer fugir em disparada. Me agarro a Mama. O sangue incha meu couro cabeludo e as pontas dos meus dedos, como se eu fosse estourar.

— Quero ir para casa — sussurro.

— A casa de Abu Said. É para lá que vamos. Não fica longe.

— Mas é como se Mama estivesse em outro lugar. Ela lista coisas que ainda não aconteceram: — Vamos pegar o carro. Vamos pôr as meninas para dormir. Vamos ter água. Roupas limpas. Vamos levar Huda ao médico. — Ela acaricia meu cabelo enquanto fala. No escuro, seus olhos e bochechas são só buracos. Ela diz: — Vai ficar tudo bem. — E então, entredentes, acrescenta: — Insha'Allah — Se Deus quiser.

É algo que Baba dizia quando pensava que ninguém o estivesse escutando, quando havia silêncio o suficiente para eu conseguir ouvi-lo rezando. Como nas tardes de verão na cidade, quando as pessoas costumavam se deitar no chão de seus apartamentos e Baba estava tão cansado de jejuar durante o Ramadã que ia se deitar no tapete e ler para mim, mais alto do que o som do tráfego. Ou nas manhãs de Natal, depois de abrirmos nossos presentes, antes de Baba quebrar o silêncio com Umm Kulthum, antes dele e Mama dançarem na frente da árvore de Natal. Aquelas eram as únicas ocasiões silenciosas o suficiente para ouvir Baba rezando.

— Temos que arriscar a praça — diz Abu Said.

É nessa hora que noto a arcada preta e branca do prédio ao lado. Fecho os olhos e percorro o caminho que fizemos naquela tarde para buscar o cominho. Huda nos levou por aquela mesma rua. Não dá para confundir aquela arcada, as faixas pretas e brancas de pedra. Consigo ver a imagem na minha cabeça, a foto que tirei com os olhos. Imagino as ruas onde viramos e vejo a rota como um pedaço de tecido, passando minhas mãos sobre suas voltas e reentrâncias. À esquerda, ao lado da cafeteria. Reto, na frente do prédio residencial com as pedras cinza e brancas. À direita, depois do álamo torto. Então repasso as direções uma segunda vez, indo e voltando. O atalho de Huda. *Abu Said mora uma rua para baixo da loja de temperos.* Huda dizendo: *Dizem que a sinestesia está ligada à memória.*

— Eu sei o caminho — digo.

Mama me solta.

— Para onde?

— Eu me lembro desse prédio. — Aponto na direção onde o beco acaba, numa esquina num ângulo agudo. — Daqui a um quarteirão, há uma cafeteria. Você vira à direita no álamo torto...

— Estamos na Síria — diz Zahra —, não em Nova Iorque. Eles não usam quarteirões aqui.

Eu tento não levantar a voz porque as pessoas estão gritando na próxima rua.

— Eu sei o caminho. Eu me lembro.

— Você só veio aqui uma vez. — Zahra olha de relance na direção das vozes.

Eu bato o pé com o sapato rasgado.

— Huda poderia lhe dizer. É o atalho dela. Eu sempre me lembro. Não é, Mama?

Mama aperta os dedos sobre o saco de juta.

— Diga o caminho a Abu Said e deixe ele ir na frente. Não corra, habibti.

Vou sussurrando o caminho para ele. Contornamos a esquina do beco e atravessamos a rua voando, permanecendo perto uns dos outros. Alguém acende uma vela numa janela. A chama ricocheteia nos olhos de Abu Said, arregalados e com ramos vermelhos de veias. As bainhas de suas calças pendem dos cortes nos joelhos, arrastando-se no chão. Olho para cima e me pergunto se a lua logo estaria indo dormir, se eu pudesse vê-la.

Passamos pelo prédio residencial com os minúsculos seixos brancos e o álamo torto. Que pedras deixei de ver no escuro? A noite está preta e poeirenta demais para ver até mesmo as estrelas sobre nossas cabeças.

Não tinha que ser assim. Aquela caminhada poderia ter sido uma aventura, uma expedição. Quantas vezes Mama me disse como usar um astrolábio, como os antigos cartógrafos? Quantas vezes ela me mostrou a aranha, o modo como ela continha todas as estrelas? Penso em quanta fé as pessoas tinham que ter, naquela época, para confiar que as estrelas estariam lá quando precisassem delas, para confiar que o céu não lhes faltaria.

Observo os braços de Huda balançando diante de mim no escuro. Na esquina seguinte, o bracelete dourado de Zahra atrai meu olhar. Olho em torno, para o que nos restou: a joia de Zahra, o mapa de Mama. Espero um ciúme agudo se retorcer em meu estômago, mas não vem. As pontas dos dedos de Huda estão pretas de fuligem. Eu daria até o último fio de meus sapatos para ela dizer alguma coisa.

Chegamos à loja de temperos, fechada com a porta metálica. Percebo que Abu Said sabe onde estamos porque ele avança depressa, de lábios entreabertos, palavras suspensas na língua. Ele distribui melhor o peso de Huda e sussurra:

— Deus a abençoe, nuvenzinha.

Viramos numa rua secundária. À nossa frente, como um minarete na poeira cinza, está o carro verde de Abu Said estacionado nos ladrilhos, seus faróis e alarmes disparados soltando um amarelo e rosa brilhantes.

Apesar de todas as tardes em que Abu Said veio à nossa casa, nunca fomos à sua. Não reconheço nada. Tropeço no calçamento que não consigo enxergar, rochas de formatos estranhos, pedaços de tijolo e concreto. Penso de novo nas pedras da avenida. Talvez eu esteja pisando bem na pedra misteriosa de Abu Said, a roxa e verde, e nem saiba o quanto é importante. Como as bombas que caíram do céu, sem perceber o quanto a casa sobre a qual aterrissavam era importante, sem perceber que era nossa.

Então Abu Said solta um grito. Viramos na esquina, passando o carro. Os faróis dianteiros se acendem e se apagam outra vez. No lampejo, vemos os destroços de uma construção e, por um minuto, eu me pergunto se rodamos em círculos e voltamos para nossa própria casa. Mas não.

Abu Said caminha até seu telhado desmoronado, as ruínas de sua cozinha. Seus pés roçam metades de tijolos, levantando poeira como penas na direção do céu. Eu me pergunto o tamanho da bomba que arrasou sua casa, sua rua. Eu me pergunto se alguém sabia que era sua.

Se eu não tivesse brincado em tantos parques, eu ainda teria a boneca de Sitto?

Olho de relance o saco de juta de Mama, o mapa lá dentro. Penso comigo o quanto é estúpido tintas de acrílico secarem tão rápido. As coisas mudam demais. Sempre temos que consertar os mapas, repintar as fronteiras de nós mesmos.

ONDE O CAMELO DORME

NAQUELA ÉPOCA, Homs era uma das maiores cidades da Síria. Situada numa planície fértil banhada pelo Orontes, Homs era um lugar de muitos jardins, árvores frutíferas e vinhedos. Ficava a alguns dias a cavalo de um castelo cruzado chamado Fortaleza dos Cavaleiros, perto da fronteira do condado cruzado de Trípoli. Mas Homs fora murada e fortificada pelo emir Nur ad-Din, e muitos viajantes e mercadores reuniam-se em seus mercados a céu aberto e caminhavam pelo pavimento de pedra de suas ruas. Rawiya maravilhou-se com a Grande Mesquita de al-Nuri, uma das maiores em toda a Síria, e com o túmulo do general muçulmano Khalid ibn al-Walid. Acreditava-se que a cidade fosse um lugar protegido contra cobras e escorpiões, um lugar abençoado. Em seus livros encadernados em couro, al-Idrisi tomou nota da estátua de pedra branca de um homem a cavalo sobre um escorpião, que ficava em cima do portão da mesquita. Ele explicou a Rawiya ter ouvido o povo de Homs dizer que, se um escorpião o picasse, você se curaria esfregando argila nessa estátua, dissolvendo a argila em água e bebendo-a. Rawiya ficou encantada.

Encontraram um khan na cidade, contíguo à mesquita, e lá passaram a noite. De manhã, Rawiya acordou antes do amanhecer, com saudade de casa e sentindo-se solitária. Mercadores dispunham suas mercadorias nos mercados a céu aberto, vendendo pinhão e marmelo, sumagre e laranja, miçangas de vidro e seda. Em meio ao barulho, ela se percebeu buscando em vão a melodia familiar da voz da sua mãe.

Olhando ao redor, Rawiya contou seus companheiros. Um deles não estava lá — al-Idrisi.

Ela enrolou seu turbante e prendeu a funda na lateral do corpo. O khan estava silencioso, mas um burburinho vinha do segundo andar. Ela subiu às pressas os degraus de pedra.

Do outro lado do khan, os planos telhados cinza de casas de pedra espalhavam-se como uma escadaria. A oeste ficava o Orontes, com álamos às margens. Além da planície, terrenos agrícolas esculpidos rodeavam as colinas.

— Acordado tão cedo?

A voz sobressaltou Rawiya. Al-Idrisi estava sentado sobre o muro baixo, balançando as pernas sobre a queda de dois andares. Ele escrevia no livro encadernado em couro em seu colo.

— Al-Idrisi... — Rawiya adiantou-se em sua direção. — Desça daí antes que você caia.

— Minha sorte vai continuar — disse ele —, e a vista não vai me causar mal algum. Venha. — Ele deu uma batidinha na pedra ao seu lado. — Observe a cidade antes dela acordar.

A barba de al-Idrisi estava tingida de poeira e o vento levantava do seu turbante pelos soltos de camelo. Rawiya decidiu manter os pés no chão. Pesou as palavras e disse:

— O roque nos seguiu desde o khan perto de Hama até os portões de Homs. Isso me preocupa. A próxima estrada é exposta.

Al-Idrisi parou, ergueu a pena e então recomeçou a escrever.

— Se cavalgarmos num ritmo pesado, conseguiremos alcançar ash-Sham em quatro dias, cinco no máximo.

Os varais entre os prédios balançavam ao vento, e as placas de madeira das lojas batiam contra a pedra.

— É um longo caminho — disse Rawiya.

— Você precisa entender que não há mapas confiáveis desta região e suas rotas — disse al-Idrisi. — Essa é a nossa tarefa: criar o mapa mais completo que já existiu. Por ora, seguimos os relatos de outros viajantes. Só quando virmos por nós mesmos saberemos ao certo a distância.

— Mas é uma distância longa demais — disse Rawiya. O vento sacudia sua saruel, agitando as bainhas bordadas contra seus tornozelos. — Se o roque quiser se vingar, virá nos procurar em cada khan de beira de estrada. Ele não vai nos deixar em paz sem muita resistência.

Al-Idrisi passou os pés de volta para o lado de dentro do muro e levantou-se, fechando a fivela de seu livro encadernado em couro.

— Parece que seu pai lhe contou mais sobre essa criatura do que você disse.

Rawiya descreveu-se sentada no colo do pai quando era criança, as azeitonas gordas nos galhos, picanços de asas cinzentas ajeitando as penas. Falou do rosto enrugado pelo sol do comerciante amazigh — um berbere —, oferecendo-lhe algo de pele macia, roxo-esverdeado. Um figo maduro. Ela dera uma mordida, arenosa e doce, e o homem amazigh começou a recitar a antiga história do roque. Quando Rawiya terminou de contar tudo isso a al-Idrisi, disse:

— O roque é terrível quando enfurecido e não vai parar por nada até se vingar dos seus inimigos.

Al-Idrisi deu um puxão na barba.

— Então nos esconderemos bem à vista, em meio às colinas e campos.

Rawiya sorriu.

— Eu, pelo menos, gosto de dormir sob as estrelas.

DEIXANDO HOMS, a expedição seguiu as rotas comerciais na direção de ash-Sham, fazendo todo o possível para evitar cada khan. À noite, os servos acenderam fogueiras, prepararam panelas de lentilha e aqueceram pilares redondos de pão. Al-Idrisi debruçou-se sobre suas anotações e deu uma olhada nas estrelas. O pôr do sol verde descamou, revelando a casca preta do céu.

— Hoje à noite, nós nos deitamos contentes sob a abóbada estrelada, a salvo de feras saqueadoras — disse al-Idrisi.

Bakr resmungou ao sentar-se junto ao fogo.

— Eu lutaria contra uma horda de feras saqueadoras para tomar um banho como uma pessoa decente.

Mas al-Idrisi só riu e reclinou-se em seu tapete.

— Olhem para cima, meus jovens amigos, e vejam a magnificência criada pelas mãos de Deus — disse ele.

As constelações piscavam sobre eles. Al-Idrisi falou a Rawiya e Bakr sobre as constelações que os beduínos e os árabes haviam visto muito antes dos romanos e dos gregos.

— Os beduínos viam Cassiopeia não como uma donzela, mas como uma fêmea de camelo — ele disse. — Em Ursa Maior, não viam um urso, mas três filhas de luto pelo pai em seu esquife funerário. Em Ursa Menor, viam dois bezerros girando um moinho. Onde os romanos viam Pégaso, os beduínos viam um grande balde. Em vez do Leão Menor, eles viam três gazelas correndo do grande leão. — Al-Idrisi bateu a mão no peito. — Ah, Leão. O emblema do Rei Rogério, o leão de Palermo. — Então ele apontou as estrelas. — Com frequência a estrela Vega é vista como uma grande águia branca. Na verdade, esse é o significado do nome da estrela. An-Nasr al-Waqi, a Águia que Cai.

Rawiya pensou nesses diferentes modos de enxergar. No bosque de oliveiras com seu pai, ela nunca soubera os nomes das estrelas.

— E se vê essas constelações em lugares tão distantes quanto o Magreb? — ela perguntou.

— Certamente — disse al-Idrisi. — E além. Estudei os céus quando era menino em Ceuta, onde nasci. — E ele lhes contou sobre a casa da sua família, um elegante riad situado em uma colina, com uma fonte de azulejos azuis e brancos no pátio central, e sobre seus estudos em Córdoba antes das suas viagens à Europa e à Ásia Menor. — Espero voltar a Ceuta quando meu trabalho para o Rei Rogério tiver terminado.

Rawiya e Bakr ficaram surpresos.

— Um homem brilhante como o senhor deve ter ficado impaciente para sair de lá e viajar o mundo — disse Bakr.

Mas al-Idrisi continuou sentado, imóvel, com o braço ao redor do joelho, ao encontrar os olhos do rapaz.

— Ceuta já teve tesouros tais que eu daria minha posição social e minha honra para ver outra vez — disse al-Idrisi.

Bakr corou e desviou o olhar.

— Um homem erudito como o senhor — disse ela. — Pensei que tinha vindo de al-Andalus, do outro lado do estreito.

Al-Idrisi abrandou, atiçando o fogo com um sorriso.

— Nunca presuma nada, Rami — disse ele. — Um homem da ciência vê as coisas como elas realmente são, não como parecem ser.

Os servos apagaram as fogueiras e retiraram-se para suas tendas. Bakr começou a cochilar. Lá no alto, os camelos dormiam entre as estrelas. Rawiya e al-Idrisi continuaram sentados por um tempo, encarando as estrelas sem falar, observando as gazelas correrem.

ABU SAID passa Huda para Mama e desaparece na escuridão, deixando apenas o som de seus passos triturando os escombros. Ele se torna uma criatura invisível, abrindo caminho a unha entre tijolos e gesso, esmagando azulejos como ossos de frango.

— Abu Said, onde você está indo? — Eu o sigo, rasgando o dedo do meu sapato esquerdo em vidro jogado.

— Nur, venha cá.

Mama estende a mão para pegar meu cotovelo, mas erra. Tropeço na beira da calçada, atravancada por travesseiros rasgados e penugem de ganso, a moldura metálica de uma fivela de cinto. Há um braço de sofá preso a uma fatia de colchão queimado na calçada.

A iluminação da rua está apagada. A única luz é uma corrente de alarmes de carro piscando, alguns silenciosos, outros barulhentos, seus sons da cor de rubis. Eles piscam, acendendo e apagando como os olhos amarelos de coiotes.

Uma vez vi um coiote, na Rua 110 Oeste. Baba e eu estávamos passando pela extremidade norte do Central Park. Era dezembro, e a calçada era puro gelo. A única parte descongelada era o muro de pedra que separava o parque da calçada. Baba segurava minha mão enquanto eu acompanhava o topo do muro na ponta dos pés, trombando comigo quando teve que passar um banco. Crianças haviam enchido de bolas de neve as laterais beges dos predinhos residenciais do outro lado da rua, e os corrimões das saídas de incêndio estavam rígidos como bengalas de gelo. Eu tomava cuidado a cada passo, roçando os pés em musgo e sujeira. No parque, o lago era um buraco congelado. A palma da mão de Baba estava quente sob meus dedos.

Eu me soltei dele. Corri alguns passos à frente até o fim do muro e Baba gritou para eu parar. O parque era uma faixa preta à minha esquerda, apenas os contornos espetados de bordos.

Pulei do muro e vi o coiote. Era maior do que um cachorro, mas mais magro, e tinha uma cor engraçada — cinza e dourado e marrom. As unhas pretas do coiote tamborilaram na calçada. Todos os seus músculos se retesaram, enrijecidos como videiras.

Baba chamou meu nome. Nenhum de nós se moveu. O coiote ficou encarando, sua pelagem rígida como uma escova de cerdas, as pontinhas ensebadas pela geada. Seus olhos tinham a cor dos anéis de âmbar que Mama costumava usar, o tipo que ela estava usando no dia em que Baba morreu.

O coiote soltou o ar, uma névoa saída das chaleiras gêmeas de suas narinas, encarando-me.

E então, como um belo fantasma, partiu. O coiote marchou de volta para a cobertura da vegetação rasteira, envidraçada de gelo.

Senti o calor de Baba antes de suas mãos pousarem nos meus ombros. Ele me ergueu da calçada. Então estávamos num banco do parque, e eu no colo de Baba. Ele me envolveu em seu casaco como se tivesse medo de me deixar sair. Nós ficamos nos balançando daquele jeito durante quase uma hora, Baba recusando-se a me soltar, eu me lembrando daqueles olhos âmbar.

— Nur — Mama está me chamando. — Você está sangrando de novo.

Mas não estou ouvindo. Abu Said está de joelhos nos escombros da sua casa, a testa voltada para a baderna fumegante. Pulo a fatia de colchão e faço meus sapatos patinarem sobre nacos planos de telha, os membros quebrados da mobília. Vou escolhendo o caminho até as costas encurvadas de Abu Said, as montanhas desgastadas dos seus ombros. Nunca o vi sozinho nas velhas fotos de Baba, nem uma vez sequer.

— Abu Said.

Ele ergue o rosto e abre as mãos. Balança o queixo na direção do céu. Ele recolheu pedaços de pedra e cristal que provavelmente já foram polidos um dia, mas não mais. Estão quebrados e pretos como carvão. Acho que estou vendo um pedaço de calcário que lhe dei uma vez, um pedaço de quartzo rosa que lhe trouxe de presente. Tudo foi partido, e as pedras que não se racharam estão cobertas de sujeira.

Os faróis piscam. Os alarmes de carros riscam o mundo de vermelho. Quero ser envolvida no casaco de Baba de novo, sentir suas mãos quentes nas minhas costas. Imagino Abu Said sentado numa cafeteria, dividindo um prato de meze com Baba, os braços de um ao redor do outro. Eu me penduro nos ombros de Abu Said, abraçando sua nuca, esperando que fantasmas de coisas seguras se infiltrem.

Abu Said embrulha suas pedras num lenço e as enfia no bolso. Voltamos para a rua. Apesar do para-choque amassado, seu carro verde ainda funciona. Ele enfia pilhas de papel e maletas de metal dentro do porta-malas. Diz tratar-se de ferramentas de geólogo.

Ele liga o carro e dirige, tomando cuidado para evitar pedras quebradas. Zahra está no banco da frente, Mama atrás dela, Huda entre nós. Abu Said rasgou a bainha de sua camiseta de baixo, fazendo dela uma faixa comprida, e Mama a enrola na protuberância do ombro de Huda, tentando conter o sangramento. Ela parece ter sido alvo de uma latinha de beterraba.

O sol começa a aparecer. Nós passamos pela Grande Mesquita de al-Nuri e entramos numa viela estreita para evitar a Rua Quwatli e a praça. Damos a volta no túmulo de Khalid ibn al-Walid, onde Mama nos levou para fazer turismo quando nos mudamos para Homs. Verifico o portão da mesquita, à procura da estátua de um escorpião e um homem, mas não está lá. Tento imaginar quanto tempo passou desde sua construção, as montanhas de anos cujo peso seria suficiente para nos esmagar.

Nos dirigimos para o hospital mais próximo, mas está abarrotado de carros e pacientes. Tentamos outro. Todos os hospitais de nossa vizinhança estão inundados de gente ferida. Não há estimativas do tempo de espera. Há apenas massas de pessoas, pilhas delas, longos cordões delas, incrustados de sangue marrom. Um menino passa num lençol, os médicos carregando seu contorno como uma maca, um tubo saindo de sua boca. Quando está passando, um médico olha de relance para os pés de Huda no chão e para Mama e

Abu Said segurando-a em pé. Do lado de fora, o céu e a estrada rugem como um terremoto se acalmando. O médico passa por nós com o menino sangrando em seus braços. Ele diz algo para Mama em árabe: *Nós não vamos ter lugar para ela hoje à noite.* Ele se inclina e aperta o nó que Mama deu na camiseta de baixo de Abu Said. Mama e o médico se entreolham, com o menino entre eles. Antes de se virar para ir embora, ele diz: *Ela não deveria esperar.*

Nós voltamos para o carro e Abu Said nos tira da cidade. Mama rasga outra faixa de tecido a partir da camiseta de baixo de Abu Said. Ela a dobra contra a protuberância no ombro de Huda, até o sangramento diminuir. Pressiona outra na minha têmpora esquerda, tentando fazer o sangue coagular. Sinto frio e sono.

Passamos pelo bosque de oliveiras nos arredores da cidade, aquele por onde eu e Huda andávamos à tarde quando Mama estava ocupada e queria que saíssemos da casa, aquele onde eu me sentei nos ombros de Huda e procurei a pedra inominada de Abu Said. Nos afastamos do Rio Orontes, até as parabólicas dos telhados parecerem orelhinhas, ultrapassando as planícies agrícolas recortadas como um tabuleiro de xadrez. Para além delas, há colinas em forma de degraus empilhados em anéis, os contornos distantes de montanhas. O rio se distancia sinuosamente de nós, na direção de Hama, a norte, rumo a lugares que costumavam ser pântanos antes das pessoas os drenarem. Acaso Mama não me disse uma vez que eles costumavam chamar o Orontes de *Asi*, rebelde, porque ele flui do sul para o norte?

— Não entendo por que fomos bombardeados — Mama fala baixo como se pensasse que estamos todos dormindo e temesse nos acordar.

Abu Said a princípio não diz nada. Os pneus do carro murmuram. O motor estala e reclama.

— Pode ser que a gente nunca entenda — ele responde, tão baixo quanto ela. — Em tempos assim, são as pessoas pequenas que sofrem.

Fico quieta, tentando fingir não ter ouvido. Abu Said reduz a marcha, e o gemido estalado do carro se aquieta num ronronar. Dirigimos até eu afundar o rosto no pescoço de Mama e começar a cochilar, com o braço flácido de Huda no meu joelho. Pisco lentamente quando passamos numa lombada. A última coisa que vejo é o anel de âmbar de Mama, aquele que ela não usava desde a morte de Baba. Ela mantém as mãos diante de si e gira o anel no dedo, apanhando cabelos soltos em volta da pedra. Eu me pergunto como ela o encontrou nos destroços.

O HOSPITAL EM DAMASCO está cheio de gemidos e de um cheiro metálico como para-choques de carros. Porém, o chão de ladrilho branco da sala de espera está limpo e as cadeiras marrons e beges são fundas e macias, e estou cansada demais para sentir medo.

Mama entra atrás de uma cortina com Huda e um médico. Zahra encosta o rosto na parede e tenta dormir, e eu coço o curativo que uma enfermeira colou na minha têmpora.

À nossa volta, as pessoas conversam entre si. Enquanto esperamos, uma família chega com uma bebê. Ela não deve estar gostando dos bipes e dos médicos correndo de um lado para o outro, porque começa a guinchar. Sua mãe levanta e caminha com ela até outro corredor, arrulhando. Os gritos da bebê morrem em meio ao choramingo arroxeado que se retorce pelas cadeiras da sala de espera. Massageio a pele dos meus braços e joelhos. O medo cresce, quente, afiado como uma faca.

Abu Said aperta minha mão.

— Sem lágrimas, nuvenzinha — ele diz.

— Não estou chorando.

Desembaraço um nó do cabelo atrás da minha orelha, puxando até ele sair num amontoado. Está emaranhado com sangue seco que escapou do meu curativo. Abu Said ainda me observa, parecendo preocupado. Seus ombros estão murchos de novo, como duas colinas desgastadas pela chuva.

— Por que você está em todas as fotos polaroides de Baba? — eu lhe pergunto.

— O quê? — Abu Said dá uma risadinha. — Seu Baba e eu éramos amigos quando crianças — ele diz. — Os pais dele foram muito bons comigo quando perdi os meus. Seu tio Ma'mun era como meu irmão naquela época, e seus avós foram como uma mãe e um pai para mim.

Eu paro de cutucar o cabelo e ergo o olhar para ele.

— Você perdeu seus pais?

— Quando eu era bem pequeno. Depois que eles se foram, morei com meu tio por um tempo. — Ele junta as mãos no colo e sorri, a fuligem aprofundando a covinha em sua bochecha. — Mas gosto de pensar que, quando o mundo me tirou uma família, também me deu outra.

— Então você sabe — eu digo. — Você sabe como é.

— Sim — ele diz. — Eu sei.

Abu Said e eu ficamos calados por um minuto, escutando os bipes e o zumbido das máquinas. Então ele tira do bolso uma áspera pedra azul com veios amarelos e brancos.

— Já viu uma destas? — pergunta.

Sacudo a cabeça.

— É por causa do quanto são raras — ele diz. — Isso é lápis-lazúli bruto. Os lapidadores de pedras preciosas o usavam para confeccionar joias para rainhas, produzir azulejos para mesquitas e palácios. Não existe outro azul igual no mundo.

Ele deixa a pedra cair na palma da minha mão. As pontas espetam a taça gordinha que ela forma. Camadas de azul e cinza se enredam em estradas imaginárias.

— Pensei que joias fossem brilhantes.

— A maioria das coisas preciosas não sai da terra com essa aparência — diz Abu Said. Ele volta a envolver a pedra em seu lenço. — Na terra, até as gemas mais adoráveis parecem brutas e sem valor. Você pode ver o índigo mais escuro, mas vê sujeira também, e sal. Mas se tiver paciência, se as polir com lixas e um trapo... Bom, várias coisas podem ficar bonitas.

— Mas e se estiverem rachadas? — eu lhe pergunto. — E se estiverem quebradas?

Abu Said abaixa a cabeça e toca a barba. É algo que nunca o vi fazer antes, como se ele houvesse se esquecido da minha presença. Então ele me olha outra vez e sorri, e me pergunto se imaginei.

— As pedras não precisam estar inteiras para serem adoráveis — ele diz. — Pode-se polir até as rachadas e usá-las para cravejar alguma coisa. Pequenos diamantes, se transparentes e bem lapidados, podem se tornar mais valiosos do que os grandões que contenham impurezas. Ouça: às vezes as menores estrelas têm o brilho mais claro, não?

Mas meu cérebro fica dando voltas. Estou diante da nossa casa amarela, deitada no jardim ao lado da figueira. Tento me lembrar de onde deixei meus brinquedos e minha bicicleta, como se alguém pudesse vir e roubá-los enquanto não estou. Tem alguém dormindo na minha cama incinerada? As pessoas estão indo pegar nossos cobertores carbonizados e limpar tudo para construir outra casa onde a nossa ficava? Quero caminhar pelo bosque de oliveiras e sobre as pedras quentes do jardim. Tenho saudade de casa com uma fome furiosa, embora ela seja um lugar imaginário agora.

Baba deveria tê-la visto enquanto ainda existia. As coisas se perdem tão rápido, com tanta facilidade. Como derrubar um sorvete de casquinha. Como jogar uma pedra no Hudson. Eu me pergunto se as histórias que dei à figueira se perderam também, se Baba as escutou. Ele sentiu os tremores quando a nossa casa desmoronou? Alguma parte dele está se revirando sob a terra, tendo sonhos ruins?

— Ontem à noite estava escuro demais para as estrelas — eu digo.

— Não, nuvenzinha. — Abu Said ergue o meu queixo com um dedo. — Na verdade, quanto mais escura a noite, mais elas brilham.

O hospital murmura, despertando. Zahra dorme. Do lado de fora da janela, a lua crescente se põe, e a Estrela do Norte pisca até sumir.

A ILHA
DE OSSOS

A ESTRADA DE HOMS a ash-Sham começou como uma agradável cavalgada pelas plantações verdes, campos amarelos de grãos e pomares. A expedição passou aglomerados de ciprestes e pinheiros, que foram se tornando menores e mais escassos conforme o grupo avançava. A terra acabou se tornando mais seca, as áreas sombreadas onde descansavam, mais distantes entre si. Grupos de beduínos pastoravam cabras e ovelhas nas colinas sob os longínquos morros-testemunho. A oeste, montanhas erguiam-se, bloqueando as chuvas vindas do mar. As agradáveis terras agrícolas que envolviam as planícies de Homs foram se tornando uma estepe árida conforme eles se aproximavam de ash-Sham. Rawiya observava os céus durante o dia, procurando ouvir asas batendo, e dormia pouco a cada noite.

No terceiro dia de viagem, al-Idrisi analisou suas anotações e mapas esboçados e anunciou que eles deveriam alcançar ash-Sham no dia seguinte. Eles guardaram seus suprimentos na alvorada roxa e guiaram seus camelos até além das tamargueiras e arbustos baixos recortados contra a terra cinza.

Rawiya distinguiu o pontinho de uma pessoa cambaleando em sua direção. O homem estranho dava puxões na barba desgrenhada e nas vestes de linho esfarrapadas. Sua voz soava fina por entre as lascas de rocha e o leito ressequido de um wadi. Àquela altura do ano, o wadi estava seco: tais leitos de rios só levavam água durante as épocas de chuva pesada. Os sapatos tortos do homem levantavam poeira. Ele sacudia os punhos na direção do céu.

Al-Idrisi ergueu a mão e toda a expedição parou. Ele saudou o homem, que veio mancando até eles, batendo no peito e puxando a barba. Al-Idrisi desceu do camelo e avançou em sua direção, oferecendo-lhe água de seu próprio odre e perguntando o motivo dele estar tão perturbado.

— Ó sorte — o homem gritou, jogando as mãos para o alto.
— Ó cruel sorte, você me tirou a honra e arruinou meu nome. Ó ajuda divina, por que você abandonou seu servo, Khaldun?

Al-Idrisi, percebendo que o homem estava à beira da loucura por causa da sede, do calor e do desespero, chamou os servos para o refrescarem. Um deles trouxe um tapete e fez o homem sentar-se, enquanto outro correu para arrancar um ramo de uma tamargueira próxima para abanar o rosto do homem. O próprio al-Idrisi ajudou Bakr a preparar para o homem uma refeição à base de nozes, azeitonas, figos e pão com azeite e tomilho.

Rawiya limpou a poeira da face do homem com um tecido úmido a fim de refrescá-lo quando ele desfaleceu sob o sol ardente. Pegando o pano, ela se ajoelhou ao lado do homem e gentilmente limpou a fina camada de sujeira da sua pele. Conforme a água tirava a poeira de sua bochecha, o pano de Rawiya revelava o rosto de um bonito jovem de pele cor de canela. Rawiya ficou admirada com os cachos de sua barba negra, o contorno gracioso de seu nariz, as sobrancelhas escuras e espessas e os lábios cheios. Ao toque do pano, ele abriu os olhos, e ela corou e desviou o olhar.

Quando eles acabaram de comer, era a hora da oração vespertina. O homem ajoelhou-se ao lado da expedição e rezou com o grupo, louvando a Deus pela hospitalidade e bondade deles. Somente depois de fazer isso ele pigarreou e falou.

O homem, que se chamava Khaldun, bateu no peito outra vez e ergueu as mãos na direção do céu.

— Nasci sob uma estrela desafortunada — disse ele. — Já fui o principal poeta do emir Nur ad-Din. Cantei-lhe canções sobre grandes feitos, heróis e feras antigas e, em troca, o emir me tratava com afeição. Ele forneceu uma grande casa, onde minha mãe e minha irmã viviam, e eu gozei das riquezas de sua corte por muitos anos. O emir lutou durante muito tempo para unificar a província síria e defendê-la de seus inimigos. Ele trazia muitos homens e guerreiros corajosos à sua corte, e com frequência me pedia para cantar canções sobre feitos de bravura. Mas minhas palavras eram tão convincentes e minhas canções tão passionais que o emir começou a acreditar que eu mesmo havia feito todas aquelas coisas grandiosas. A história preferida de Nur ad-Din era a de um terrível pássaro chamado roque. A criatura foi expulsa destas terras muitos anos atrás por homens corajosos que a arrancaram dos rochedos das montanhas e a mandaram lá para o Magreb. Eu tinha ouvido que o roque se assentou num vale de imensas serpentes onde ninguém ousava segui-lo. Lá ficou protegido do perigo, alimentando-se da carne das serpentes. Mas um dia a calamidade atropelou a província. O roque retornou para clamar seu ancestral território de caça: a cidade de ash-Sham e toda a região circundante. Aterrorizou o povo, derrubando do céu pedras sobre as pessoas, mergulhando sobre seus rebanhos e espalhando-os, carregando ovelhas inteiras em suas garras.

O grande terror. Rawiya e Bakr entreolharam-se. Al-Idrisi olhou-os de relance, comprimindo os lábios, os nós dos dedos costurados no colo.

— Pelos relatos, essa calamidade foi muito pior do que a anterior — continuou Khaldun. — Então o emir, concluindo que deveria defender a cidade de ash-Sham contra tal terror, procurou quem conhecia as fraquezas do roque. Mandou chamar-me até seu grande saguão. Falou-me da desgraçada criatura e, como eu lhe havia contado inúmeras histórias sobre a primeira derrota do roque, ele me ordenou matar a fera e dar um fim à tortura de seu povo. — Khaldun puxava os cabelos e as vestes. — Por quê, ó Senhor? — ele gritou. — Por que depositou tal fardo sobre seu servo?

Al-Idrisi pousou uma mão em seu braço.

— Poeta, continue — disse ele.

— Falei ao emir que não sou um guerreiro — disse Khaldun —, que sou apenas um jovem tecelão de histórias. Ele não quis acreditar. Disse-me que eu deveria matar o roque ou então era um mentiroso e um traidor. Ordenou que, se eu não matar o roque em quarenta dias,

eu seja morto. Enquanto isso, minha mãe e minha irmã foram postas em correntes no palácio. Estão apodrecendo na prisão, esperando o desenlace da minha missão. — Khaldun pôs as mãos no rosto e soluçou. — Por quê? Por que tal cruel sorte se abateu sobre mim?
— O que você vai fazer? — Rawiya perguntou.
Khaldun gesticulou para as estepes em torno, os montes prateados e a relva raquítica.
— Estou vagando pelo campo, procurando o roque para ele me matar e acabar com essa minha situação miserável — disse ele. — Ele quer se vingar de todos que entram nestas terras.
— Então você não vai tentar lutar? — disse Bakr.
Khaldun riu.
— Você já viu a criatura? Consegue carregar cinco homens nas garras. Suas pernas são grossas como troncos de palmeiras.
— Vimos a fera — disse al-Idrisi. — Uma ilha alada de penas brancas como ossos.
— Ela atacou nossa expedição perto de Homs — disse Rawiya.
— Homs! — Khaldun pousou a mão no peito. — A cidade onde nasci. Não voltei lá desde que comecei a trabalhar para Nur ad-Din.
— Ele recomeçou a chorar. — Ó bela cidade, sitiada pela calamidade vinda do alto. Eu não verei a curva de seus portões até Deus misericordioso permitir minha entrada no Jardim.
Rawiya comoveu-se com suas palavras.
— Sua história é mesmo triste, poeta — disse al-Idrisi. — Não podemos oferecer ajuda?
Khaldun sacudiu a cabeça.
— O que são as palavras de um poeta contra as garras de uma fera? — ele disse. — Vinte e cinco sóis dos quarenta já se puseram. O que farei? Não posso dar cabo do roque mais do que posso jogar uma pedra alto o suficiente para atingi-lo.
— Mas talvez eu possa — disse Rawiya.

DO LADO DE FORA das janelas do hospital, Damasco volta à vida num pulsar. Meus olhos ainda estão quentes e grudentos pela falta de sono. Mama sai de trás da cortina. Huda está em cirurgia.

Abu Said junta as mãos. Zahra cruza os braços e ronca, apoiando a testa na parede. Quem sabe em qual parte deste lugar Huda está? É a primeira vez que nos separamos em todo o verão. Não importa o quanto eu me esforce para dormir, eu acordo com sobressaltos, sentindo ter me esquecido de algo, como se alguém tivesse vindo e cortado fora um dos meus braços quando eu não estava olhando.

Cutuco o estofamento bege da minha cadeira, balançando os pés até suas pernas se moverem com a força dos meus joelhos. Bipes vermelhos estouram pelo hospital inteiro. Me pergunto qual monitor é o de Huda e de quem são os outros que estou ouvindo. Imagino conseguir discernir o de Huda em meio à multidão, como identificar um único sapo numa lagoa de curiosos primaveris.

Quando penso ter encontrado a pulsação de Huda, pressiono os dedos no meu pulso e tento sincronizar meu coração com o dela, mas não dá certo. Tudo o que consigo é deixar as pontas dos meus dedos brancas e dormentes até formigarem.

O hospital inteiro cheira a alvejante. Isso me lembra de quando Baba morreu e tive que ir com Mama à casa funerária. Cheirava a maçãs azedas e cândida. Era nojento porque o cheiro de maçãs azedas é amarelo, para mim, e o cheiro de cândida é cor de vômito.

Mama me conduziu até o lado de dentro e sentou com o diretor. Huda e Zahra estavam na escola. Eu devia estar em casa por causa de uma dor de estômago, mas na verdade só queria vir com Mama. Pensei que, se pudesse ver Baba mais uma vez, conseguiria parar de sentir saudade dele.

O diretor desapareceu dentro de um armário e voltou com duas xícaras de café preto. A sala principal era inteira de cortinas de veludo vermelho e sofás profundos nos quais você poderia se perder, as cortinas tão espessas que não deixavam nenhuma luz entrar. Parecia uma loja de mobília sem o plástico. Fiquei balançando as pernas suspensas para frente e para trás. O cheiro de vômito se agarrava a tudo, o fedor preservado de produtos químicos e lixo e lágrimas.

Mama conversou com o diretor até um rapaz magrelo entrar, não muito mais velho do que Huda.

— Este é o meu assistente, Lenny — disse o diretor.

Trocamos um aperto de mãos, sua mãozona mole e pegajosa

contra a minha mãozinha. Lenny tinha umas voltinhas de pelo de barba e um bigode delgado. Cheirava a queijo.
Balancei as pernas mais um pouco. Lenny fitou meus tênis. Perguntou se eu queria suco. Concordei.
Ele foi buscar e Mama levantou com o diretor.
— Você vai ficar bem? — Mama perguntou. — Volto logo. Espere aqui.
Quando Lenny retornou, eles já haviam descido uma escada e desaparecido num porão escuro. Lenny me passou um copo de suco de laranja.
— Onde Mama foi? — perguntei.
Lenny piscou.
— Ver o corpo do seu pai, provavelmente.
Passei o dedo na borda molhada do meu copo de papel.
— Não era para você me dizer isso, aposto.
Lenny inclinou a cabeça na direção dos azulejos oleosos do teto.
— E não posso ver? — perguntei.
— Você não iria querer.
— Por que não?
Lenny não respondeu. Beberiquei meu suco. A polpa e o açúcar haviam se separado, criando uma confusão turva. Tomei um gole azedo e coloquei o copo no chão. Então disparei.
Eu tinha descido metade dos degraus antes de Lenny se arrastar atrás de mim. Como não consegui encontrar o interruptor, segui uma luz verde no fim das escadas. Estava realmente frio lá embaixo, como a seção de congelados do supermercado. Parei no último degrau, agarrando o corrimão com força. A voz de Mama vinha de uma sala no fim de outro corredor, baixa e recortada. O cheiro era mais forte ali embaixo, mais nauseante, com aquela cor de vômito besuntada nas paredes.
Atrás de mim, Lenny trotava escada abaixo.
Avancei aos trancos pelo corredor e abri a porta.
— Mama?
Mama e o diretor se viraram para mim como se não tivessem certeza de estarem acordados. Um corpo jazia numa placa de plástico branco, a sala iluminada por um verde suave e um branco ovo.

Eu conseguia enxergar os vincos ressecados no cotovelo, as pesadas coxas com pelos fininhos, o acolchoado de carne na parte interna de um pé.

— Nur. — Medo relampejou no rosto de Mama e serpenteou atrás de seus olhos. — Você não deveria estar aqui embaixo.

Esperei os dedos do pé se contraírem, os músculos do antebraço emergirem. Não se entrevia nenhuma crista de veias na pele. O arco de um pé estava cinza, como carne depois da validade vencida.

Lenny entrou com tudo. Estendi a mão e segurei o dedão de Baba, envolvendo a unha com meus dois primeiros dedos e o polegar. Estava gelado. Prendi a respiração, com o cheiro de maçã podre denso no meu nariz.

A PUNGÊNCIA DO ANTISSÉPTICO vem flutuando por sobre meu ombro — o odor do hospital. Um homem de casaco branco se aproxima às nossas costas. Procura os bolsos na frente do casaco, mas eles estão esticados por sua barriga redonda. Ele diz algo para Mama em árabe. Sua voz é cinza com pontos rosa. A dela está um marrom mais amarelado do que de costume, desigual. Então o médico se afasta com os sapatos batendo rápido nos ladrilhos do saguão.

— Huda saiu da cirurgia — diz Mama.

— Saiu? — Paro de contar as batidas dos monitores, soltando a mão do pulso. Mama me faz levantar com um puxão e sacode o ombro de Zahra.

Cruzamos o saguão aos tropeços, atravessando a recepção e entrando em outra ala. Mama abraça o saco com seu mapa e nossa comida, fazendo chacoalharem os restos de pão e peixe enlatado que encontramos nos escombros. Abu Said nos segue. Subimos dois andares de elevador e viramos num corredor e então noutro. Minhas pernas zumbem e tremem como na rua, meus joelhos ardendo por causa da velocidade.

Mama atravessa uma porta para adentrar um quarto comprido cheio de leitos, e lá está Huda sob um lençol branco. Minhas panturrilhas vibram e queimam quando paramos de correr, e tento recuperar o fôlego.

Mama e Zahra entram, mas meu estômago se revira. Paro na soleira.

Os dedos de Huda se deixam ver por baixo do lençol, a palma de sua mão salpicada de sangue seco. Não consigo distinguir seu rosto, apenas os rabiscos de seu pulso e sua pressão sanguínea no monitor. Ela não parece minha irmã.

Zahra vai até Huda. Em vez de tocá-la, Zahra repuxa seus próprios dedos, estalando os nós. Faz tempo que não a vejo quieta assim.

Abu Said me cutuca entre as omoplatas. Não me mexo num primeiro momento.

— Ela está dormindo? — pergunto.

— Acho que sim — ele diz.

Ando até a cama. O braço de Huda sai de baixo do lençol, mostrando-se entre as tiras das grades do leito. Me lembro de seus dedos balançando, sem vida, diante dos joelhos de Abu Said. A paisagem rugosa de seu corpo estremece, então fica imóvel como um coiote.

Descanso meu punho no lençol perto da mão de Huda, mas não a toco. Tento me lembrar se Baba tinha uma aparência diferente no porão da casa funerária. Evoco o cinza da sua pele. Houve um minuto ou um segundo quando eu soube que ele estava morto, um momento quando ele deixou de parecer meu baba?

— Você pode segurar a mão dela — Mama diz.

Quando Baba morreu, Mama me disse que era a hora dele. Mas não é a hora de Huda.

Encaro seus dedos, as unhas brancas e contornadas de vermelho. Seu rosto tem hematomas e está esverdeado, como se ela estivesse sem fôlego, como se tivesse corrido o caminho inteiro entre a nossa casa e o bosque das oliveiras. Ela arqueja um ar amarelo. Manchas de sangue aparecem em seus curativos, criando no lençol buracos de groselha. Tenho pavor de tocá-la. Tenho pavor de deixá-la pior, pavor de acordá-la, pavor dela me ver e me relacionar para sempre a este hospital, ao marrom escorregadio de seu próprio sangue. A culpa perfura minhas entranhas, mas eu só fico parada ali, encarando.

— Você pode perguntar qualquer coisa — diz Mama. — Não tenha medo. Você só precisa perguntar.

Vinda de outro corredor, mais uma maca passa por nós. O lençol tem pontinhos vermelhos como a casca arrancada de um queijo gouda. O cheiro verde de ferro me leva de volta à casa destruída, tal investida ficando na minha boca e nos meus cílios.

Afasto os dedos.

— Ela vai ficar bem?

— Ela tem que descansar — diz Mama.

As clavículas de Huda sobem e descem, pouco visíveis. Sua respiração trava, para e estremece antes de recomeçar. Penso comigo mesma: já vi uma pessoa morta antes, mas nunca vi ninguém morrer. E se a morte for algo que se agarra a você, como um cheiro ruim?

Abu Said segura a minha mão.

— Vamos, nuvenzinha — ele diz. — Vamos dar a ela um espaço.

Não podemos aguardar na ala de recuperação onde Huda está dormindo, então Mama nos leva até um pátio de hóspedes. Ele tem um jardim e vista para a rua do outro lado das palmeiras e dos jasmins brancos. Mulheres caminham depressa pela calçada colorida usando grandes óculos de sol, e fios de telefonia se cruzam diante de estacionamentos de concreto e de prédios residenciais. Um homem ajeita uma antena parabólica num telhado. Mais adiante, na rua do hospital, há uma grande estrada delineada por hotéis, que leva à fonte no centro da cidade, onde todas as outras vias se partem como os raios de uma roda. Do outro lado da estrada, pontes de paralelepípedo com balaustradas de ferro atravessam o Rio Barada.

Mama nos faz sentar num banco nos fundos do jardim. Ela apoia a cabeça nas mãos. Ela treme, fazendo o saco a seus pés tiritar.

— Você está chorando? — pergunto.

Mama me puxa para si. Abu Said levanta e percorre a extensão do jardim. Zahra se afasta para esperar lá dentro, no ar condicionado. Ela passa as unhas pelas paredes, fazendo seu bracelete tilintar contra a pedra. Percebo que ela não comprou nada na joalheria antes de Huda puxá-la para fora.

Eu me apoio no banco.

— Me diga o que há de errado com Huda.

— A bomba a machucou quando caiu — diz Mama. Ela para e prende a respiração. — Quando atingiu o chão, ela se despedaçou. Os fragmentos metálicos explodiram e ficaram quentes, como facas deixadas no fogo. Um deles perfurou o ombro de Huda.
Eu já conheço essas facas. Não quero pensar na bomba. Observo o colar de Mama, um pedaço de azulejo de cerâmica azul e branco preso num cordão de prata, balançando em seu peito. Deve ser muito velho mesmo, porque ela o teve a minha vida inteira. A porcelana azul e branca me lembra do prato que ela segurava quando a casa desmoronou. Percebo não ter certeza de quando aconteceu, uma ou duas noites atrás. Eu deveria conseguir lembrar de algo tão importante.
— Então todo aquele metal ainda está dentro dela. — Listo mentalmente todas as coisas que poderiam se perder dentro de uma pessoa. Imagino os ossos de Huda como ilhas em meio ao músculo vermelho.
— Shway — diz Mama. Um pouco. Ela passa a mão sob os olhos, puxando a pele das maçãs do rosto. — Pode ser difícil tirar os estilhaços.
Estilhaço é uma palavra vermelha. Para mim, soa como metal e raiva e como estar no lugar errado na hora errada. Soa como as coisas vermelhas e amarelas dentro das pessoas, o medo e a fúria que levam alguém a apodrecer até outros também apodrecerem.
— Ela vai descansar uns dias — diz Mama. — Sem descanso e remédios, pode infeccionar.
— Mas ela vai estar bem quando formos para casa — eu digo.
O ar tenso retoma o rosto de Mama, o medo em seus lábios e em sua testa.
— Quando formos para casa — ela diz, como se não tivesse certeza do significado dessas palavras.
— Eles vão consertar a nossa casa. Certo?
Na minha cabeça, nós voltamos de carro. O fogo se extingue, os muros se empinam e Deus espalha uma supercola nas lascas da minha cama e na louça de jantar de Mama.
Mama me envolve com o braço em vez de responder. Mas não quero um abraço, não agora, então a afasto com o ombro. Ela não me responder é pior do que qualquer coisa que ela possa dizer. *A*

primeira semana de maio — não foi isso o que ela disse na viela em Homs? Como podemos deixar um lugar que esperei a vida inteira para ver? Como podemos partir duas vezes?

— Não podemos ir a nenhum outro lugar — digo, minha voz um rosa agudo. — A menos que voltemos para Nova Iorque.

— Ainda não sei, habibti. — Mama fecha os olhos e solta o ar, esquentando com ele minha clavícula. — Quando você crescer, vai entender. Você não pode assar pão sem farinha. Não pode desenhar o mapa de um lugar onde nunca esteve.

Isso não faz nenhum sentido.

— E quanto a Abu Said? — Ele está de costas para nós, evadindo-se entre fileiras de arbustos e palmeiras. — Para onde ele vai?

— Ele é da família — diz Mama. — Baba nunca deixaria um irmão para trás. — Então ela se lembra de sorrir. — Você sabe por que Abu Said tem esse nome?

Sacudo a cabeça.

— "Abu" quer dizer "pai" em árabe — ela diz. — Quando um homem tem um filho e vira pai, chamam ele pelo nome do seu filho. Então ele vira "Abu" e depois vem o nome do seu filho. — Ela observa meu rosto. — Entendeu?

— Mas Abu Said não tem mais filho.

Mama acaricia minha lombar.

— Mas já teve. O nome dele era Said.

— O que aconteceu com ele?

Abu Said continua andando de um lado para o outro. Abre uma trilha entre as pedras com seus sapatos de couro, fazendo as calças de linho rasgadas balançarem.

— Ele brigou com Abu Said quando era jovem e fugiu de casa — diz Mama. Ela baixa o olhar para o saco, para o tapete sujo que fede a fuligem e para o mapa de margens douradas lá dentro. — Ele nunca voltou. Eles nunca mais se viram. — Mama dirige o olhar à balaustrada do jardim. — Ele era geólogo.

— Ah.

As ferramentas no carro de Abu Said eram suas ou do seu filho?

— Abu Said dava aula de geologia na universidade, em Homs. Ele ensinou ao filho tudo o que sabia. Seu filho poderia ter tido uma longa carreira, era brilhante. — Mama se desvencilha de mim. — Isso te surpreende?

Sigo os ombros murchos de Abu Said com os olhos. Um de seus bolsos cede e sou a única a saber que está cheio de pedras.

— Eu não sabia — digo.

— Não sabia o quê?

— Que havia mais alguém. — As folhas lançam sombras sobre nós, esfriando o alto da minha cabeça. — Alguém que amava pedras tanto quanto Abu Said.

Mama não responde. Abu Said continua andando, vasculhando os seixos no chão. Me pergunto se as pedras estão conversando com ele. Me pergunto se elas têm alguma coisa a dizer que ele já não tenha ouvido antes, palavras que ele consiga ouvir nos ossos.

LÁ TAMBÉM ESTÁ MEU CORAÇÃO

NO DIA SEGUINTE, a expedição partiu com Khaldun para ash-Sham, a Cidade de Jasmim, também conhecida como Dimashq — Damasco. Como Khaldun não tinha um camelo, Rawiya ofereceu-lhe a possibilidade de ir com ela. Ele lhe agradeceu, dizendo-lhe que Deus a recompensaria pela generosidade. Enquanto cavalgavam, Rawiya tentou ignorar o calor espalhando-se por suas bochechas e sob seu turbante.

Ash-Sham ficava no centro de uma larga planície irrigada, chamada Ghouta. Essa terra era verde com plantações e pomares e vilarejos, bem conhecida em todos os arredores por ser a coisa mais próxima ao paraíso da qual uma pessoa poderia desfrutar. Um vale de árvores frutíferas e riachos chamado de Wadi al-Banafsaj, o Vale das Violetas, estendia-se por quase vinte quilômetros a partir do portão oeste de ash-Sham.

Um muro com sete portões cercava a cidade. O Rio Barada descia das montanhas ocidentais e fluía para o leste, atravessando a cidade e avançando para o deserto. Khaldun disse que entre aquele rio e uma rua chamada Reta ficava a cidadela fortificada, o Mercado de Hamidiya e a Mesquita dos Omíadas, com seus mosaicos de ouro, azulejo esmaltado e mármore polido.

Al-Idrisi escutava e anotava essas coisas, esboçando um mapa da Ghouta e da cidade. Mas, ao se aproximar dos muros, silêncio recaiu sobre a expedição. Mesmo à distância, enxergavam a fera alada agarrada ao telhado da cidadela.

Adentraram a cidade antes da aurora, enquanto o roque dormia, e encaminharam-se até a cidadela. Ash-Sham estava deserta, tendo o roque expulsado seu povo.

Amarraram os camelos e começaram a se preparar. Na noite anterior, Rawiya detalhara o plano:

— Vou me esconder em um telhado próximo — dissera ela. — Quando Khaldun montar o roque, terei uma visão completa e conseguirei mirar.

— Você quer que eu suba nas costas da fera? — Khaldun dissera. — Por que eu faria algo tão estúpido? E como?

— Distraindo-a com uma canção sua — dissera Rawiya.

Al-Idrisi dera seu sorriso felino.

— Você se superou, Rami — dissera ele. — Pois se sabe bem que o roque tem apenas uma fraqueza: as notas hipnóticas de uma canção. Ele não consegue resistir a uma voz doce e imediatamente adormece. — Al-Idrisi recuara em seu assento, sorrindo. — Ele gosta especialmente de tenores.

— Bom, Rami. — Khaldun levantara-se e erguera o rosto. — Se você requer uma voz bonita, meu garoto, então você terá uma voz tão bonita quanto puder desejar. Pois eu sou o principal poeta da corte de Nur ad-Din, e eu...

— E eu e al-Idrisi? — perguntou Bakr. — O que faremos?

— Vocês vão acordar o roque — disse Rawiya.

Bakr empalideceu, assim como Khaldun.

— A fera vai atirar Khaldun das suas costas e arremessá-lo para a morte.

— Khaldun vai se prender às costas do roque — disse Rawiya. — Então ele pode tentar esfaquear a fera. Quando o roque perder altitude, vou mirar minha pedra. — Ela apertou as mãos. — Vamos ver se isso vai funcionar.

Agora já posicionada, Rawiya estava agachada no telhado segurando a funda. Os minaretes da Mesquita dos Omíadas tinham um brilho vermelho e violeta. A figura de Khaldun, trajando uma capa preta, emergiu na torre da cidadela. O roque estava acordado, agarrado ao portão norte. Esmagava as pedras angulares do alto das janelas, torcendo o ferro com suas garras. O vento levava a canção de Khaldun enquanto ele escalava a torre.

O roque ficou sonolento, arrepiando as asas. Khaldun escalou, sem deixar a voz vacilar. Al-Idrisi e Bakr estavam encolhidos nas sombras do Bab al-Hadid, o Portão de Ferro, sobre o qual o roque se acomodara. Al-Idrisi segurava um corne e Bakr, um tambor — os únicos instrumentos que Khaldun levara consigo para a estepe que alcançariam um volume alto o suficiente para acordar o roque.

Khaldun agarrou as penas brancas do pássaro e apoiou a bota nas suas costas. O cantor trilou uma nota doce, mas tremeu.

Uma parte de Rawiya temeu por ele, a parte que ficara feliz em deixá-lo compartilhar seu camelo. Fizera sentido: ela era o membro mais leve da expedição, e o seu camelo seria o menos incomodado pela adição do peso dele. Mas houvera algo nos olhos dele ao prestar-lhe uma mesura, algo pequeno e gentil, como o mar soltando a respiração. Esse "algo" atiçara alguma coisa nela. Rawiya disse a si mesma que era apenas saudade de casa, de canções e rostos familiares, e debelou o medo tocando no bolso a misbaha de madeira de sua mãe.

O roque remexeu-se em seu sono, afastando sua massa corporal do portão e pendurando-se sobre os muros do pátio central. Khaldun entrou em pânico e jogou seu peso contra o flanco da fera. Depois de um momento de suspense, o roque assentou-se. A música descia com suavidade até o chão, doce como água de rosas.

Khaldun içou-se sobre as costas largas do roque, montando-o entre as escápulas, e cantou em seu ouvido. A nova sensação fez os músculos do ombro do pássaro ondularem. A criatura soltou um suspiro satisfeito e relaxou a cabeça sobre a torre.

Khaldun amarrou-se aos ombros e à base das asas da criatura com as cordas de al-Idrisi. Então sinalizou para os amigos e ficou em silêncio.

Vendo o sinal, al-Idrisi pegou o corne, retumbante e estridente. Bakr bateu no tambor num ritmo estranho, com os cotovelos imitando asas. Pombos voaram dos telhados. Os chacais que cochilavam na Ghouta uivaram e palraram.

O roque estremeceu. Então grasnou e bateu as asas, e seus olhos negros faiscaram, vivos de novo. Khaldun deitou-se no dorso do pássaro e soltou um uivo aterrorizado. A fera ergueu-se, deixando caírem penas pálidas no portão. Sua sombra abateu-se sobre a cidade, lançando a escuridão sobre o Mercado de Hamidiya e os minaretes da Mesquita dos Omíadas. O roque alçou-se aos céus, berrando, à procura da fonte do barulho.

Khaldun cravou o punhal nas suas costas, cortando as suas penas, mas não conseguiu arrancar sangue. Como Rawiya temera, o único ponto fraco do roque eram seus olhos.

O pássaro tentou alcançar as costas, estalando o bico. Deu um rasante na cidade, fazendo sua cauda comprida roçar a abóbada da Mesquita dos Omíadas.

Rawiya levantou a funda e colocou uma pedra na tira.

O roque debateu-se. Khaldun gritou. Penas acariciavam a terra como a primeira neve. Rawiya mirou, semicerrando os olhos contra a faixa clara do sol.

O roque a viu.

Seus olhos, amarelos como a gema dos ovos de codorna, voaram em sua direção. Era como se ele soubesse seus planos, como se lhe dissesse que ela não tinha como se esconder. Rawiya inspirou fundo, ouvindo o crepitar e o gemido do couro quando esticou a funda.

A fera recolheu as asas para mergulhar.

Rawiya deixou a pedra voar.

Havia mirado no olho direito do roque. Mas novamente a fera fez ventar com suas asas, desviando-a da mira. Ela lutou para manter a mão firme, e a pedra atingiu o roque bem acima do olho, despedaçando o osso.

A criatura soltou um berro tal que quebrou cada janela na cidadela, e despencou. Aterrissou no pátio central como um terremoto, derrubando tudo e todos longe, até as tamareiras. O imenso bico afiado da fera afundou no chão de terra e ficou preso, seu corpo pesado e imóvel como se morto. Rawiya parou de respirar.

Khaldun.

Ela desceu os degraus e atravessou o Portão de Ferro voando. O roque aterrissara no meio da cidadela sobre os ossos de suas vítimas, sua face uma mistura de sangue e penas. O pátio tornara-se o chão de um açougueiro.

Khaldun, flácido e inconsciente, deslizou das costas da criatura para o chão. Rawiya correu até ele. O roque caíra de uma grande altura e, apesar do seu corpo ter interrompido a queda de Khaldun, ele desfalecera, atordoado, e não se movia.

Seus olhos estavam revirados e entre seus lábios não passava ar algum. Rawiya, de mãos trêmulas, limpou a sujeira do rosto bonito de Khaldun e tufos de pena branca de sua barba. Para sua própria surpresa, começou a chorar.

— Querido poeta — sussurrou ela —, eu matei você.

Mas ante suas palavras, Khaldun tossiu e, delirante, soltou um rouco verso:

— Onde há homens corajosos — disse ele —, lá também está meu coração.

Então perdeu os sentidos.

— Fascinante.

Al-Idrisi entrou no pátio com Bakr e deu a volta no pássaro, tocando penas do tamanho de seu braço, riscando anotações em seu caderno.

Um olho amarelado saltara do osso da testa do roque, esmagado por Rawiya. Agora o globo ocular rolou para fora, num percurso hesitante em sua direção, opaco e largo como uma romã grande. Ela o pegou. A pupila encolheu-se para um grão preto-arroxeado. O globo de carne começou a endurecer até o olho tornar-se um cristal, perfeitamente redondo e liso. A rocha brilhou como uma ameixa madura, roxa como uma beterraba, violeta como um figo. Aos primeiros raios de sol, emitiu um brilho esmeralda em sua mão.

O roque estremeceu.

— Para trás, todo mundo!

Al-Idrisi e Rawiya carregaram Khaldun para fora do pátio quando do o roque ferido ergueu a cabeça e bufou cerrando os bicos. O sangue emaranhava as penas de sua face caolha. O roque levantou-se com dificuldade, arranhando a pedra com as garras, e abriu as asas. Alçou voo sobre a cidadela.

— Um dia eu me vingarei — gritou o roque caolho numa voz semelhante a montanhas desmoronando.

Então desapareceu no oeste, atrás das montanhas, na direção do distante Magreb, rumo às terras onde se dizia ficar o mítico vale das serpentes.

O emir Nur ad-Din recompensou ricamente Khaldun e seus amigos por expulsarem o roque de ash-Sham. Libertou a mãe e a irmã de Khaldun e deu à expedição cálices de prata, bolsas de dinares de ouro, estatuetas cravejadas de pedras preciosas e mantos bordados da mais fina seda. Prometeu-lhes grande honraria para permanecerem em sua corte.

Mas Khaldun implorou perdão.

— Devo minha vida a estes heróis — disse ele. — Eu os seguirei aonde quer que eles forem.

Tal alegação encheu Rawiya de secreta alegria.

Nur ad-Din concordou em dispensar Khaldun do seu serviço e presenteou a expedição com uma cimitarra toda gravada, do seu próprio arsenal. O cabo era de ouro sólido esculpido na forma de uma águia de asas abertas, com um rubi de cem faces como o olho.

No dia seguinte, os servos carregaram os camelos de ouro e pedras preciosas. Rawiya verificou sua funda, franzindo a testa ao perceber sua algibeira de pedras afiadas vazia. Em seu lugar, ela continha uma pedra roxa e verde, dividida por um grão escuro de pupila — o olho do roque.

Enquanto a multidão ao redor de Nur ad-Din assistia, Khaldun segurou a mão de Rawiya e ergueu-a no ar diante das ovações.

— Esta é a mão de Rami — ele gritou —, que soltou a pedra e expulsou a fera. Enquanto viver, eu o seguirei.

HUDA DESCANSA cinco dias no hospital. Mama, Zahra e eu nos alternamos dividindo um catre. Abu Said dorme encostado num canto, com o queixo no peito. Mama preenche uma papelada. Quando coloca o nosso endereço em Homs, imagino para onde irão os envelopes das contas, agora que a casa se foi. Poderia o nome de uma rua num pedaço de papel provar que a nossa família esteve lá?

Do lado de fora, o verão despe o Barada a ponto de deixá-lo limpo como um osso. Quando Abu Said me leva para uma caminhada, o fundo do rio se deixa entrever tal qual a barbatana de uma baleia.

Zahra não quer sair do ar condicionado, então Abu Said me leva ao sul do rio, até o Mercado de Hamidiya e a Mesquita dos Omíadas e a velha cidadela. Caminhamos pela Cidade Velha de Damasco, contornando a volta do antigo muro. A maioria das pedras cinzentas estão tão desgastadas que quase desaparecem sob a argamassa.

— Este muro está desmoronando — diz Abu Said, esmagando a pedra entre seus dedos.

Eu o toco e me pergunto se existe algum nível onde a cidade velha continue forte, onde as coisas continuem intactas.

No dia anterior à alta de Huda, Mama vem conosco. Ela anda devagar, calçando um par de escarpins tortos, que encontrou nas ruínas da nossa casa. Baba estava certo. Não há rasgos na sua meia-calça.

Mama carrega o saco de juta no ombro, sob o calor. Abu Said nos segue. Andamos para o sul, atravessamos o rio, passamos o azoque. Alcançamos uma rua delineada por lojas, pavimentada com paralelepípedos, quase estreita demais para duas faixas de carros. Em ambos os lados, há casas brancas de gesso com arcadas de pedra, e os telhados planos decorados com parabólicas e antenas de tevê.

— Essa rua se chama Reta — diz Mama. — Ash-Shari al-Mustaqim. Na época dos romanos, era quase impossível fazer uma rua reta.

Me espicho para olhar para um lado e para o outro. A rua corta a cidade de leste a oeste. Seguimos a calçada, nos desviando das pessoas apressadas. Quero tanto parar alguém, qualquer um, e contar que a minha casa foi queimada, caiu, explodiu. Como a vida pode continuar igual a antes?

— É a única rua citada pelo nome na Bíblia — diz Mama. Uma picape surrada passa por nós, resmungando sobre os paralelepípedos acidentados. — Você sabe o trecho, não?

Mas não quero falar a respeito, por isso minto:

— Não lembro.

Abu Said nada diz, tocando uma pedra em seu bolso.

— Esta é a rua onde São Paulo ficou, quando fugiu depois de Alá cegar ele com um raio de luz na estrada para Damasco — diz Mama. — A rua onde o Senhor enviou Ananias para devolver a visão a Paulo.
— Por que Deus cegou ele? — perguntei.
— Talvez para dar olhos a Paulo — diz Abu Said.
— Isso não faz sentido — digo.
Mama esfrega meu ombro, fazendo-me acompanhá-la, com o saco de juta balançando ao seu lado.
— Um dia você vai entender — ela diz. — Quando crescer.
Franzo a testa. No caminho de volta para o hospital, eu me lembro do que Huda teria dito: não quando eu crescer. Quando for a hora.

HUDA ESTÁ ACORDADA na manhã seguinte, mas o analgésico a deixa fora de si. Quando ela recebe alta, seu ombro está envolto em curativos, seu braço ruim numa tipoia. O médico lhe diz o que fazer, como manter o ferimento limpo, quanto remédio tomar. Ninguém precisa traduzir porque, depois que o médico vai embora, Mama resmunga e se exaspera e lhe diz de novo, em inglês.

Entramos no carro verde e rodamos, passando por vendedores ambulantes oferecendo lenços e laranjas, por hotéis em arranha-céus e meia dúzia de igrejas. Abu Said sai na estrada M5. Mama diz que temos que ir para a Jordânia, onde há uma embaixada americana e podem nos ajudar a voltar para casa. Espero que isso signifique que vamos retornar a Manhattan.

Além da Ghouta, quadrados planos de verde dão lugar a solo laranja e relva rasteira. Uma Mercedes velha nos ultrapassa. O carro verde trepida, com um dos pneus mais baixo do que os demais. Isso é o mais próximo que já estive de ter um carro, percebo. Nós só pegávamos táxi quando comprávamos aqueles grandes sacos de juta com arroz em Chinatown.

Estamos entre placas azuis de trânsito quando o carro começa a dar solavancos, com metal ressoando e arranhando a estrada. Encostamos. Os pneus levantam terra. Quando descemos, ponho o dedo no chão, espiralando entre pedaços de areia, seixos e as raízes secas de tomilho selvagem. O solo está tão laranja quanto muhammara, a pasta que Mama prepara com pimentões vermelhos e nozes trituradas. Eu me pergunto se o filho de Abu Said diria do que é feito o chão. Cálcio? Gipsita? Ferro?

Abu Said pragueja e chuta os pneus. Asas de vapor saem debaixo do capô. Meio quilômetro à frente, há mais uma placa azul. *Jordânia*, diz, com uma seta apontando para cima. Ergo o olhar para os cotonetes de nuvens.

Uma van azul para atrás de nós, riscando o cascalho. Uma menininha sai aos tropeços e, em seguida, uma mulher alta, mais alta do que Mama. A menina passa os dedos na terra e põe na boca. A mulher se aproxima, com sua longa saia esvoaçando, e diz alguma coisa em árabe. Escuto. *Quebrado — seu carro — vimos suas filhas*.

As mãos de Mama e as da mulher se movem depressa. Mama sempre fala com as mãos. A voz da mulher alta é espessa como água, roxa-avermelhada como sementes de romã. Suor escurece o linho fino de seu hijab no ponto onde ele toca sua testa e suas têmporas e brilha nos espaços entre seus dedos quando ela fala.

Vou até a menina na terra. Ela deve ser muito pequena mesmo, talvez uns três anos, porque ninguém que já tenha ido à escola põe coisa na boca se não quiser ficar doente. Pelo cheiro, ela parece não tomar banho há um tempo. Torço o nariz diante do cheiro pungente de fralda suja, o cheiro de sopa de frango de axilas. Mas me sinto mal, porque também não tomo banho há cinco dias.

— Qual é o seu nome?

A menininha não diz nada. Está usando um par de abafadores auriculares de pelúcia, como algo que se usaria na neve, mas está quente demais para isso. O cabelo desalinhado pende na lateral de sua cabeça. Seu rosto redondo é puro sorriso e bochechas gordinhas, mostrando meia dúzia de janelas sem dentes.

Ela sabe que estou aqui? Eu me agacho e pego um seixo, esperando ela notar. A menina põe as palmas da mão na terra de novo, fazendo uma pasta com seu cuspe. Um carro buzina ao passar por nós em direção à fronteira jordaniana, fazendo poeira entrar nos nossos olhos.

— Você está ouvindo? Qual é o seu nome? — Tento em árabe:
— Shu ismik?
A menina vira a cabeça para mim e sorri, mas não diz nada. O cabelo do outro lado da sua cabeça foi raspado, deixando uma camada aveludada sobre seu crânio. Mas quando olho com mais atenção, na verdade se trata de um anel irregular ao redor de sua orelha. O cabelo não foi raspado. Caiu porque queimou.
— Você consegue escutar usando isso?
Estendo a mão para os abafadores e levanto um lado. Ela joga os braços para mim, me afastando com tapas. Os abafadores caem. Ela segura sua outra orelha, a que não consigo ver. Há apenas uma polpa de carne onde sua orelha deveria estar, uma coisa vermelha envolta num curativo. A orelha foi arrancada, o osso delicado e o lóbulo como se cortados da lateral do crânio. Entreveem-se pequenas protuberâncias de carne e cartilagem na massa emborrachada, como gelatina de morango coberta por uma camada de pus. O anel de cabelo queimado se estende numa cicatriz até o pescoço, alta e rosa.

A menininha repõe os abafadores às pressas e corre para a saia da mulher alta. Tento imaginar o que poderia lhe ter feito algo assim, o que poderia ter arrancado a orelha de uma pessoa da sua cabeça. Mas então lembro que a mesa de jantar se partiu como pão velho, e não quero saber.

Viro ao ouvir algumas palavras em árabe atrás de mim. Um senhor sai da van, apoiando seu peso na maçaneta da porta. Abu Said o ajudou a deixar seu assento. O velho usa uma camiseta xadrez amarela com mangas até os cotovelos e calças marrom-amarelas que estão curtas demais para ele. Quando ele sai do carro desdobrando-se, suas calças escorregam do cinto, cobrindo as meias de linho dentro dos mocassins marrons.

— Ele diz que o nome da menina é Rahila — diz Abu Said.
— Quem diz? — Eu me levanto e estico os joelhos.
Abu Said aponta o senhor com o topo da cabeça e então franze o cenho para a poeira nos meus sapatos e calças.
— Você é o jiddo de Rahila? — pergunto, usando o termo em árabe para avô.

O velho tem uma aparência enrugada, anciã. Seu cabelo escuro tem uma camada preto-azulada, o tipo que se obtém ao tingir com hena e índigo. Está penteado cuidadosamente para trás, com três dedos de cinza brotando de cada lado da divisão.

— Ele não fala nada de inglês — diz Abu Said. — E acho que não.

O homem diz algo num árabe rápido, como um rio profundo. Abu Said traduz:

— Eu só tinha dinheiro suficiente para pagar a tarifa até Al--Kiswah. Foi onde Umm Yusuf me encontrou. Ela não deixaria um velho caído à beira da estrada.

Quando franzo a testa à menção de Umm Yusuf, Abu Said se abaixa.

— A mãe de Rahila também tem um filho chamado Yusuf — diz ele, e lembro como Abu Said recebeu seu nome, o filho que ele perdeu.

Eu me sento no chão.

— Mas para onde vocês vão?

Abu Said traduz minha pergunta. Então a mulher alta diz algo numa tempestade de árabe, e Abu Said vai até a parte de trás da van. Ela lhe dá algo. Abu Said volta trazendo uma perna de metal entre duas barras de aço, semelhante a uma chave inglesa. Ele a chama de macaco. Afrouxa os parafusos da calota enquanto o velho responde a minha pergunta.

— O que ele disse? — Preciso gritar para me fazer ouvir acima dos carros passando a toda.

Abu Said se ajoelha com o macaco, franzindo o cenho para o ventre do carro verde. Ele grita de volta a tradução:

— Ele era um contador de histórias em Damasco. Um hakawati. Então a cafeteria foi bombardeada e ele não conseguiu mais encontrar trabalho. — Abu Said aperta o macaco sob o carro e fica mexendo nele, que começa a se expandir. — Ele deixou sua casa e seu sustento.

Eu me endireito.

— Contador de histórias?

Abu Said traduz. Uma parte do carro se ergue, como um cachorro levantando uma perna. O senhor diz a Abu Said alguma coisa em árabe, palavras criando formas no vento. Ele floresce diante de mim, sua voz uma flor verde. Ele parece jovem e feliz, como se nunca houvesse envelhecido, como se tudo não passasse de um truque da iluminação.

Abu Said tira a roda com cuidado e inspeciona o pneu, suas unhas cobertas de graxa. Aguardo a resposta do velho, observando os cachos de sua barba prateada e seus lábios rachados.

— Histórias de reis e aventureiros. — Abu Said traduz, e o velho sorri. — Salah ad-Din. Simbá, o Marujo. As grandes histórias de amor, fábulas que alimentaram meus pais e meus avós.

— Conte uma história — eu digo.

— Não conto mais histórias — diz o velho através de Abu Said. — Só a verdade das coisas. Eu costumava amar as histórias sobre gênios e os feitos de príncipes. Meu coração batia mais forte por tudo o que já passou: os amantes, os cartógrafos, os aventureiros. — O velho apoia seu peso na maçaneta e se abaixa até o chão, sacudindo o dedo. — Não se esqueça — ele diz, e Abu Said olha para cima enquanto traduz, segurando um pouco as palavras —, as histórias aliviam a dor de viver, não de morrer. As pessoas sempre acham que morrer vai doer. Mas não dói. É viver que nos machuca.

Abu Said chuta a roda.

— O problema não é o pneu — diz ele, limpando as mãos nas calças. — É o eixo. Não vai rodar nem mais um quilômetro.

Entramos na van azul de Umm Yusuf. Observo o campo verde e amarelo passando. Já me esqueci de tanta coisa que me pergunto se lembrarei disto. Me pergunto se algo tão grande poderia desaparecer da nossa cabeça, como abrir a porta de um carro em movimento e sair.

Passamos por amontoados de tijolo e uma velha estação de trem feita de pedra, com suas janelas verticais fechadas por tábuas. A fronteira cresce à nossa frente. Primeiro vêm os ciprestes, então uma calçada arredondada. Huda está meio jogada sobre mim, se apoiando em Zahra, cujo rosto está voltado ao estofamento. Huda abre os olhos apenas por tempo suficiente para me sorrir.

Alcançamos um conjunto de arcadas brancas e verdes com portões largos. Há policiais parados na sombra, acenando para irmos para a calçada. Descemos. Eles pedem nossos documentos. Atrás de nós, o freio de um caminhão guincha.

Zahra se encosta num poste metálico com a cabeça nas mãos.

— Estou cansada — ela soluça. — Eu só quero comer alguma coisa. Quero uma cama normal.

Huda oscila, batendo o braço enfaixado nas próprias costelas. Esperamos. Mama e Umm Yusuf falam. O senhor senta no chão enquanto os policiais verificam a van.

Puxo a manga de Mama. Esquecendo, ela me responde em árabe.

— Vão nos deixar passar? Quando vamos para casa?

Parece que mordi Mama.

— Não podemos ir para casa — ela diz. Umm Yusuf pega cadernetas e papéis, apontando cada uma de nós alternadamente. Mama se inclina. Ela ajeita meu cabelo, arrepiado por conta do encosto áspero. — Lembre, habibti, não é o lugar que importa. Sua família está aqui. Isso tem que bastar.

Do outro lado das arcadas, a estepe nos espia, uma cobra amarela pontilhada por tufos verdes. Leio as placas azuis estrada afora, metade em árabe, metade em inglês. *Bem-vindos ao Reino Haxemita da Jordânia.*

Mais adiante, depois da fronteira, a calçada é preta e branca, exatamente como as arcadas das lojas em Damasco. Caminhões aleatórios arrancaram-lhe pedaços, como as ruínas da velha cidadela. O pavimento do outro lado tem uma natureza cintilante, como se estivesse se mexendo diante de meus olhos, como se o mundo exterior à Síria fosse feito de medo, surpresa e luz.

Alguma coisa ribomba atrás de nós, no lado sírio da fronteira. Eu me viro e vejo fumaça. Uma mulher atrás de nós diz algo em árabe para os filhos: *Fogos. São só fogos.*

Mesmo se eu não reconhecesse aquele ribombar, meus músculos reconheceriam. Minhas pernas enrijecem, me mandando correr. Enquanto uma lufada de fumaça amarrotada nubla o horizonte, sinto pela primeira vez o quanto estamos longe de Homs, o quanto não há mesmo como voltar agora. A mulher atrás de nós puxa a filha contra os joelhos e seu olhar encontra o meu, seu rosto tenso de medo. Seu filho inclina o pescoço para verificar o celular antes de devolvê-lo ao bolso. Dá para perceber, a julgar pela distância mantida uns dos outros, que estão guardando lugar para alguém que não está lá. O mundo está desabando, eu penso, permitindo à dor se espalhar como o sangue nas bandagens de Huda.

Mais à frente, um homem acena para cruzarmos os portões. O senhor, o contador de histórias, se levanta. Então se segue uma torrente de árabe, e ele volta a se sentar. Me pergunto se ele deixou para trás sua própria família, se eu conseguiria fazer o mesmo se precisasse.

— Por que ele não pode vir? — pergunto, apontando o senhor.

— Por que não?

Zahra esconde o rosto, mergulhando a mão direita no bolso à procura do celular que não está lá. Um tênis de Huda escorrega de seu pé e se arrasta na calçada. Ela tropeça. Ninguém me responde.

Mama pega minha mão e segura Huda com a outra. Abu Said nos segue. Umm Yusuf entra de novo na van, e Rahila põe a palma da mão na janela de seu assento.

— Atravessamos separados — diz Mama.

— Mas o senhor...

Ele manca atrás de nós, num passo lento e calculado. Ignora os homens gritando com ele e para na fronteira. Se apoia no portão depois de passarmos, pondo o rosto contra as barras. Percebo nunca ter perguntado seu nome.

— Ele não tem família para responder por ele — diz Mama.

— Não podemos fazer nada?

— Ele não tem a documentação adequada — diz Mama, grunhindo para manter Huda em pé quando ela pisa em falso. — Existe um sistema. É complicado.

— Não precisa ser — eu digo.

— Mas é, a gente gostando ou não. — A voz de Abu Said é toda de consoantes pretas e vogais azedas, alongadas como óleo sobre concreto. Não a reconheço.

Dou um passo na direção da estrada além da fronteira. Prendo a respiração, esperando pelo momento quando eu e a Síria nos separarmos, percebendo que, após a travessia, não há como saber o que vai acontecer ao lugar que já chamei de lar.

Umm Yusuf estaciona a van na beira da estrada pouco à frente, nos esperando. Olho para trás, na direção do portão, conforme avançamos. O velho contador de histórias pressiona a testa nas barras. Ele estende a mão e achata a palma contra elas, com os dedos esticados. Pisca devagar e sorri. Seu cabelo preto bem penteado reflete o sol, as raízes cinzentas formando uma espécie de coroa de penas. Seu sorriso se torna um lembrete, um quadro para eu fixar para sempre em minha mente. O sol pulsa quente sobre o tomilho selvagem. Tropeço no meio-fio. Quando olho para trás outra vez, o contador de histórias ainda nos observa, suas palavras ainda na minha cabeça: *É viver que nos machuca.*

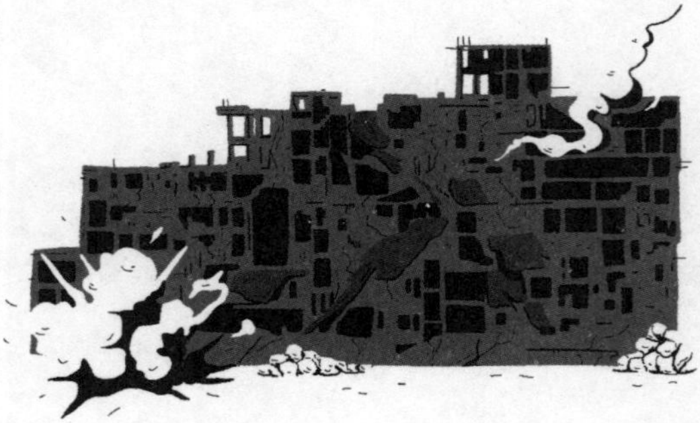

PARTE II
JORDÂNIA/ EGITO

Meu amor, a visão me falha. Veja, diante do costumava a visão me falha, e há areia em meus olhos, meu amor. Não consigo enxergar seu rosto. Não sinto nada exceto o osso. Meu corpo está cego aqui, minhas mãos — minhas mãos tortas, com as quais eu segurar você. Costumávamos sentir alegria. Agora e meu coração se entorpeceu. Apodreço como um ramo de palmeira cortado fora. Lábios pretos como basalto, o wadi seco da minha coluna, a pele rasgada como tecido. Vaguei por tempo demais sob a moeda do sol. Sou uma única dor. Caio por terra. Anseio por água, pela fita fresca do seu cabelo, mas as dunas continuam a se abrir diante de mim. Vou de boa vontade para meu exílio. Quantas vezes penso em você e me pergunto onde você está, mas você virou o rosto. Minha mãe e minha irmã envolvem-se em cinzas. Pranteio sua ausência, ó meu amor, ou você é quem pranteia a minha? Dou as costas àquele útero de cipreste no vale e desço. Os céus pesam sobre meus ombros. Minha pele queima, pergaminho ressecado, voz roubada. Meu amor, você me enterra. Eu cantarei para você até o dia em que novamente caminharmos por jardins, até eu mergulhar meu rosto nas profundezas verdes e nadar até onde você estiver. Espere por mim aqui, sob o umbigo da noite, com o rosto pressionado contra a lua, feito um espelho.

CÉUS OCULTOS

DE ASH-SHAM, as estradas da rota comercial cruzavam a estepe rumo ao sul, fazendo uma curva na fronteira das terras ocupadas pelos cruzados francos: a extremidade meridional do Condado de Trípoli e, depois dela, o Reino de Jerusalém, nas montanhas a oeste. A expedição seguiu a estrada em direção à beira do território de Nur ad-Din, rumo à fronteira com o Império Fatímida. Trechos de arbustos de palmas e moitas entrecortavam a estepe e um ou outro grupo de ovelhas pastava sob aglomerados de ciprestes ou cedros-do-líbano.

Naqueles dias, a terra exibia cicatrizes das disputas sangrentas entre os seljúcidas, os fatímidas e os cruzados, mas al-Idrisi não temia. Ele verificou suas anotações e guiou a expedição para o sudeste, afastando-se das rotas comerciais que haviam seguido durante quase uma quinzena. O cartógrafo tinha um destino particular em mente antes deles se voltarem para o oeste rumo ao Cairo e ao Magreb, mais além. Rawiya perguntou-lhe para onde estavam indo.

— Meu garoto — disse al-Idrisi —, para entender isso, você precisa entender algumas outras coisas antes.

Enquanto seus camelos labutavam na travessia da estepe amarelada, ele contou a Rawiya, Bakr e Khaldun da sua juventude apaixonada por mapas e pela matemática.

— O que eu queria mais do que qualquer outra coisa era viajar e ver o mundo — ele disse, verificando o astrolábio. — Por isso, fui para Anatólia aos dezesseis anos. — Ele riu. — Que tolo. Jovem e aventureiro, julgando-me invencível. Aquela jornada prodigiosa fixou na minha mente a ideia de um mundo imenso, cheio de perigos e coisas bonitas. Eu amava aquele mundo, apesar da sua vastidão esmagadora. Eu o amava apesar do terrível peso das suas esperanças.

Um oásis com um posto avançado fortificado apareceu à distância. Havia palmeiras protuberantes ao redor da abóbada de pedra de um qasr, um castelo, quase em ruínas. Os sulcos de valas de irrigação abandonadas contornavam a construção.

— Deserto — disse Rawiya.

— Este é o Qasr Amra — disse al-Idrisi —, outrora refúgio de Walid II, um lugar de entretenimento, música e banquetes. Antigamente, os califas ouviam música e poesia à beira das piscinas do castelo. Ele possuía um hamame decorado por refinados afrescos. Um dia, só vai sobrar a fundação.

Mas a presença de uma casa de banho em tal lugar deixou Rawiya perplexa.

— Por que um hamame no meio da Badiya? — ela perguntou, gesticulando na direção da estepe pedregosa. — E como?

Al-Idrisi disse-lhes que o hamame provavelmente era abastecido por um wadi que se enchia durante os meses chuvosos de inverno.

— Um uso hedonista de água aqui na Badiya — disse ele. — Ouvi histórias sobre poços profundos e um sistema complexo para desviar água.

Khaldun fitou as piscinas vazias tomadas pelo mato.

— Dá para imaginar? — ele perguntou. — Os califas e os poetas, os grupos de caçadores, os banquetes e a música? As apresentações feitas aqui eram o orgulho da sua época. Agora foram esquecidas.

O Qasr Amra era feito de calcário e basalto, e o vento desgastara suas velhas paredes até as tornar lisas. Lá dentro, uma fresca escuridão abateu-se sobre eles. O teto em tripla abóbada ficava muito acima das suas cabeças.

Al-Idrisi encontrou uma tocha, ressecada, porém intacta. Bakr lutou com sua pederneira. Uma chama ganhou vida, revelando paredes pintadas. Os afrescos eram claros como fruta esmagada: a pelagem vermelho-sumagre de um urso tocando um oud. Camelos cor de enxofre carregados de cobertores. Mulheres de cabelo escuro, lustroso como ébano, tomando banho.

Al-Idrisi conduziu-os a uma câmara secundária com um pé-direito alto.

— Aqui é o caldário — disse ele, rabiscando em seu livro encadernado em couro. — Na época em que os califas usaram este hamame, o caldário era a sala do vapor da casa de banhos. Coroava o caldário abobadado uma pintura do zodíaco, cujas bordas de gesso começavam a se soltar. O índigo do vestido de Cassiopeia reluzia ante a incandescência da tocha, e a turquesa brilhante do arco de Sagitário curvava-se para apanhar a luz. As figuras elegantes das constelações rodopiavam ao redor deles, dirigidas pelo leme dos céus.

— Poucos viram esses afrescos com os próprios olhos — disse al-Idrisi. — Eles são um dos mais primorosos exemplos de uma abóbada celeste em todo o mundo.

— Uma abóbada celeste? — Rawiya perguntou.

Al-Idrisi desviou o olhar dos afrescos.

— Uma abóbada decorada com o diagrama das estrelas — disse ele —, as constelações como você as veria, se olhasse para baixo do alto dos céus. O califa omíada deve ter convidado artesãos gregos ou bizantinos para completá-la. Nenhuma outra na terra se equipara a ela.

Rawiya estendeu a mão na direção da face arruinada de um tocador de oud e perguntou-se quem se refugiara ali ao longo dos anos, e se o lugar fora saqueado após ter sido abandonado. Seus dedos retiveram-se sobre uma rachadura profunda na rocha arruinada, como uma velha cicatriz. Buscar a beleza num mundo calejado era algo nobre, ela pensou.

— A tocha não vai durar muito — disse Bakr. — É melhor irmos enquanto ainda temos luz.

Do lado de fora, os camelos batiam os cascos na poeira. Al-Idrisi dobrou as anotações dentro do livro de couro e fechou a fivela e Rawiya viu o esboço do mapa que ele desenhara da Badiya, com o sul marcado no topo.

Do outro lado do pátio externo, os servos aguardavam, rodeando os camelos. Os ventos crescentes carregavam areia afiada, e eles apertaram os turbantes. Com os rostos corados pela luz da tocha, os membros da expedição fitaram a lua nascente.

Eles aprontaram os camelos. Rawiya virou-se para Khaldun.

— Meu pai amava olhar as estrelas — ela disse — antes de morrer. Quando ele ficou doente, tentou sair da cama uma vez. Ele me levou para além do bosque de oliveiras ao amanhecer, para podermos ver as estrelas cadentes brilhando.

Os camelos abaixaram a cabeça e cuspiram. Rawiya endireitou sua sela.

— Nenhum de nós sabia os nomes das constelações, então inventávamos os nossos. Mas os céus têm uma aparência diferente aqui.

Khaldun ajudou Rawiya a apertar a sela, roçando a lateral da mão dela com a sua. Um calor subiu o pescoço dela. A menina pigarreou e afastou-se, esperando que ele não houvesse sentido o tremor de seus dedos.

Um sorriso fraternal cruzou o rosto de Khaldun.

— Às vezes só se consegue entender uma imagem olhando-a de cabeça para baixo — ele disse.

Rawiya deu batidinhas no pescoço de seu camelo, sorrindo para si mesma.

— Igualzinho a um mapa.

A PRINCÍPIO, a Jordânia é pedregosa e plana como a planta de um pé. Mas então a estrada se dobra para oeste, atravessando montes baixos iguais a papel amarrotado. Conforme nos afastamos da fronteira rumo a Amã, tudo é terra amarela: terra da cor de banana madura moldada na forma de vales, terra nodosa âmbar rachada pelo sol, terra róseo-oliva lisa como uma espátula. As estradas se alargam à medida que seguimos rumo ao sul, ficando entupidas por caminhões. Passamos por vilarejos, depois por uma refinaria de petróleo. Um trem apita ao longe, além de um punhado de camelos. A noite passada não esfriou e, mesmo não estando abafado aqui, o dia esquenta, e o motor da van crepita. Abaixamos as janelas, observando o calor tremeluzir pela estepe. Um cordão infindável de fios elétricos avança até se misturar ao horizonte.

As construções vão ficando maiores e mais próximas entre si. Então vêm as colinas, nos atirando para seus cumes. Tento lembrar o que Mama me disse uma vez — que Amã foi construída originalmente sobre sete colinas, mas agora se estende ao longo de pelo menos dezenove, talvez mais. Na periferia da cidade, as casas são mais altas, e prédios residenciais se amontoam sobre os ossos das encostas. Vem o verde: relva esparsa, tílias, anchusas azuis. Mama encara as flores azuis pela janela e murmura seu nome em árabe:

— Lisan al-thawr — Borragem.

Fito os minaretes e hotéis nas distantes vizinhanças do oeste da cidade, cintilando com vidro e construções novas. Não podemos estar a mais de quinze minutos de lá, andando de carro, mas aqui é tudo diferente. A van se enfia por entre um mar de gesso marrom e branco e faixas de telhado de contorno vermelho. Mercados em processo de fechar trancam o refrigerante dentro de minigeladeiras e guardam pencas de banana penduradas nos balcões. As luzes se apagam nas fendas quadradas de janelas. Pilhas de casas iguais a caixas de fósforos se acotovelam dos dois lados de uma rua esburacada.

— Leste de Amã — diz Abu Said do banco da frente.

— Nem uma só palavra para estranhos — diz Mama. — Entendido?

Ela fica mexendo nos botões da sua blusa e alisa o saco de juta como se fosse uma bolsa. Zahra imita as mãos ansiosas de Mama, retorcendo seu bracelete de ouro. Do outro lado da avenida, há um velho caminhão parado num estacionamento vazio e crianças jogam futebol na rua. Mama ignora seus gritos, ajeitando o cabelo sujo. Mesmo aqui, ela é uma dama. Não tem nem um fiozinho solto sequer.

Encostamos na calçada diante de um prédio atarracado feito de tijolo amarelo e concreto. As portas da van abrem com tudo e saímos depressa. Em algum lugar, um cachorro late, um cone roxo-prateado. Ladeira abaixo, as lâmpadas dos postes se acendem, perseguindo o guincho laranja de um lojista baixando a porta metálica.

Aos tropeços, vou até uma tília na calçada, esticando as pernas, sacudindo os tornozelos. Com o nariz grudado no casco da tília, sinto cheiro de escapamento de carro, mofo e raízes.

Mama puxa seu saco de juta para fora. Ela limpa a poeira de si como costuma fazer quando está pintando, nunca deixando um cisco de tinta em seu avental. Seus dedos se agitam pela blusa, pelo cabelo, pelos quadris. Ela endireita os escarpins, embora os saltos estejam tortos, soltando-se das solas. Ajuda Huda a levantar do assento, encurvando-se com seu peso.

Abu Said tira seus montes de papéis, sua mala de ferramentas de geólogo. Umm Yusuf ajeita os abafadores auriculares de Rahila, estala a língua ao ver seus curativos úmidos e a ergue do assento do carro. Ela murmura algo na orelha boa de Rahila, levantando-a sobre seus ombros como se a menina fosse um pedaço delicado de papel machê. Há algo de lento e resignado nos seus movimentos. Quando ela me vê parada sob a árvore, dá uma batidinha no meu ombro e me conduz pelo caminho da entrada.

Subimos os degraus até um pequeno apartamento.

— Minha mãe e meu filho estão nos esperando — diz Umm Yusuf. — Eles partiram antes de nós. Agora três gerações nossas estão outra vez sob o mesmo teto.

Ela sorri, erguendo a barra das saias enquanto subimos. Suas bochechas são cheias e seu sorriso, delimitado por covinhas, mas sua pele está pálida pela falta de sono.

A escadaria vai se estreitando conforme subimos e, por isso, fico para trás de Umm Yusuf, observando as costas de seu lenço marrom-avermelhado. Mama sobe atrás de mim, ainda exalando aquele cheiro — aquele cheiro de queimado. O mesmo odor está em mim, em minha camiseta e nos pelos que brotaram nos meus braços. A bomba deve ter deixado em nós enxofre e fumaça e não apenas metal. Todos fomos encharcados de lembranças ruins.

— Mama. — Puxo-a de canto. — O que aconteceu com a orelha de Rahila?

— Você não tem olhos? — Mama rosna comigo, seu sussurro ganhando contornos vermelhos. Pela primeira vez, ela parece realmente brava, realmente assustada. — Você viu o bombardeio. Olhe para Huda. O que você acha que aconteceu? — Mas ela deve estar se sentindo mal, porque põe uma mão no meu ombro e diz, já sem raiva na voz: — Fique calma agora.

Umm Yusuf destranca a porta. No apartamento, alguém se arrasta na nossa direção. Uma vacilante voz rosa estoura, como costumava ser a de minha sitto no telefone antes dela morrer:

— Ya Rahila, ya ayni! — A mulher atrás da porta não está falando comigo, mas estremeço mesmo assim. Só Sitto me chamava de "ya ayni", *meu olho*, e eu não ouço isso desde que ela se foi.

A porta se abre, criando sombras nos azulejos brancos do teto. Há uma única lâmpada suspensa no meio da sala e almofadas desbotadas enfileiradas ao longo de uma parede, e uma mala com acabamento lateral de couro diante destas serve de mesa. Sobre ela, há uma lata de refrigerante vazia, com uma moitinha aquiescente de anchusa espiando lá de dentro. Por um segundo, isso é tudo o que vejo, a lata de refrigerante que passa por vaso e a mala nua, por mesa. Por que não percebi que você não pode simplesmente usar supercola para reconstruir uma mesa de jantar, uma casa? Quanto tempo vai levar para reavermos as coisas perdidas?

Uma senhora abre totalmente a porta com um puxão e troca beijos com Umm Yusuf, então se inclina para pegar Rahila no colo. Os tornozelos grossos da mulher aparecem sob a comprida saia de algodão, as meias finas três quartos cintilando em suas canelas. Ela fala num árabe veloz com vogais de canto de passarinho. Reconheço algumas palavras em meio ao emaranhado. *Senti sua falta* e *Onde ele está?* Umm Yusuf olha ao redor como se esperasse mais alguém e a senhora faz uma carranca e enxota o ar com suas mãos nodosas.

— Nur. — Umm Yusuf se inclina para mim. — Esta é Ummi, minha mãe, vó de Rahila. Você pode chamá-la de Sitt Shadid. Ela está nos esperando há muito tempo.

Sitt Shadid mostra três dedos e os balança.

— Três mês — ela diz, e abre a mão e a sacode como se estivesse peneirando farinha. Algo em árabe: *Acabam os dias.*

Os olhos de Mama dançam entre nós duas.

— Ela quer dizer que esperou três meses pela chegada de Umm Yusuf com a filha. Esse tempo foi longo demais para esperar muito mais.

Umm Yusuf ri.

— Ela quer dizer que, se tivéssemos demorado mais, ela estaria morta.

É a primeira vez que alguém contou uma piada em dias, e não tenho certeza se devo rir. Em vez disso, estendo minha mão.

— Prazer em conhecê-la.

Sitt Shadid me agarra num abraço de urso, trazendo-me para sua maciez redonda. Não sou abraçada de verdade há muito tempo. Primeiro, eu me esqueço do que fazer, e fico rígida. Tenho medo de que, se não o fizer, o último abraço que ganhei de Baba vai vazar pelos meus poros e se perder para sempre. Mas Sitt Shadid dá batidinhas nas minhas costas e as acaricia, e eu relaxo. Circundo com as mãos seus braços largos, minha bochecha em seu pescoço. Ela tem cheiro de jasmins e sabonete de oliva.

Quando ela me solta, fujo para Huda e agarro sua cintura. Huda está diferente ao toque — magra e angulosa pela falta de comida e por dormir o tempo inteiro. Ela acaricia minha nuca sob o cabelo, onde meus ossos se projetam como os de um pássaro. Sua mão estremece e tem um espasmo contra mim, e sei que o efeito do analgésico está passando.

Mama apresenta Zahra e Huda em árabe. Umm Yusuf estala a língua.

— Meu filho Yusuf deveria estar aqui — diz ela. — Sinto muito, simplesmente não dá para controlar...

— Tudo bem — diz Mama.

Umm Yusuf sacode a cabeça e se afasta na direção da minúscula cozinha no canto do recinto.

— Eu nunca deveria tê-lo mandado na frente — ela diz, erguendo as mãos —, mas com Rahila no hospital, e Ummi sem poder viajar muito, senti que pelo menos alguns de nós estariam em segurança.

Umm Yusuf é tão alta a ponto de eu temer que bata na lâmpada se não se dobrar, mas ela passa bem abaixo, roçando-a com o topo de seu lenço. A lâmpada balança, refletindo a luz na janela para a escuridão do lado de fora.

Tiramos os sapatos e sentamos nas almofadas enquanto Umm Yusuf e Sitt Shadid brigam para decidir quem fará o jantar. Chegamos ao apartamento bem a tempo de comer o iftar, o jantar que se come durante o Ramadã depois do pôr do sol.

Eu me sento num travesseiro achatado, contorcendo os dedos do pé na direção da lata de refrigerante. Mordo a parte interna da bochecha. Mas então Sitt Shadid se aproxima e pousa uma mão na parede, apoiando o peso para se sentar. Por um segundo, temo que ela vá dar de cara na parede. Tento segurar seu peso, mas ela só oscila para trás até cair e o travesseiro interromper sua queda. Quando ela me sorri e mostra as palmas das mãos, acabo sorrindo também, e não importa que eu não entenda tudo o que ela diz, pois consigo entender isso.

Comemos tabule com o dobro de salsinha e metade da porção costumeira de triguilho, e Mama e Umm Yusuf e Abu Said trocam histórias em árabe com pitadas de inglês. Eu aperto os olhos e escuto. Zahra fica cutucando seus jeans rasgados com uma expressão azeda. Sitt Shadid está sentada ao meu lado com Rahila no joelho, e Huda, do meu outro lado com seu braço bom ao meu redor. Ela prende a respiração ao se ajeitar. Percebo que a dor em seu ombro está voltando com força. Ela sorri, entretanto, deixando Rahila sentar nos colos de nós duas após terminarmos de comer. Rahila começa a cochilar na minha clavícula, seus abafadores felpudos contra o meu pescoço. Tanto ela quanto Huda cheiram como o verde cinzento de cominho e ferro. Sitt Shadid ri e balança para frente e para trás. Ela canta velhas canções em árabe, e Umm Yusuf canta harmonicamente com sua voz roxo-rubi. As notas de Sitt Shadid são espirais mornas de canela e do rosa de faias, e os cantos da sala cantarolam com elas. Os meus olhos se fecham e o meu queixo afunda. Escuto até não conseguir mais ouvir as canções, mas apenas ver as suas cores, o modo como as notas se plantam mais juntas do que na música ocidental. Abro as pálpebras por tempo suficiente para ver as bochechas e o queixo de Sitt Shadid inchados pela música, e me sinto segura. Então também durmo.

ALGUMAS HORAS DEPOIS, Mama acorda e nos enxota para o outro lado do corredor para tomarmos banho e nos prepararmos para ir dormir. Abu Said fica com o quarto ao lado do nosso.

— Temos sorte — diz Mama depois de eu me secar. — Vocês todas devem agradecer Sitt Shadid quando a virem. Esses quartos eram para Umm Yusuf e seus filhos. Eles nos deram dois dos três que alugaram para não termos de dormir na rua.

— E nós podemos ficar? — pergunto.

— Por enquanto. — Mama pega o tapete sujo que salvou de casa. — Fiquem sem sapato. O tapete está limpo. Logo vamos conseguir algo mais permanente.

O tapete não está limpo, mas não dá para discutir com Mama. Ao tirar os sapatos, percebo que não vamos precisar dormir lá fora, que, se as coisas tivessem sido diferentes, talvez precisássemos. Isso me faz sentir que amo muito Sitt Shadid, mais do que deixo qualquer um saber. E então a pontada quente de vergonha se abate sobre mim e desejo ter rido da piada de Sitt Shadid, ter-lhe agradecido mais uma vez em árabe, não ter hesitado antes de abraçar o pilar redondo do seu corpo.

— Quatro pessoas num quarto? — Zahra cruza os braços, os pés descalços evidentes sob seus jeans rasgados.

— Tsc — diz Mama. — Você acha que podemos pagar um hotel? O que você quer que eu faça? Você acha que podemos só sair e pegar nosso dinheiro no banco, agora que deixamos o país?

— Eu só achei...

— Olha aqui o que nos restou. — Mama abre a aba do saco de juta, puxando-a da parte onde a alça rasgada está amarrada com um nó. Ela tira um amontoado de notas e um punhado de moedas. Um dólar americano perdido está misturado às cédulas sírias e há outro enterrado mais abaixo, sobras anteriores à mudança. — Pegue tudo e alugue um quarto de hotel. Ou você prefere comer amanhã?

Zahra fica de cara feia, afundando os ombros.

— Peço desculpas.

— E deveria mesmo. — Mama fecha o saco com um gesto brusco. — Você não viu as crianças na beira da estrada, vivendo no velho caminhão de peixe? Os molequinhos nos becos? Você gostaria de dormir na van?

— A gente precisa improvisar — diz Huda. Ninguém a percebeu sentada sob a janela, com os olhos embotados de dor. É a primeira coisa que Huda fala em dias.

No canto do quarto, encontramos um velho cobertor, talvez deixado por um antigo morador. Nos deitamos no tapete com o cobertor, tão quente e macio que não me importo com a sujeira ou com o fato de não estar na minha própria cama. Huda me dá seu lenço para eu usar de travesseiro. Cheira ao seu suor. Me pergunto sobre o que Abu Said está dormindo.

Fico muito tempo acordada, encarando o nada. O prédio range e geme. Me viro de um lado para o outro até Zahra me dar uma cotovelada forte, mas ainda não consigo dormir. Fecho os olhos e conto minhas respirações. Lá fora, o tráfego resmunga, fazendo o chão tremer.

Saio de baixo do cobertor. Na ponta dos pés, vou bater na porta de Abu Said.

Ele aparece descalço, com a camisa solta da calça.

— Nuvenzinha — ele diz. — Qual o problema?

Ponho o dedo sobre os lábios. Não quero acordar Mama. Entrego a Abu Said o lenço de Huda para que ele tenha um travesseiro.

Ele sacode a cabeça.

— Não posso aceitar.

— Por favor.

Ele desaparece na escuridão do quarto e volta com um farrapo sujo.

— Já tenho o meu — ele diz, mas parece fino. — Por que você ainda está de pé?

Mexo os pés.

— Não consigo dormir.

— Então vamos andar um pouco. — Ele fecha a porta atrás de si e nós caminhamos descalços pelo corredor. — Às vezes, quando o sono não vem, eu saio para procurá-lo.

No fim do corredor há uma porta estreita. Abu Said e eu saímos numa minúscula reentrância do segundo andar, com uma balaustrada de ferro. O frio da brisa me surpreende, após um dia tão quente. Lá embaixo, a calçada está vazia. A cidade buzina e pisca, viva.

— Acho que a gente não deveria estar aqui no frio — ele diz.

— Não podemos ficar um minuto?

Agarro a balaustrada e vasculho a rua morro abaixo, além dos telhados. Um ônibus passa sibilando, com as luzes dos freios brilhando mais do que as estrelas. As constelações estremecem.

— Eu queria saber os nomes de todas as estrelas. — Eu me sento, estendendo as pernas para fora da balaustrada e balançando. Inclino o pescoço para trás a fim de ver a Via Láctea. As luzes da rua e os hotéis iluminados do centro embotam o céu, deixando apenas pontinhos de luz. Procuro os conjuntos da Ursa Maior e do touro, vasculhando o céu em busca da Estrela Polar e de Thurayya: as Plêiades. — Você sabia que os beduínos viam um camelo em Cassiopeia? Por muito tempo, ninguém via nada além disso.

— É mesmo? — Abu Said olha para o céu. — O que mais você sabe?

Aponto as três filhas de luto, os dois bezerros no moinho e as gazelas correndo do leão. Mas então paro de falar. Sei para onde as gazelas estão correndo. Eu sei que, não importa a estação, elas nunca param de correr pelo céu.

— O que mais você encontrou lá em cima? — pergunta Abu Said.

— Encontrei a gente — eu digo. Então começo a chorar. — Não consigo lembrar da voz de Baba. Nem dela eu consigo me lembrar.

— Nuvenzinha. — Ele se ajoelha ao meu lado sobre o concreto áspero. O vento noturno transforma os seus dedos em gelo. — Claro que se lembra. Você não esquece de algo assim.

— Parecia caramelos e tronco de carvalho — eu digo. — Essas eram as cores de Baba. Mas então ele morreu e enterraram a voz dele. Agora eu tenho a cor, mas não o som. Tudo o que tenho é uma faixa marrom na parede. — Soluço e apoio a testa na balaustrada. Ela deixa marcas alongadas na minha pele. — Eu deveria me lembrar. Mas não lembro.

— Você não o esqueceu — diz Abu Said. — Você tem uma imagem do seu baba na mente. Você só o vê de uma maneira diferente das outras pessoas.

Recuo a cabeça, tocando os sulcos na minha bochecha.

— Eu quero ser igual a todo mundo.

— Ninguém é igual a todo mundo. — Abu Said tamborila na balaustrada com os dedos. — As estrelas são diferentes, mas quando você olha para cima, vê todas iguais.

Eu me inclino e abraço Abu Said, mas um sentimento gelado me transpassa, como se eu houvesse perdido algo que não posso recuperar. Meus pés balançam do outro lado da balaustrada, dormentes por causa do vento. Abu Said envolve meus ombros com um braço. Ele cheira a salsinha e poeira de pedra.

Além dos limites da cidade, a estepe é a noite. Penso em Rawiya e al-Idrisi dormindo sob as estrelas. A lâmpada de um poste apaga o Leão Menor. Me inclino em sua direção sem perceber, me separando do calor de Abu Said como tinta acrílica se soltando, como uma gazela que só sabe correr.

HISTÓRIAS QUE CONTAMOS A NÓS MESMOS

SAINDO DE QASR AMRA, a expedição retornou à estrada da rota comercial. Eles continuaram para o sul rumo ao Mar Vermelho, na direção da fronteira de Bilad ash-Sham e da proteção de Nur ad-Din. Eles se viram num platô elevado com montanhas a oeste. Al-Idrisi esboçou mapas e verificou suas anotações. Apontou para longe, na direção das montanhas, onde as caravanas de comerciantes haviam lhe descrito um mar continental repleto de sal.

— Ao sul dessas águas mortas, há um grande vale, chamado Wadi Araba — disse ele, mostrando-lhes o que escrevera. — Ele corre muito para o sul, até alcançar o Golfo de Aila, onde deságua.

Ninguém na expedição já vira essas coisas por si mesmo, pois ao pé das montanhas ocidentais ficavam os fortes dos francos, marcando a fronteira do Reino de Jerusalém, e não podiam avançar mais para o oeste em segurança.

Mas al-Idrisi levantou o indicador para os amigos e sorriu.

— Logo vamos nos voltar para o oeste e atravessar o Golfo de Aila, que leva até o Mar Vermelho — disse ele. — Vamos adentrar o Império Fatímida, as terras do Egito e o Delta do Nilo e, além, o Magreb. Veremos as maravilhas de Deus com os nossos próprios olhos.

No entanto, notícias da vitória de Nur ad-Din em ash-Sham e da retirada do roque haviam alcançado rapidamente o Reino de Jerusalém e o Império Fatímida. As notícias haviam deixado nervos à flor da pele, pois, como al-Idrisi em pessoa sabia, o poder fatímida no

Cairo começava a se enfraquecer. Corrupção e intrigas insinuavam-se em toda vilazinha de encosta. Os salteadores haviam se tornado mais ousados, pondo caravanas em risco. Isso só aumentava os perigos a serem enfrentados pela expedição antes de cruzarem o Delta do Nilo e aproximarem-se do Golfo de Sidra, onde o Rei Rogério estabelecera seus postos avançados na Ifríquia. Até então, al-Idrisi e seus amigos teriam de evitar as fortalezas francas, os penhascos e as suspeitas dos fatímidas.

Estes tinham muito do que suspeitar. Nur ad-Din esperava fincar um pé no Cairo há bastante tempo. E, naqueles dias, o Império Fatímida temia não apenas o Reino de Jerusalém e o novo baluarte de Nur ad-Din em ash-Sham, mas também as forças berberes se reunindo no oeste, perto de Barneek e do Golfo de Sidra — os poderosos almóadas.

— Por que essa briga? — perguntou Rawiya. — São todos seguidores de Deus.

— Olhe ao seu redor — disse Khaldun. — Nas últimas semanas, vimos os fortes dos francos, desavenças provincianas, sede de ouro e água. Refugiados expulsos de suas casas pelos exércitos invasores lotam as cidades de Bilad ash-Sham. Governante conspira contra governante. O mundo está mudando.

— Mas vidas inocentes têm de ser perdidas por causa dessa sede de terra e ouro? — disse Rawiya. — E nós somos exploradores, não espiões.

— Como qualquer poeta sabe, com frequência o enredo importa menos do que a forma de contá-lo.

Rawiya impeliu o camelo a avançar.

— O que você quer dizer com isso?

— Nosso propósito importa menos do que o que nossos inimigos acreditam — disse al-Idrisi, fechando seu livro com força.

Eles conversaram pouco naquele dia e no seguinte, cismando com a falta de sorte. A estrada era longa e os caminhos saindo do platô norte e cruzando os vales ainda não haviam sido mapeados. Al-Idrisi verificava frequentemente suas anotações e o astrolábio, mas o grupo se perdeu diversas vezes e teve de voltar por onde viera.

A expedição logo adentrou terreno pedregoso. Desceram um desfiladeiro estreito de penhascos vermelhos, esperando que fosse o caminho certo. Entretanto, naquela tarde, uma tempestade de areia açoitou-os, vinda do leste, e arrancou-os da estrada para o sul. Seus camelos escolhiam com cuidado onde pisar na vereda coberta de pedrinhas e cerravam as narinas. Rawiya e seus amigos enrolaram os turbantes no rosto. A areia ficava presa aos seus cílios e enchia as suas bocas. Os ventos passavam urrando pelos penhascos e o ar engrossou até eles não conseguirem mais enxergar os paredões desgastados pelas intempéries.

— Estamos indo para o lado errado — gritou Bakr. — Nós demos meia-volta.

— Vamos ser esmagados pelos ventos — advertiu al-Idrisi.

— Estou vendo uma abertura na rocha... — Mas a voz de Rawiya se perdeu. A tempestade castigava o desfiladeiro, a areia afiando talhos nos muros. O vento arrancou uma pedra e esmagou-a contra o penhasco, ecoando pelo desfiladeiro. Rawiya tateou em busca de sua funda e gritou: — Deem-me uma pedra. Uma moeda. Qualquer coisa.

Eles não conseguiam enxergar nada. Bakr chamou, e ela seguiu sua voz até agarrar as rédeas do camelo dele. Os servos agarravam-se uns aos outros, seus camelos sacudindo a cabeça. As muralhas do desfiladeiro não podiam estar mais longe do que uma pedra lançada na distância, mas eles estavam cegos. A tempestade de areia cortava como um punhal.

Bakr, Khaldun e al-Idrisi esvaziaram seus fardos. Passaram a Rawiya os dinares de Nur ad-Din, enchendo-lhe as mãos. Ela pôs as moedas na funda e atirou-as, esperando ouvir o tinido do ouro na rocha.

Nada.

Rawiya virou-se sobre a sela, atirando de novo. Ainda nada. Mirou no meio do vento, com cãibra nos dedos. O vento enfiava areia sob suas unhas. Enfim, o metal estalou contra a muralha do desfiladeiro.

— Por aqui!

Rawiya conduziu o camelo na direção de uma abertura na rocha. O animal foi escolhendo com cuidado o caminho em meio a pedras afiadas. Tateando ao longo da murada, eles alcançaram uma pequena caverna, talhada na rocha, suficiente para abrigar os camelos e os servos.

Alguém guinchou. Rawiya voltou-se. O rosto de Bakr emergiu da areia, com apenas os olhos à mostra sob o turbante.

— O camelo de um dos servos ficou com o casco preso na rocha — gritou. — O animal está bem, mas o servo caiu.

Bakr puxou o homem ferido para fora do vento, mancando. Rawiya guiou-os caverna adentro, e eles deitaram o homem.

— Ele quebrou o tornozelo — disse ela. — Precisa de uma ajuda maior do que podemos oferecer. Por enquanto... — Ela rasgou uma faixa de tecido de seu manto e envolveu a perna do homem, amarrando-a com um nó forte.

Esperaram a tempestade aquietar. Embora ninguém o dissesse, sabiam estar em perigo. A tempestade de areia forçara-os a tomar a estrada para o oeste, e agora se encontravam na fronteira do Reino de Jerusalém — as terras dos cruzados francos.

A tempestade morreu perto do crepúsculo. Rawiya deixou a caverna primeiro, levantando a cabeça e um dedo para o vento. O resto da expedição a seguiu, os camelos ainda sacudindo areia das fendas de seus cascos.

Só quando se viraram, viram. Por toda a volta deles, recortadas na rocha vermelho-rosada do penhasco, havia habitações majestosas decoradas com pilares altos, estátuas, entalhes de flores. Os penhascos de ambos os lados, arranhados pelo vento e pelo tempo, exibiam tiras alongadas. Areia e detritos acomodaram-se sobre algumas das aberturas, mas outras escancaravam-se na rocha, bem profundas.

— A cidade nabateia de Raqmu, Petra. Incrível. — Al-Idrisi abriu seu livro e começou a esboçar e escrever. Rawiya, Bakr e Khaldun espiaram por sobre seu ombro. — Eu tinha ouvido histórias — disse ele, erguendo a voz —, mas nunca descreviam os caminhos com clareza. Nunca pensei que fosse vê-la com meus próprios olhos. Entendem? — Ele sacudiu o livro diante de si, sorrindo. — Vamos mapear essa cidade perdida pela primeira vez.

A expedição seguiu os caminhos do desfiladeiro entre a rocha e as habitações, temendo falar. Ao cair da noite, já haviam saído das montanhas vermelhas pela parte de cima. Ao longe, pastores beduínos com seus rebanhos escondiam o rosto, observando.

A expedição emergiu das rochas abobadadas e foi descendo até um vale em declive. Parando os camelos, protegeram os olhos do sol poente. Com o frio da noite chegando, Khaldun bateu a mão no peito.

— Este é, de fato, um presente de Deus para olhos cansados — disse ele.

Havia uma cidade abaixo, encoberta por espessos bosques de oliveiras. Casas pontilhavam o cobertor verde e os riachos, atravessando o vale, agitavam-se, repletos de moinhos. Al-Idrisi esboçava enquanto descansavam, notando os leitos dos riachos e as casas aninhadas nas encostas. Crianças os observavam, espalhadas sob as árvores. Se fechasse os olhos, Rawiya quase conseguiria se imaginar de volta a Benzú, sentada ao lado da mãe na sombra do bosque de oliveiras.

Ao entrarem na vila, al-Idrisi dirigiu-se a um homem voltando do bosque:

— Saudações, bom senhor — disse ele. — Qual é o nome desta vila?

— Vindo do domínio de Nur ad-Din, é? — O homem protegeu os olhos.

Pensando rápido, Rawiya lembrou-se da Haje.

— Somos só peregrinos em busca das maravilhas de Deus — disse ela.

Al-Idrisi percebeu sua ideia.

— Nós nos perdemos e precisamos de um lugar para passar a noite. — Ele gesticulou na direção do servo de tornozelo quebrado. — Um de nós está ferido.

O homem secou a testa.

— Estou surpreso em ouvir que vocês se perderam. Quer dizer que não viram o novo forte, é? O forte em Wu'eira, ao norte do vale? Vivi a vida toda no Wadi Muça. Nunca vi nada igual.

O Wadi Muça, Vale de Moisés, fora capturado muitas décadas antes pelas forças francas. Como Rawiya percebeu, a expedição atravessara a fronteira do Reino de Jerusalém sem querer, bem debaixo do nariz de um posto avançado cruzado.

— Nós ouvimos falar da generosidade do povo do Vale de Moisés — disse al-Idrisi com cuidado. — E o Reino de Jerusalém é conhecido por suas maravilhas.

Um silêncio desconfortável seguiu-se. O homem fitou os camelos e os livros e pergaminhos de al-Idrisi.

— Peregrinos, vocês disseram? — O homem sacudiu a cabeça e aproximou-se do camelo de al-Idrisi, dizendo baixinho: — Vocês mentem mal. Mas não temam. Eu sou Halim e fico feliz em compartilhar a pouca prosperidade que tenho. Eu e meus filhos nunca apoiamos a divisão destas terras. Qual a necessidade de fronteiras desenhadas com sangue em meio à criação divina? Cristãos e muçulmanos cultivaram o solo deste vale lado a lado durante séculos. Somos um povo generoso, com amor à paz em nossos corações. E — ele gesticulou na direção dos livros de al-Idrisi — eu mesmo tenho uma parcialidade a estudiosos e cartógrafos.

Halim guiou-os até uma casinha numa clareira em meio às oliveiras, onde eles amarraram os camelos. Halim e sua esposa, que não conseguiriam fazer a expedição inteira caber na cozinha minúscula, prepararam dezenas de tigelas fumegantes de triguilho e falafel. Em troca, al-Idrisi deu-lhes tigelas incrustadas de joias e dinares de ouro.

Quando todos haviam comido e se recolhido para dormir, Rawiya ficou acordada, olhando as estrelas. Localizou o camelo e as três filhas de luto. Como nunca soubera que a estrela Vega tinha o nome de uma águia caindo? A estrela era até mesmo indicada por um pássaro na aranha do astrolábio.

Khaldun, que também não conseguia dormir, veio sentar-se ao seu lado.

— Na minha experiência, quem ama estrelas é uma pessoa nobre — disse ele.

Rawiya corou e disse:

— O mundo é tão maior do que eu esperava.

— E cheio de histórias. — Khaldun aproximou os joelhos do peito. — Mas depois de ouvir vozes demais, você começa a se esquecer de qual é a sua.

— Acho que você está certo — disse Rawiya. — O mundo é vasto, e cada um de nós é tão pequeno.

Khaldun fitou a lua.

— As pessoas pensam que podem trancar as histórias do lado de fora, separá-las de nós. Não podem. As histórias estão dentro de você.

Rawiya virou-se para olhar Khaldun. Sentia-se relaxada, compreendida — coisas que não sentira de verdade desde sua partida de casa.

— Você é as histórias que conta a si mesmo — ela se pegou dizendo, como se ela e Khaldun se conhecessem há anos, como se fosse a coisa mais natural do mundo.

Khaldun assentiu.

— Certamente. — Ele jogou uma pedra branca para cima e ela ficou suspensa entre Vega e o horizonte antes de cair. — Se você não sabe a história de onde veio, as palavras de terceiros podem soterrar e afogar as suas. Então, entende, você precisa acompanhar com cuidado as fronteiras das suas histórias, onde a sua voz acaba e a de outra pessoa começa.

O vento fez farfalharem as folhas das oliveiras, parecendo sacudir as estrelas.

— Então as histórias mapeiam a alma, disfarçadas de palavras — disse Rawiya.

NA MANHÃ SEGUINTE, o filho de Umm Yusuf volta ao apartamento quando a aurora ainda é uma névoa azul acima dos prédios. A porta bate do outro lado do corredor e esfrego meus olhos. Afasto o cobertor — como sou a única enrolada nele? — e deixo minhas sandálias ao lado do tapete.

Uma voz gutural chega a mim, cinza e azul-petróleo, por baixo da porta de Sitt Shadid, um som vindo do fundo do peito. É o tipo de voz que me lembra dos rapazes mais velhos cantando músicas e erguendo os punhos na rua, em Homs, o tipo raivoso que é todo feito de costelas e escápulas aladas. Me pergunto se todos os rapazes adolescentes são bravos daquele jeito, se sabem que a raiva é uma coisa perigosa e imprevisível.

Quero me encolher num canto e esperar até ele ir embora, mas preciso me certificar de que Sitt Shadid está bem. Saio do quarto e atravesso o corredor sem fazer barulho. O ladrilho do chão é como mil cubinhos de gelo nas plantas dos meus pés. Discutindo em árabe, há estouros de uma voz feminina suplicando como violinos róseos. Toco a maçaneta e entreabro a porta. A anchusa azul está murcha, inclinada sobre a borda da lata de refrigerante. Sitt Shadid está plantada no chão, ainda descalça, com a costura das meias três-quartos apertada contra os dedos. Quem quer que seja seu interlocutor, está oculto atrás da porta entreaberta. A luz diurna invade o recinto, iluminando cantos ensombrecidos na noite anterior. Há fotos coladas nas paredes, tremulando sobre colchões enrolados e cobertores dobrados. Almofadas individuais forram o chão nu. Isso me leva a pensar na semana em que a família de uma das minhas amigas se mudou para um apartamento novo e em como o lugar ficou vazio até seus pais entrarem com o sofá de lado e remontarem a mesa da sala de jantar. Mas não há caminhão de mudança esperando lá fora, nenhuma caixa para carregar para dentro. Penso comigo mesma: isso é tudo o que qualquer um de nós tem.

A pessoa atrás da porta solta um suspiro frustrado. Consigo apreender um punhado de palavras em árabe que conheço, como um rádio entrando na frequência de repente: *Eu preciso trabalhar, nós precisamos comer.* A voz rosa de Sitt Shadid: *Você vai ser pego.* O rapaz com a voz cinza-azul petróleo bate a palma da mão na parede e diz: *Você não entende.*

Sitt Shadid rebate com uma chuva de árabe furioso, e passos pesados avançam na direção da porta. Eu pulo para o lado e abraço a parede. Um rapaz alto sai bufando. Sua camiseta cinza deixa um cheiro amadeirado, de calor e sempre-vivas grudentas. Fico imóvel, com o ar queimando dentro do peito, torcendo para ele não se virar. A irritação do rapaz é como uma faca para mim, uma arma. É o alerta que eu deveria ter visto na noite em que as bombas caíram na nossa rua. Ele passa meio punho pelo cabelo preto, e estou próxima o suficiente para enxergar os poros em sua nuca. Ele então desce as escadas bufando, e a porta bate com força abaixo de nós.

Espio Sitt Shadid lá dentro. Rahila está dormindo num colchão no canto, com seus abafadores subindo e descendo. Em algum lugar lá fora, um cachorro late, um neon brilhante em meio ao silêncio. Se eu me concentrar, consigo imaginar direitinho todas as coisas que a família de Rahila deixou para trás, a bandeja de café feita de bronze e os livros infantis e os lenços extras e todas as coisinhas das quais ninguém sente falta até não ter mais. E percebo que Rahila provavelmente não se lembra nadinha de sua antiga casa na Síria, e logo, logo isso será tudo o que ela conhece. Becos empoeirados em Amã, os canos de esgoto quebrados vazando na rua. A dor de seus pés em contato direto com o chão. A anchusa murcha numa lata de refrigerante.

As estrelas evanescentes do outro lado da janela torta sussurram para mim: *Vai acontecer com você também.* E é verdade. Algum dia, terei vivido fora de Nova Iorque por mais tempo do que vivi lá. Algum dia, o verão que vivi em Homs estará dezenas de verões no passado.

Um nó duro e vermelho gruda nas minhas costelas como uma indigestão, o nó emaranhado de todas as coisas que amei e que um dia estarão enterradas, todas as coisas que estou fadada a esquecer.

Acima do apartamento, o som repetitivo de um helicóptero se aproxima, ameaçador. O chão treme sob meus pés e estou de volta à nossa casa amarela em Homs, com o cheiro de cinzas no nariz.

Disparo para as escadas.

Desço rasgando a rua. A cidade está começando a ganhar vida, um animal lambendo os dentes. Respiro pesadamente enquanto desço o morro, batendo os pés descalços na calçada. As luzes se acendem nas pilhas de prédios residenciais e varais oscilam e dançam. Uma rede de cabos telefônicos corta o ar. Desço correndo na direção dos telhados laranja e das casas em forma de caixotes amarelos.

Forço as pernas, lutando contra a gravidade. Contorno uma oliveira torta na calçada, desviando-me aos tropeços de uma centopeia grossa e pulando por cima de um pombo. Homens aparecem nas varandas, bebendo café ou fumando narguilés enquanto esperam o céu clarear. Lojistas gesticulam para caminhões de entrega estacionarem em vagas espremidas. Meninas me encaram de dentro de janelas com gelosias.

Corro por ruas que não reconheço. Corro até o alto do morro seguinte e me pergunto como uma cidade pode ter devorado dezenove montes. Ignoro a pontada de cansaço nas panturrilhas e me pergunto se consigo correr o caminho inteiro de volta para casa, onde quer que ela fique agora, de volta para um nível de realidade onde bebês não chorem ao cruzar fronteiras e minhas pernas sozinhas consigam me levar para o outro lado do oceano. Existe um nível que eu possa alcançar, se correr rápido o bastante, onde Baba esteja me esperando de braços abertos na ilha de Manhattan, me chamando do meio de lunetas movidas a moeda?

Desço com dificuldade os degraus recortados na encosta rochosa. Cruzo vielas em ziguezague, passando por eucaliptos corcundas e palmeiras pescoçudas. Fico sem fôlego entre três montes, numa rua secundária próxima a uma intersecção movimentada. A avenida está lotada de carros e vendedores ambulantes com seus temperos e joias empilhados sobre mesas compridas. As calçadas aqui são estreitas a ponto de eu precisar andar na rua. Carros passam de vidros abaixados, tocando alto músicas românticas em inglês e em árabe. Na distante porção ocidental da cidade, reluzem as varandas arredondadas de hotéis com suas fachadas de vidro escancaradas.

Eu me perdi.

Vago, tentando descobrir de qual morro eu vim, de qual bairro. Mas quanto mais vago, mais perdida fico. Nada parece familiar. Nenhuma tília, nenhum ponto de referência conhecido. Volto toda hora ao mesmo ponto, andando em círculos. À luz do dia, tudo parece diferente do que vi no escuro, e até mesmo as coisas que reconheço são muito iguais entre si. Paro para examinar as placas, falando em voz alta as letras em árabe. Do outro lado, há um menino não muito mais velho do que eu na esquina, com os pés fincados no chão e os ombros tensos, vendendo pacotes de lenços de papel.

A noite chega. Subo um morro arrastando os pés inchados, com as unhas destruídas pelo asfalto. O escapamento dos carros deixou a bainha dos meus shorts cinza, manchando meus dedos e suas respectivas articulações. O cheiro de freekeh assado e cordeiro apunhala minha fome.

Eu desmorono sob uma árvore. Está escuro demais para discernir qual tipo de árvore é, mas cheira bem, a água e descanso, então me recosto em seu tronco. Sua casca irrita meu couro cabeludo e me força a coçar. Meu corpo inteiro está formigando, um vazio enfrentando uma longa convulsão.

Tiro da planta dos meus pés descalços algumas folhas redondas como moedas. Elas saem enrugadas de suor, sua maciez um alívio depois do asfalto. Por baixo delas, meus pés estão machucados e sangram e há uma espécie de tachinha de quartzo branco fincada entre meus dedos. Eu a tiro e limpo meu sangue da sua ponta irregular. Coloco-a no bolso.

Sob telhas vermelhas, luzes róseas se acendem por trás de persianas de madeira e cortinas. Outra vez, um cachorro solta um latido roxo-prateado. Homens velhos e barrigudos passam andando com as mãos cruzadas às costas. O Ramadã aqui não é diferente do de Homs: as lojas fecham cedo, as famílias compartilham tâmaras, tons baixos de alívio ao primeiro copo de suco de laranja após o jejum. No apartamento minúsculo, Umm Yusuf deve estar mexendo a panela de lentilhas e fritando cebola no azeite. Catorze pés devem ter aquecido o chão nu. A cantoria de todo mundo deve estar espalhando cores pelas paredes nuas.

— Eu deveria ter me lembrado. — As lágrimas vêm, quentes, mas eu me recuso a deixar minha garganta fechar. Não quero que ninguém saiba que estou chorando, nem mesmo eu. — Eu deveria ter me lembrado do caminho. — Pensei estar indo na direção certa. Eu sempre me lembro, sempre sei encontrar o caminho de casa. Como acabei me perdendo assim?

Rahila deve estar rindo com seus abafadores auriculares, esmagando entre os dedos a última migalha de pão. Ela vai crescer sem se lembrar do tempo que passaram na Síria, pensando no apartamento como a única casa que já existiu.

E se eu nunca encontrar o caminho de volta? E se eu viver nesta rua, nesta cidade, pelo resto da vida? Um cano quebrado pinga do prédio residencial ao meu lado. É assim que as pessoas se perdem, uma gota por vez? As lembranças somem depressa — o jardim do telhado, o coiote de olhos âmbar na 110 Oeste, a figueira de Homs. Seria tão fácil esquecer.

— Nur?

Seco meu queixo molhado. A silhueta de um homem se recorta na porta atrás de mim, apertando os olhos sobre minhas costas. Ele chama meu nome outra vez numa voz amarelo-mel, que me lembram um homem sorridente de camisa laranja.

— Abu Said!

Corro e aperto o rosto contra sua clavícula e, juntos, entramos no prédio. Uma folha de tília se solta na planta do meu pé. Eu me levei para casa sem saber.

— Você está bem? — Abu Said para diante da porta de Sitt Shadid e procura arranhões em meu rosto. — Sua mãe quase morreu quando descobriu que você sumiu.

— Estou bem.

A escuridão faminta me corrói, a ameaça do esquecimento. Com um empurrão, abro a porta para o apartamento de Sitt Shadid e espio lá dentro. O rapaz da voz gutural não está. Os sapatos ao lado da porta carregam o travo de damascos e o mofo de paredes velhas, cheiros familiares. Mas o som dos canos pingando me segue apartamento adentro, vindo da rua, e aquela mesma solidão rítmica se aninha dentro de mim qual uma sombra, uma profunda carência.

— Nur, habibti! — Mama corre até mim e me envolve com cabelo e calor. — Fiquei tão preocupada!

Umm Yusuf também me dá um abraço apertado. Meus dedos sujos de fuligem mancham a barra de seu hijab. Um círculo se forma ao meu redor, todos rindo e chorando ao mesmo tempo. Seus sons sem palavras zumbem em tudo, uma energia sem linguagem. Lágrimas escorrem pelo rosto de Sitt Shadid. Ela ergue as palmas das mãos para o céu e agradece a Deus — "Hamdulillah!" —, e sua voz faz vibrarem os pregos nas tábuas do piso.

Comemos mjadra e tâmaras e jogamos gamão. Depois do iftar, Sitt Shadid me dá atayef — um doce — e um brinquedo de pelúcia, um pássaro branco. Eu o chamo de Vega. Ele tem o cheiro de Sitt Shadid: jasmim e azeite de oliva.

Conforme a noite avança, no entanto, minha cabeça começa a coçar de novo — poderiam seiva ou fumaça de escapamento irritar meu couro cabeludo assim? — e eu coço com tanta força que arranco sangue. Quando voltamos para o outro lado do corredor, Mama fecha a porta e estala a língua para mim.

— Por que você está coçando a cabeça assim?

— Está coçando.

Mama torce o nariz na direção do cobertor, dobrado num canto do quarto, e o derruba no chão.

— Zahra — diz ela. — Pegue um pente.

Enquanto Zahra vai pedir um emprestado a Umm Yusuf, eu fico inquieta, tentando não coçar. Huda está encolhida sobre o tapete, com um pulso de fora, os nós dos dedos pousados na madeira. Mama penteia meu cabelo com muita força, esticando bem a pele sob o curativo em minha têmpora.

— Ai! Não puxe.

Mama resmunga em árabe. Faço uma careta, a cabeça fervendo.

— Você não devia dizer isso.

Mas Mama só limpa o pente na palma da mão e estreita os olhos. Então penteia os cabelos de Zahra e de Huda. Huda estremece e arqueja quando Mama esbarra em seu ombro sem querer.

— O que está acontecendo? — pergunto. — Por que ninguém fala nada?

Mama atravessa o corredor e volta com uma máquina de cortar cabelo. Ela comprime os lábios, com os dedos tensos na maquininha.

— Nur — diz ela —, sente aqui.

— Por quê?

Ela aumenta a voz.

— Apenas... sente.

Dobro os joelhos e sento pesadamente no chão. Estendo os pés sobre a madeira. Meus dedos são nós pretos de sangue seco e os arcos dos meus pés estão encardidos. A máquina zumbe ao ganhar vida atrás de mim.

— Não corte — eu digo.

— Quieta. — Mama passa os dedos no meu cabelo para dividi-lo, erguendo uma porção de cachos grossos.

— Não.

A máquina toca a protuberância óssea na minha nuca e vai subindo. Faz tanto meu crânio quanto o quartzo branco no meu bolso vibrarem. Não pudemos salvar nenhuma foto de família da casa, então não existe nenhuma. Não há fotos de Baba comigo e meus cachinhos escuros. Nada.

— Você está com piolho — diz Mama.

— Não ligo. — O cabelo cai nos meus ombros em grossas tiras. Eu me imagino como um menino, minha cabeça um melão assimétrico. Imagino Rawiya. — Não!

Aquele zumbido, o choramingo. Fecho os olhos. Não sou Rawiya. Isso não é uma aventura. Um lamento amarelo borbulha e me escapa.

As mãos de Mama roçam minhas orelhas, tremendo.

— Não torne isso mais difícil — ela diz. Consigo ouvir lágrimas em sua voz, firme como um punho.

TODO DIA APÓS AQUILO, Mama vai à embaixada americana no centro de Amã e preenche uma papelada. Tentamos tirar o melhor possível da situação. Ajudo Sitt Shadid a consertar o apartamento vazio do melhor jeito possível, colhendo botões novos de anchusa quando conseguimos encontrar e colocando num pouco de água dentro da lata de refrigerante. Tento não pensar demais nas coisas que perdemos — tapetes macios sob meus pés, prateleiras com meus livros preferidos, bichinhos de pelúcia e álbuns com fotos de Baba que não conseguimos encontrar nos destroços.

Do lado de fora de nossa janela, as crianças da vizinhança jogam futebol, e Zahra flerta com o filho de Umm Yusuf. Fico dentro de casa com Huda e meu pássaro de pelúcia. Mesmo quando Umm Yusuf me consegue um par de tênis usados para eu não precisar mais usar meus sapatos rasgados, não quero deixar Huda sozinha. Ela dorme menos agora e corta as pílulas analgésicas na metade para fazê-las durar.

Mama diz que ela vai melhorar, só vai levar um tempo. Ela tenta afastar nossa mente do que anda fazendo; toda noite, tenta chegar em casa da embaixada sorrindo. Mas Zahra me disse que não é fácil pedir asilo, que há gente demais sem ter para onde ir e não há lugares suficientes onde pôr todos. Ela me disse que mesmo eu tendo nascido nos Estados Unidos, não há garantias para pessoas que não são cidadãos americanos, mesmo sendo elas minha mãe e minhas irmãs. Deve ser verdade, porque, quando Mama chega em casa, vejo-a pela janela, perto da tília, recuperando o fôlego antes de entrar. Ela parece mais velha do que jamais pareceu em Nova Iorque, como se fosse chorar se tivesse de forçar mais um sorriso. Mas ela sorri assim mesmo.

Depois de duas semanas, Abu Said entra com tudo, um dia quando Mama não está. Seus ombros estão caídos com o peso do jejum, e o suor brilha nas lacunas de sua barba como lantejoulas minúsculas.

— Vamos passear — diz ele. — Venham.

Recostada perto da janela, Huda se espreguiça, com o braço ruim mole na tipoia. Exatamente como ocorre com os abafadores de Rahila, fico nauseada só de olhar. Seus pontos quebrados me lembram do quanto a dor é contagiosa, embora eu me sinta terrível em admitir isso.

Sacudo a cabeça e a pressiono contra a asa de Vega.

— Não quero.

— Não fique assim.

Abu Said vai até a janela. Lá fora, Zahra dá risadinhas com o rapaz da voz gutural. Ela passa todos os dias com ele agora, rodando o bracelete no pulso, sorrindo tanto que seu rosto deveria explodir. Ou ela não escutou a briga dele com Sitt Shadid duas semanas atrás ou não se importa.

— Eu ia gostar de tomar um ar fresco — diz Huda.

— Vamos então. De pé. A sua mãe disse que vai ser bom para você. — Abu Said me põe em pé e pega minha mão. — Chega dessa apatia. Está bem?

Quando emergimos no sol, Huda cobre os olhos. Seus membros começam a se dobrar; seus joelhos estão rígidos e seus ombros, tensos. É como alguém acordando após um longo sono.

— Zahra! — Abu Said chama. — Já disse uma vez. Traga-o ou deixe-o.

O rapaz pisca.

— Vou buscar Rahila — diz ele. — Ela dormiu a manhã toda. Nos amontoamos na van azul. Zahra e eu sentamos na fileira do meio, Huda atrás. Abu Said aperta o cinto de Rahila em sua cadeirinha. O rapaz senta na frente.

— Sabe, você nunca nem me disse o seu nome. — Eu me inclino para frente. O rapaz não diz nada. Tamborilo meus dedos na perna.

— Você tem nome, pelo menos?

— Nur. — Huda me cutuca. — Você sabe muito bem o nome dele. A mãe dele se chama Umm Yusuf.

Cruzo os braços.

— Mas ele nunca me disse.

O menino se inclina para trás, virando os ombros esguios até os tendões dos seus bíceps ficarem marcados. Uma barba por fazer contorna seus lábios, quase nunca sorridentes. Sob a testa de falcão, seu rosto tem aquela aparência distendida dos rapazes adolescentes, com seus maxilares e corpos feitos de puro osso.

— Yusuf — ele diz.

Zahra repete de forma que quase não consigo ouvir. Ela dá um sorriso misterioso para si mesma e vira o rosto para a janela.

— Nenhuma de vocês já esteve na Jordânia — diz Abu Said —, então vocês não sabem o que estão perdendo. — Ele esfrega a testa calva e eu toco as vértebras raspadas da minha nuca. — Quando garoto, viajei até Petra, a antiga cidade nabateia. Vi os bosques de oliveiras do Wadi Muça. De acordo com a tradição, o Wadi Muça foi onde Moisés bateu na rocha com seu cajado, e a água verteu da pedra. Sabiam disso?

Zahra cruza os braços, chacoalhando seu bracelete de ouro.

— Yusuf já está na Jordânia há três meses.

— Mas ele nunca foi onde estamos indo — diz Abu Said. — Isso eu garanto.

Circundamos as encostas apertadas da cidade, subindo e descendo pela terra seca. Abu Said liga o rádio, batucando no volante ao ritmo de música pop americana. Pela primeira vez, as coisas parecem quase normais. Então passamos por bairros da extremidade leste de Amã e um grupo de crianças rumo ao oeste para e nos encara. Uma delas segura um pacote de lenços para vender, enquanto outros abarrotam os bolsos de suas calças de moletom desbotadas. No banco da frente, Yusuf desvia o olhar.

Toco com um dedo o quartzo branco no meu bolso e o vento esfria meu couro cabeludo pelado. Me pergunto se a versão real de mim se foi para sempre, tosada junto com meu cabelo. Vejo o contador de histórias do outro lado da fronteira, com uma ruga profunda como um wadi na testa, a mão de papel de arroz no portão. Alguma coisa dói no meio das minhas costelas.

Além dos limites de Amã, acácias atarracadas e postes telefônicos cortam as colinas de bronze. Um caminhão desaparece sob o tremeluzir do calor à nossa frente. Montanhas assomam. Penhascos de arenito vermelho se estendem, esculpidos pelo vento e esburacados como lâminas de madeira carcomida.

Uma hora depois dos limites da cidade, saímos da estrada principal e viramos numa área cercada. Estacionamos perto de um arbusto de erva-sal prateado e saímos do carro, pisando em pedras soltas.

— Esta estepe é a Badiya — diz Abu Said. As chaves estalam e badalam em seu bolso. — Ela se estende pela Jordânia, pela Síria, pelo Iraque e pela Arábia Saudita.

Zahra retorce o bracelete e espera Yusuf sair. Rahila está parada ao lado da van, com a mão na boca e os olhos arregalados. Há uma construção empoeirada de pedra e gesso na estepe diante de nós. Alguém acrescentou às suas janelas molduras brancas de madeira, mas elas já estão começando a soltar lascas. A areia roeu a pedra, deixando-a áspera e esponjosa. Uma das construções é constituída de três abóbadas suaves, vários recintos secundários quadrados e o arco escuro de uma entrada.

Abu Said gesticula para nós o seguirmos.

— Esse é um dos tesouros da Jordânia — diz ele. — Qasr Amra. Ele já abrigou um palácio e uma casa de banhos para um califa.

Nós seguimos a placa branca da Recepção. Abu Said e Huda abaixam a cabeça para entrar. Eu sigo o esvoaçar da saia leve de Huda, o eco das solas de couro de Abu Said raspando no chão. Cercas vermelhas contornam as salas. Há placas azuis pregadas nas paredes em inglês e árabe: não jogue lixo no chão.

A tinta das paredes descascou, deixando manchas de gesso rosa. Sobrou um pouco da decoração — linhas prateadas esboçadas e tinta cinza-arroxeada. Consigo distinguir rostos femininos, ursos dançantes, caçadores. Há piscinas vazias recortadas no chão, com os azulejos do acabamento rachados ou faltando. Cores gritam sob a sujeira.

— O teto já foi pintado — diz Abu Said, e todos nós olhamos para cima.

— Tem algumas cores vibrantes nele — diz Huda. — Ou tinha. Ocre amarelo. Cobalto, lápis. O que você acha, têmpera à base de ovo?

— Mama ia amar isso — diz Zahra.

— Olhem. — Eu aponto para cima, virando nas pontas dos pés. — Dá para ver as estrelas.

Zahra se estica na direção de Yusuf, tocando seu pulso.

— Não muito bem.

Mas Yusuf não a olha.

— São constelações — diz ele, com a voz baixa no peito.

— As estrelas foram pintadas como pessoas ou animais — diz Abu Said. — Vejam a placa aqui: esta é a abóbada celeste.

Huda passa os dedos sobre a argila rachada.

— É um mapa do céu.

Eu penso comigo: costumava ser. O tempo faz tudo desmoronar. Tento imaginar aquele lugar como já foi, a pintura lisa, as pedras polidas. As pessoas fazem coisas tão bonitas, eu acho, mesmo destruindo tanto.

Nós saímos, ofuscados pelo sol. Yusuf espera todo mundo subir na van, observando-nos, abrindo e fechando uma faca de bolso.

Corro para Abu Said e tiro o quartzo branco do bolso, limpo pelo forro da roupa.

— Tenho algo para você.

Espero até ele estender a mão, então deixo cair nela o espinho afiado de rocha. Não quero guardá-lo comigo. Quero criar algo bom a partir do ruim, tornar precioso o insignificante. Como a pedra azul bruta que Abu Said me mostrou, feia e humilde quando dentro da terra.

— Encontrei — eu digo, e um sorrisinho perpassa meu rosto. — Nas minhas aventuras.

Abu Said abre um sorriso largo e dobra os dedos sobre a pedra.

— Essa é a minha nuvenzinha — ele me diz.

SITT SHADID acena para entrarmos quando voltamos ao apartamento. Ela está esfregando as costas de Mama, o que a princípio faz eu me sentir bem, pois é isso o que gosto em Sitt Shadid. Ela sempre esfrega as suas costas, mesmo quando você não tem mais onde sentar além de direto no chão.

Mas Mama está chorando. Prendo a respiração e percorro as possibilidades. Amã foi bombardeada enquanto estávamos fora. Alguém morreu. Mama foi picada por um escorpião. Mas o apartamento ainda está de pé e todos estão aqui. E mesmo ainda calçando os escarpins tortos, os tornozelos de Mama claramente não estão inchados.

Huda senta numa almofada, tocando o ombro machucado, sua tipoia encharcada de suor. Zahra e Yusuf recuam para o canto perto da janela, inclinando-se como cortinas humanas na direção da brisa que não conseguem sentir. É quase o fim de agosto, e o verão não está se abrandando. Logo, logo eu começaria o sétimo ano. Eu estava ansiosa para ter aula de ciências, para preencher nos mapas as placas tectônicas e para fazer a minha própria bateria a partir de uma batata. Eles fazem baterias a partir de batatas na Jordânia? Em vez disso, vou precisar vender lenços de papel?

Me aproximo de Abu Said e ele envolve meus ombros com um braço. Mama e Sitt Shadid disparam árabe entre si e eu fico levantando e abaixando o joelho enquanto presto atenção. Como de costume, apanho o começo e o fim de frases, um salpico de palavras simples como *ir* e *sul* e *Egito*. Mas então, pela primeira vez, uma frase inteira me chega, completa e clara e perfeita como um pêssego maduro. Meu joelho para.

Não podemos ficar na Jordânia.

As palavras têm tanto peso que o telhado parece prestes a desabar. Olho ao redor para ver se mais alguém notou, mas todos estão encarando o chão ou o nada. Ninguém parece alarmado, mas ninguém cruza o olhar com o meu. Batucam os dedos, tossem em seus punhos. Percebo que eles não sabem que entendi. Percebo que todos estão fingindo, escondendo suas reações onde acham que não consigo ver.

Mama lambe os lábios como se seu árabe fosse sal.

— Eu pedi asilo nos Estados Unidos — diz Mama —, mas a burocracia é lenta. Eles requerem verificações de histórico, impressões digitais, exames, entrevistas. Mesmo se completarmos tudo isso, poderia levar vários anos para nós nos reestabelecermos. E não há garantias.

Zahra dá as costas a Yusuf.

— Vamos ter que ficar anos aqui? E o que acontece se ficarmos aqui todo esse tempo e ainda não nos derem asilo?

— E a escola? — pergunto. O futuro se derrama diante de mim, horas sufocantes nesta salinha, o tempo perseguindo a si mesmo como uma bolinha de gude fugitiva.

Mama solta o ar.

— Conversei a respeito com Sitt Shadid. Acho que devemos ir para o sul e encontrar um local melhor. Há um lugar para onde podemos ir. Um parente nosso. Ele pode nos ajudar, se conseguirmos chegar até ele. — Mama pousa a mão no braço de Umm Yusuf. — Você é bem-vinda a vir conosco. Podemos dar um jeito no resto.

— Podemos pegar a van — Umm Yusuf diz.

Eu me endireito bruscamente.

— O quê? Quando vamos partir?

Mama crava os olhos nos meus. Sua blusa branca de algum modo ainda está inteira, sem nem mesmo manchas de suor nas axilas. Mas o modo como a pele sob seus olhos está cedendo e seu queixo se vinca com sulcos denuncia que ela não sabe o que dizer em seguida.

— Nur, seria melhor se... — Mama pigarreia. — Por ora, vamos manter seu cabelo curto.

Franzo o cenho.

— Eu não gostei.

— É melhor se as pessoas pensarem... — Mama deixa as palavras morrerem.

— Você vai parecer um menino — diz Umm Yusuf. — Entenda, é mais seguro assim. Nur também é nome de menino. Ser vista como menino vai protegê-la de gente ruim.

— Não que você deva ter medo — diz Mama. Mas já não há o suficiente a temer?

— Não quero parecer um menino. — Eu me levanto, instável. — Eu quero me parecer comigo mesma.

— Nuvenzinha. — Abu Said remexe o conteúdo do seu bolso e tira de lá meu caco de quartzo branco, estendendo-o para mim, minhas próprias palavras presas à sua superfície multifacetada: *nas minhas aventuras*. — O que você diz?

Passo a mão na minha cabeça lisa. Do outro lado da janela, a estepe tremeluz nas pontas dos dedos da cidade. Quanto mais longe vou, maior o mundo parece ser, e sempre parece mais fácil deixar um lugar do que voltar. Acaso eu me permiti acreditar que seria fácil voltar aos Estados Unidos, tão fácil quanto Sitt Shadid nos dar o quarto ao lado do seu?

A luz se desloca, atingindo a anchusa na lata. A cor de caramelo residual do refrigerante se infiltrou em suas pétalas, tornando-a um roxo doentio, muito embora a gente sempre diga que é azul. Ninguém notou. Parece que as pessoas perdem mais do que jamais conseguirão reaver — uma casa de três quartos, trinta centímetros de cabelo, toda uma cor. Mas ninguém nunca diz. É mais fácil viver com a perda se você não a nomeia? Ou isso é algo que se faz por misericórdia aos outros?

Baixo a mão da protuberância lisa na minha nuca. A tília mexe suas folhas e bloqueia a luz, e a anchusa fica azul de novo.

— Está bem — eu digo. — Concordo.

A ESTAÇÃO DO SAL

A EXPEDIÇÃO PARTIU outra vez no dia seguinte. Eles contornaram o deserto e, usando o astrolábio como guia, viraram-se na direção do Golfo de Aila, uma entrada estreita do Mar de Qulzum. Eles haviam encontrado uma passagem sinuosa saindo das montanhas e foram para o leste, deixando o Reino de Jerusalém o mais rápido possível. Agora, no entanto, não havia muita escolha além de fazer a viagem de cinco dias no sentido sul, atravessando o deserto pedregoso do Wadi de Rum na direção da costa oriental do Golfo de Aila. Eles cruzariam o golfo perto de uma cidadezinha que al-Idrisi chamava de Aqabat Aila. Como os territórios dos cruzados alcançavam toda a extensão sul até o golfo, não havia outro modo de evitá-los. E apesar de al-Idrisi estar entusiasmado com as dúzias de páginas de notas tomadas e com as novas rotas mapeadas, Rawiya andava inquieta. Cada vez menos gente lançava olhares amigáveis na direção da caravana e as pessoas começaram a olhá-los com ar de suspeita. Al-Idrisi mandou-os esconder as selas incrustadas de pedras preciosas e as vestes de seda presenteadas por Nur ad-Din, substituindo-as pelos seus próprios suprimentos desgastados. Ele os lembrou de não contarem a ninguém que tinham vindo da corte do Rei Rogério.

— Contanto que não professemos nossas lealdades à Sicília, sairemos bem dessa — disse ele. — Mas, ai, como mencionar meu velho amigo me enche de tristeza... — O Rei Rogério ensinara-lhe muitas coisas, contou. Com ele, al-Idrisi havia se encantado pelas maravilhas da matemática e da geodésia, o estudo das medidas da Terra. O cartógrafo pousou a mão no peito. — Devemos viajar para longe antes de voltar à corte do Rei Rogério.

Eles passaram por entre torres de rocha da cor do vinho, e o solo virou areia. Camelos selvagens mantinham distância. Cotovias cinzentas do deserto voavam quando a expedição se aproximava e lagartos agama azuis passavam escorregando por cima dos calhaus.

O sol era implacável. Logo o grupo inteiro começou a desejar as águas do Golfo de Aila e do Rio Nilo. Dizia-se que este último fluía das místicas Montanhas da Lua rumo ao norte, entrando no Egito.

Finalmente, saíram da cordilheira, e a estrada passou a descer na direção do Golfo de Aila. Bem ao sul, mais longe do que a vista deles alcançava, o golfo esvaziava-se no vasto Mar de Qulzum. Rawiya lambeu os lábios, sentindo o gosto de sal, o que não ocorrera desde quando o navio deles atracara em Iskenderun.

A cidade ficava bem abaixo, verdejante com palmeiras e pistaches — Aqabat Aila. Entre a expedição e a cidade, porém, uma nuvem de poeira parecia elevar-se da encosta rochosa para bloquear seu caminho, e os camelos pararam, nervosos.

Silhuetas apareceram em meio à nuvem de poeira: homens a cavalo, correndo para encontrá-los. Vestiam os tecidos luxuosos do Cairo, cada um com uma túnica do mais fino linho, branca como cera, um turbante branco e um manto bordado de seda cor de romã. Em cada um dos pulsos, eles traziam bandas de tiraz bordado em ouro costuradas nas mangas — uma marca daqueles favorecidos pelo califa fatímida.

Al-Idrisi saudou os cavaleiros. Mas eles nada disseram, apenas impelindo os cavalos a circundarem a expedição. Os camelos gemeram e bateram os pés de medo.

O líder dos cavaleiros fatímidas parou e fitou a expedição, de queixo erguido numa expressão altiva. Seu fino cabelo preto delineava um rosto jovem e suas mãos tinham a maciez de uma vida inteira de riqueza regada a paparicos. Embora fosse o mais jovem dentre os cavaleiros, ele usava o tiraz mais elaborado, um sinal dos seus feitos e da estima da corte fatímida por ele.

— Eu gostaria de conhecer seus mestres — ele declarou, em alta voz. — A quem vocês servem?

— Eu e meus companheiros servimos a Deus apenas — disse al-Idrisi —, e a mais ninguém.

— Então você se recusa a responder.

O altivo jovem fatímida estreitou os olhos. As caudas de seu turbante esvoaçavam contra seus ombros. Ele puxou a cimitarra e o sol refletiu-se na lâmina curva.

— Você questiona o poder de Deus sobre a alma de um homem? — al-Idrisi gritou. Seu camelo batia o pé e resfolegava, e seu rosto ardeu com uma fúria repentina, assustadora.

O jovem cavaleiro fez uma carranca e embainhou a cimitarra.

— O califa az-Zafir ouviu falar de espiões e traidores vindo por esta estrada — disse ele. — Mandou-nos inquirir todos os viajantes.

— Somos humildes peregrinos, procurando as Maravilhas de Deus nos wadis e nas montanhas — respondeu al-Idrisi.

Ouvindo suas palavras, Rawiya percebeu pela primeira vez que eram a verdade, de certa forma, pois eles haviam visto coisas incríveis.

— Vocês devem vir ao palácio no Cairo antes de partirem — disse o cavaleiro. — Para descansar e comer algo. É para o seu próprio bem. Avistaram combatentes almóadas a oeste do Cairo. Um espião almóada capturado admitiu estar atrás de viajantes, procurando um cartógrafo que está compilando um precioso livro de geografia. — Ele acenou e olhou por sobre o ombro na direção de al-Idrisi, do alto de seu nariz. — Ao que parece, as estradas não andam seguras ultimamente.

— Uma longa viagem nos aguarda — disse al-Idrisi, fazendo uma mesura. — Precisamos nos apressar.

— Você responderá nossas perguntas e prestará seus respeitos ao califa, ou vocês não passarão. — O cavaleiro tocou o cabo de sua cimitarra. — Eu sou Ibn Hakim. Insisto em acompanhá-los ao palácio.

Apesar de jovem, Ibn Hakim era um dos maiores guerreiros de todo o Império Fatímida, e dizia-se ser mais rápido com a cimitarra do que com a língua. Ele galgara as classes da corte fatímida com um misto de bajulação e brutalidade. Espalhavam histórias de que, numa ocasião, ele cortara as flechas de vinte arqueiros com sua lâmina e vencera num duelo dez homens depois de insultado por eles. Al-Idrisi sabia que, se recusasse a solicitação de Ibn Hakim para levá-los ao Cairo, seriam rapidamente dominados.

Mas Rawiya, que não fazia ideia do quão perigoso Ibn Hakim era como espadachim, fez menção de pegar a funda. Abriu discretamente a algibeira de couro em busca de uma pedra afiada.

Não encontrou nenhuma. Havia apenas o liso polido do olho do roque ali dentro, a pedra redonda da cor de ameixas e folhas de palmeira. Estava estranhamente quente ao toque, como se contivesse um raio. A jovem fechou a mão ao seu redor.

O calor subiu até seu maxilar num lampejo, esfaqueou a base de seus polegares e desceu num disparo até a parte de trás de seus joelhos. *Ela muda de forma durante a noite, Bebê Papagaio.* O rosto de seu pai apareceu depois de um galho de oliveira, o cheiro matutino do mar. *Não lhe contei?*

Rawiya arquejou e puxou a mão para fora. A pedra do olho do roque, pesada e quente como um carvão, derrubou a algibeira e caiu com tudo no chão.

O cavalo de Ibn Hakim empinou com a queda da pedra. O cavaleiro espiou-a e, desmontando, abaixou-se para apanhá-la. Tão logo a tocou, a pele de seu braço até o maxilar empalideceu e eriçou-se, e ele a largou com um arquejo.

— Que bruxaria é essa? — Ibn Hakim disse. — A voz da minha mãe está com Deus. Ela foi para o Jardim há anos.

— O que é essa pedra? — al-Idrisi sussurrou.

Rawiya hesitou, com os dedos ainda formigando.

— É só uma pedra.

Mas Ibn Hakim ficou abalado e qualquer ofensa ao seu orgulho só o deixava mais irado. Ele desembainhou a cimitarra.

— Essa bruxaria blasfema deve ser destruída — disse ele. Erguendo a lâmina sobre a cabeça, golpeou a pedra.

Uma forte luz lampejou e Rawiya, al-Idrisi e a expedição inteira cobriram os olhos. Quando voltaram a olhar, a pedra havia sido partida ao meio. Uma metade explodira para cima e alojara-se num penhasco próximo. A outra metade fora lançada a vários metros de distância, cravada na areia.

Ibn Hakim curvou-se para tocar com os dedos a segunda metade da pedra. Nada sentindo, ele repuxou o lábio superior num sorriso desdenhoso e a ergueu.

— Sua magia negra foi enfraquecida — disse ele. — O califa em pessoa a examinará.

Ibn Hakim virou seu cavalo na direção do golfo. Os cavaleiros flanquearam a expedição ao se aproximarem da cidade portuária de Aqabat Aila, num trote pesado. Rawiya arriscou um olhar para trás, para o afloramento rochoso onde a outra metade do olho do roque aterrissara. Havia se alojado fundo numa rachadura, parcialmente oculto por uma camada de poeira e pedregulhos, como um fragmento de vidro do mar cor de esmeralda.

Era o fim da tarde quando a expedição avistou o golfo e a noite chegou quando eles ainda estavam longe da cidade. Seus captores armaram acampamento na vasta planície lisa que corria ao longo da costa do Golfo de Aila. A expedição fez sua oração noturna e começou uma refeição modesta de pão e lentilhas enquanto Ibn Hakim montava guarda. Seus homens estavam alertas, vigiando o entorno.

Mas um plano viera a Khaldun enquanto ele estava rezando de joelhos, e ele se levantou de um salto.

— Devemos celebrar — disse ele. — Esta noite pede música. Decerto vocês não se importariam com um verso em louvor ao generoso califa fatímida?

Ibn Hakim pôs a mão dentro da túnica, puxando a metade do olho do roque que apanhara, e pousou-a no chão diante do fogo. Línguas de verde-pavão bruxuleavam em suas profundezas.

— Cante, então, poeta — disse ele, sorrindo.

Khaldun tirou um oud de seu fardo. Ele fora um exímio tocador de oud na corte de Nur ad-Din, e a forma de pera do ventre do instrumento e suas cordas de seda eram-lhe tão familiares quanto o seu próprio corpo. Dedilhando e afinando o oud, Khaldun sentou-se ao pé do fogo. Começou a cantar uma balada ritmada e a sua voz deslizou verde como as colinas subindo em ondas na direção do céu, como um wadi cheio de flores primaveris.

Ele então fez uma pausa e gesticulou na direção de seu fardo, e Bakr puxou de lá o tambor no qual batera de modo tão desengonçado durante a batalha com o roque. Depois de um momento, Bakr passou o instrumento a Rawiya.

— Não tenho talento para música — disse ele. — Se eu tocar, eles vão querer minha cabeça.

Então Rawiya acompanhou o ritmo da balada de Khaldun. A princípio, Ibn Hakim e seus homens apenas os fulminaram com o olhar, de braços cruzados sobre o peito. Mas conforme os versos de Khaldun foram se tornando mais fervorosos, à medida que ele tocava as cordas e fazia a voz vibrar, Ibn Hakim e seus homens começaram a se balançar e a dobrar e desdobrar os joelhos. Logo estavam dançando, rodeando o fogo e cantando junto.

Quando a balada acabou, eles desabaram em torno das chamas, sorrindo abertamente, exaustos. Khaldun continuou a tocar seu oud: primeiro uma música sobre um romance trágico que fez Ibn Hakim e seus homens chorarem, depois uma canção de ninar que teria feito até um camelo piscar mais devagar, caindo de sono. Al-Idrisi bocejou, e Bakr começou a cochilar. Logo Ibn Hakim e seus homens, exauridos pela dança e a cantoria, foram adormecendo em volta da fogueira.

Khaldun parou de tocar, verificando que os cílios de Ibn Hakim haviam mesmo baixado sobre as bochechas. Os guardas dormiam pesadamente.

Khaldun gesticulou para Rawiya e o resto da expedição levantarem e guardou o oud e o tambor. Rawiya apanhou a metade restante do olho pétreo do roque de onde estava, ao pé de Ibn Hakim. Por fim, eles montaram os camelos e atiraram-se na noite, deixando suas tendas e seus captores para trás.

— O que vamos fazer agora? — Bakr bufou quando saíram do alcance. — Deixamos as nossas tendas.

— Hoje à noite, dormiremos sob as estrelas — disse al-Idrisi.

Bakr abaixou a cabeça.

— De novo, não.

— E amanhã, quando chegarmos a Aqabat Aila — continuou al-Idrisi —, arranjaremos mais suprimentos. — Ele deu batidinhas na algibeira contendo os dinares de ouro de Nur ad-Din. — Felizmente, dinheiro não falta.

Mas um medo incomodava Rawiya, e ela olhou por sobre o ombro para o fogo ao redor do qual os homens de Ibn Hakim amontoavam-se, sonhando. Eles os seguiriam? Logo o fogo tornou-se um pontinho minúsculo às suas costas. A expedição avançou para a costa, galopando na direção da faixa escura do Golfo de Aila.

DUAS SEMANAS APÓS nossa chegada, deixamos o minúsculo apartamento no leste de Amã, e é como se nunca houvéssemos estado lá. Umm Yusuf guarda as almofadas na van, enche a mala de couro com as coisas de Sitt Shadid e puxa o cordão para apagar a lâmpada solitária. Deixamos para trás apenas montinhos da nossa poeira. Mama passa a manhã rasgando as línguas dos meus tênis, enfiando dinheiro em cédulas lá dentro e costurando-as com um ponto duplo. Observo sem perguntar por quê.

Na saída, Sitt Shadid tira a água da lata de refrigerante e deixa no degrau da frente a flor de anchusa que catamos ontem. Quando a van parte, pressiono o rosto contra a janela, estendendo um fio imaginário entre eu e a flor até ele se romper.

Umm Yusuf dirige a van para o sul. Ela pega a Highway 35 até uma bifurcação, já fora da cidade, a partir de onde seguimos a Highway 15, aquela à qual Umm Yusuf se refere como a Estrada do Deserto. Segundo ela, esta nos levará até Aqaba.

— De Aqaba, podemos pegar uma balsa para o Egito — diz Mama, do assento da frente. Ela bagunça os cabelinhos finos de sua testa no espelho do quebra-sol e o fecha com um baque. — Ya mama, sabia que Aqaba se chamava Aila? E al-Idrisi chamava o Mar Vermelho de Bahr al-Qulzum.

Zahra revira os olhos.

— Mãe. Deixe isso para lá, ok, antes da Nur começar.

Faço uma carranca e me recosto no assento.

— Como se eu fosse dizer alguma coisa.

Pela janela, o deserto é bem diferente de como eu o havia imaginado. Arenito vermelho e pedregulhos, imensos penhascos com topo plano, feito uma cartola. Os dedos de rochas caídas se estendem na direção da estrada. Há postes telefônicos e cabos de energia elétrica cravados nas colinas como palitos de dente. Os desertos nunca tinham essa aparência nos livros didáticos americanos, onde todos se assemelhavam aos trechos mais vazios do Saara.

Dirigimos por três horas antes de Zahra começar a resmungar sobre o quanto precisa fazer xixi. Como não passamos por uma cidade já há algum tempo e somos o único carro nas redondezas, paramos num longo trecho de montes rochosos e Mama nos diz para fazermos xixi atrás de uma pedra, se precisarmos. Mama fica ao lado da van, desenrolando o mapa no banco de trás. Ela deve ter salvado alguns velhos tubos de tinta, porque os tira do saco de juta e passa cores novas no mapa, amarelo e turquesa e rosa-salmão.

Umm Yusuf e Abu Said ajudam Sitt Shadid a sair e esticar as pernas. Huda e Rahila ficam na van, se abanando. Yusuf dobra os joelhos e gira os ombros antes de pegar sua faca de bolso. Corro na direção contrária. Ele me deixa nervosa.

Uns quatrocentos metros mais adiante na estrada, os penhascos se abrem. A paisagem está mudando. Consigo enxergar o céu através deles, como se olhasse para além de um quarteirão em Manhattan. No horizonte, as bordas do deserto misturam laranja-avermelhado com ovo de pintarroxo, ovo de pintarroxo com azul-aço, e azul-aço com o céu, sem intervalo.

Pelo menos conseguimos ver o céu hoje. Ontem não pudemos sair de Amã porque o vento trouxe uma tempestade feia, e todos quase brigaram, estando presos dentro de casa o dia inteiro enquanto metade de nós jejuava. Havia tanta areia no ar que não se enxergavam as nuvens. Ventos assim deviam modelar as montanhas, cortar os penhascos, cavar poeira por centenas de anos.

Corro para o fundo de um penhasco alto e me agacho ao lado da estrada, longe da van. A brisa faz cócegas no meu traseiro, me levando a olhar em volta. Mas não há ninguém aqui — só eu e os penhascos vermelhos. Isso me dá uma sensação de triunfo, poder fazer xixi na rua pela primeira vez, como se eu tivesse tirado dos ombros o peso das regras e da tristeza.

Subo de volta os shorts e avanço um pouco pela estrada a fim de olhar o vale lá embaixo, mais à frente. Lá longe, o Golfo de Aqaba reluz como pele de sapo, o dedo mindinho do Mar Vermelho. Quando eu era pequena, Mama me fazia praticar minha geografia desenhando mapas. Eu costumava ancorar o Oriente Médio ao redor do Mar Vermelho. Me pergunto se ele será mesmo vermelho ou só o azul costumeiro, se a vida real vai corresponder ao mapa da minha cabeça. Mas, afinal, Baba dizia que um mapa é apenas um dos modos de olhar as coisas.

    Meus pensamentos esbarram em Baba como um prego perdido numa mesa de piquenique. Algo nesse penhasco e nessa vista parece familiar, como se alguém houvesse me dito há muito tempo para procurar um lugar assim — ficar de olho em um penhasco pedregoso à esquerda e uma vista de Aqaba ao longe. Baba sempre pintava suas paisagens com palavras, deixando Mama segurar o pincel. Agora, combinando o mundo com a pintura na minha cabeça, as coisas se encaixam. Acaso não imaginei essa vista cem vezes?

    Os ventos arrancaram grossas camadas de poeira do penhasco. Há algo esverdeado grudado lá em cima, brilhando como vidro do mar.

    Subo o rochedo com esforço, ralando os joelhos e os cotovelos. Pedras deslizam e rolam entre as minhas pernas. Lá está, um fragmento de algo do tamanho de uma noz. É um verde-pistache liso, como uma miçanga de vidro nodoso. Tento pegar, esticando o braço.

    Não alcanço. Enfio as unhas nas pedras e na areia, espalhando a terra até a pedra verde começar a oscilar. Rasgo o chão, arrancando punhados de mato até ela se soltar.

    A pedra cai, quicando pela encosta, banhando a pavimentação de poeira.

    Desço correndo e a pego. É maior do que pensei, do tamanho e da forma de uma ameixa, e estranhamente quente. Meus dedos fazem uma sombra roxa bem no meio dela, mas, no sol, é verde como a luz de um semáforo.

    Um arrepio percorre meu corpo.

    Me lembro de Rawiya deixando a pedra cair, Ibn Hakim desembainhando a cimitarra. Inspeciono o corte suave de um dos lados e a pele dos meus braços se arrepia. Acaso o tempo e o vento poderiam cortá-la de modo tão preciso?

Quando eu era pequena e, pela primeira vez, fiz a brincadeira mágica de girar que Baba me ensinou, houve uma época quando nada onde eu pusesse os olhos era menos do que extraordinário. Agora eu viro a pedra para um lado e para o outro ao sol, e ela fica roxa — verde — roxa. Prendo a respiração e me pergunto: ainda há lugar no mundo para coisas extraordinárias?

— Nur!

— Já vou.

Enfio a pedra no bolso. Ela afunda meus shorts, puxando o cós para baixo num dos lados. Mama está perto da van, com as mãos na cintura.

— Você ficou passeando de novo, habibti.

— Não.

Ela suspira e gesticula para a fileira do meio.

— Yalla. Para dentro. Já.

Na van, eu me remexo para ninguém notar a pedra no meu bolso. Abu Said se vira no assento do motorista e sorri para mim, mas não digo nada. Eu lhe mostrarei a pedra quando chegarmos à água. Abu Said saberá com certeza o que ela é. Ele saberá, como eu sei, que é especial.

Passamos uma placa azul com uma escolha: Aqaba / Ma'an / Wadi Muça. Nós viramos na direção de Aqaba. Mama segura com força o saco entre os joelhos, protegendo-o dos solavancos. Zahra e Yusuf fecham as janelas e o suor arde nas minhas têmporas e na lombar.

Me inclino na direção de Mama.

— Ligue o ar — eu digo. — Por favor. Está quente aqui atrás.

Mas Mama não está ouvindo. Sua cabeça está virada para fora da janela do passageiro, com o queixo apoiado numa mão e as pontas dos dedos descansando sobre os lábios. Com a outra mão, ela esfrega o canto da lona do mapa, acariciando-o sem pensar.

— Mama.

Ainda nada. Suada e ignorada, fulmino o canto daquela lona com o olhar. Quantos meses faz que Mama presta mais atenção nos seus mapas do que em mim, sempre preferindo pintar do que conversar? Parece que, tão logo Baba foi enterrado, Mama voltou aos seus fatos e às suas fronteiras, e todo mundo foi com ela. Mas talvez eu não esteja pronta para deixar para lá.

Algo ruim me açoita por dentro. Espero que a tinta acrílica de Mama tenha borrado antes de secar. Mas então lembro que tinta acrílica seca rápido.

Encosto o rosto na janela rachada e engulo poeira. Ergo a voz, quase gritando:

— Por que você é tão obcecada por mapas?

Mama não percebe logo que estou falando com ela.

— Obcecada? — Ela se reclina no assento da frente. — Obcecada, como?

Zahra dá um tapa na parte de trás da minha cabeça.

— Ninguém quer te ouvir.

— Você está obcecada — eu digo. — Como se os mapas fossem seus filhos, não a gente.

— Não seja ridícula. — Mama espana a poeira no ar.

— Todo mundo que faz mapas é doido assim?

Mama amolece, embora eu não esperasse por isso.

— A maioria.

— E engenheiros, como Baba?

— Alguns deles são loucos por mapas também.

Franzo a testa.

— Não foi isso que eu quis dizer.

— Quando o conheci, pensei que ele era metido — diz Mama. — Bom demais para dizer alguma coisa. Imagine: ele e seu irmão eram os únicos outros sírios na minha turma de Córdoba, e ele não dizia uma palavra.

— Quem? — Huda pergunta.

— O seu pai.

— Mas foi lá que vocês se conheceram. — Eu me inclino para frente, agarrando as costas do assento de Abu Said. — Não foi?

— Não de cara — diz Mama. — Eu falei com o irmão dele.

— Irmão dele?

— O tio Ma'mun. — Mama ajeita as mangas, inquieta. — Um homem de bom coração. Ele costumava escrever com certa frequência, quando vocês eram pequenas. Éramos amigos na universidade. Naquela época, em Córdoba, ele arrastou o irmão para Ceuta para um dia de aventuras, e eu com ele. Eu odiava aquele silêncio doloroso. Mas até as coisas dolorosas com frequência são bênçãos que ainda não conseguimos ver.

Imagino Baba e a nossa casa amarela em Homs e penso: não são, não.

— Aí...? — Arrasto a palavra, esperando. — Aí você disse...?
— Quando?
— Para fazer Baba falar com você.

Mama esfrega o olho para tirar um grão de areia.

— Eu disse a ele para pular no estreito.

Até Huda se inclina para frente.

— Não acredito!
— Ceuta fica na África, vocês devem lembrar, embora seja parte da Espanha. Então eu disse para ele nadar de volta até a Europa, se ele ia continuar tão infeliz. — Mama ri. — E ele disse: "Tantos mapas da água e das montanhas, e para quê?" — A mão de Mama sobe até o pescoço. Ela toca o pedaço de cerâmica branca e azul preso ao cordão. — Ele disse: "As pessoas não se perdem lá fora. Elas se perdem do lado de dentro. Por que não existem mapas disso?" — Mama abaixa a mão. — Que dia é hoje?

Huda toca com o braço bom o apoio da cabeça do banco de Mama.

— Dia 13. É... é hoje!
— Como nos esquecemos? — As mãos de Mama voam para a maçaneta da porta. — Pare, pare.

Abu Said afunda o pé no freio.

— O que foi?

Huda apoia a testa nas costas do assento de Mama.

— Eid al-Fitr — diz ela. — Nós esquecemos de tudo.
— Não estamos longe de Aqaba — diz Abu Said. — Eu paro lá para procurarmos um açougueiro.

Descemos para o vale. O deserto é mais pedregoso aqui, com morros-testemunho e as corcundas de colinas baixas. O alfinete de aço do Golfo de Aqaba jaz no horizonte, perto da cidade antes chamada Aila. Mama me contou há muito tempo que al-Idrisi foi uma das primeiras pessoas a chamá-la de Aqabat Aila, o nome que acabou virando Aqaba.

Conforme descemos das montanhas, a estrada vai se endireitando, delineada por palmeiras. Mama está agitada, apesar de Huda tentar acalmá-la. Ela e Baba celebravam todo ano o Eid al-Fitr, marcando o fim do Ramadã, e ela diz que não se esquecerá agora. Durante a minha vida toda, Mama e Baba celebravam as festas de duas religiões — Natal, Eid al-Fitr, Páscoa. Isso fazia eu me perguntar se as coisas mais importantes que vemos em Deus estão mesmo uma na outra.

A estrada dobra entre apartamentos de faces coradas, velhas mesquitas com paredes amarelas como de grão de bico. O sol já está se pondo quando encontramos um açougue. Mama discute com Umm Yusuf num árabe baixo quem vai comprar o cordeiro. Zahra se recosta no capô da van perto de Yusuf, sacudindo a cabeça.

— Eu ia gostar de andar um pouco — diz Huda. — Eu e Nur vamos esticar as pernas.

— Leve isto. — Mama puxa Huda de canto e nos dá as costas. Ela remexe o conteúdo do saco de juta e tira de lá algumas moedas, pressionando-as na palma da mão de Huda, e pousa os dedos sobre os dela. — Faça durar, se conseguir.

— Voltem logo. — Abu Said espera na calçada. — Se não, vou atrás de vocês.

— Ok.

Eu e Huda descemos a encosta na direção do açougue alguns quarteirões para baixo. Os rasgos na lona da parte superior dos tênis de Huda se abrem mais com cada passo. Nossas sombras se esticam de bruços, pulando com nossos passos.

— Onde vamos dormir? — pergunto.

— Hoje à noite? Mama vai encontrar um lugar.

Aquiesço, embora saiba que só restaram algumas moedas a Mama. Torço a boca para morder o lábio.

— Nós somos refugiadas?

Huda desvia o olhar para um par de janelas com persianas verdes.

— Por que a pergunta?

— Porque ouvi Mama dizendo em árabe que é isso o que nós somos — eu digo. — Lajiat. Perguntei a Umm Yusuf o que significa.

— Você é uma caixinha de surpresas, sabia? — Huda solta o ar.

— Você escolhe o que a define. Ser uma refugiada não precisa fazer isso por você.

— Mas você não respondeu a minha pergunta.

Respondo eu mesma: devemos ser. E eu já sei o que isso significa. Pregos soltando-se do lugar. Cheiro de queimado. Sapatos arregaçados. Jornais pregados nos azulejos da cozinha, com um nome circulado em vermelho.

— Tomei cuidado o tempo todo — eu digo. — Sempre coloquei as caixinhas de suco na reciclagem. Até raspei o fundo da manteiga de amendoim. Mas não foi suficiente.

— Não foi nada que você fez.

— Mas... — Paro de andar. — Como a gente lida com isso?

— Sabendo quem somos — diz Huda. Ela se ajoelha à minha frente. — Me deixe te dizer uma coisa. O médico falou que pode não voltar a funcionar direito. — Ela ajeita a tipoia. — Mesmo se sarar.

— O metal no seu braço?

Os olhos de Huda mudam, como se ela estivesse observando algo ao longe.

— Para falar a verdade, não parece mais metal — diz ela. — Agora parece uma parte do meu corpo. Parte do osso.

Voltamos a andar. *Parte do osso*, ela disse. Como se esse novo osso a estivesse mudando devagar, mudando a pessoa que ela costumava ser.

Avistamos cabras esfoladas na vitrine. O açougue está fechando e um homem luta com as chaves na tranca.

— Espere! — Huda corre para alcançá-lo, explicando em árabe que precisamos de cordeiro para celebrar o Eid. O homem indica a porta com a cabeça e a abre. — Venha — ela me diz. — Se corrermos, talvez alcancemos a moça que corta a carne. Ele disse que ela está se limpando.

Lá dentro, o açougue cheira a sangue. Há água correndo em algum lugar, um som branco-prateado.

Huda contorna o balcão de carne vazio. Encontramos uma mulher baixinha usando um lenço preto agachada na salinha dos fundos, entre cabides de cabra e frango, lavando as mãos numa pia. Um ar gelado como picolé nos inunda quando entramos, ondas redondas de azul translúcido contra a minha pele.

Huda fala com ela em árabe. A moça ouve e então balança a cabeça. Huda vira o queixo para o lado, naquela expressão contida e desapontada.

— Acabaram de vender todo o cordeiro — diz ela. — Estão prestes a fechar.

A moça retorce as mãos, limpando algo pegajoso. Estendo a minha e percorro os nós de seus dedos.

— Você não é açougueira há muito tempo — eu digo.

As duas me olham.

— Por que não? — Huda pergunta.

— Porque as mãos dela são macias — explico. — Se você lava ela o tempo todo e toca sangue e essas coisas, elas ficam machucadas e secas. Como as de Mama com a sua aguarrás.

Huda traduz, e a moça ri. Ela desata a falar numa torrente de árabe. Hesita, cerrando a boca. É como se as palavras se trancassem dentro dela, pérolas ocultas ao longo do fio de cobre de sua voz.

— Ela diz que suas mãos vão acabar secando, se ela continuar salgando carne — diz Huda. — Ela tocava oboé.

Cubro a boca com as mãos como as mulheres fazem nos filmes.

— É meu instrumento preferido!

— Ela diz que seu pai é muito idoso — diz Huda. — Eles perderam a casa quando sua vizinhança foi bombardeada. Perderam o negócio, os avós... — A moça fala mais, mas Huda para de traduzir e desvia o olhar.

— Então ela veio para cá.

Huda pigarreia.

— Ela trouxe o pai a Aqaba e se mudou para a casa do primo — diz ela. — Esse foi o único emprego que conseguiu. — Elas trocam mais palavras em árabe. — Ela diz que há uma balsa para Nuweiba esta noite, se pudermos esperar. Sai tarde, pouco antes da meia-noite.

Seguro uma das mãos da moça. Vejo logo — os dedos médio e anelar tortos, a torção anômala do polegar. Algo pesado deve ter esmagado sua mão direita, quebrando todos os ossinhos pequenos. Ela nunca mais vai tocar oboé. Olho meus próprios dedos, me perguntando se os tijolos desmoronados e o asfalto e a fuligem deixaram marcas invisíveis nos meus ossos também.

A menina abaixa a cabeça, as pontas de seu hijab roçando o meu rosto. Ela me vê observando as suas mãos. Por um momento, me vejo refletida em suas pupilas, engolida por um negrume sem fundo. Ela então gesticula para eu segui-la até a cuba da pia.

Não sou alta o bastante para olhar lá dentro. Ela me ergue pelas axilas, a força da gravidade sugando as solas de meus sapatos. A pia está cheia de sangue.

Deixamos a loja com alguns pedaços de carne de cabra enrolada num papel marrom. Huda não diz nada, mas a percebo estremecendo e entendo que não tínhamos dinheiro suficiente para comprar cordeiro. A cabra custou tudo o que Mama nos deu.

Voltamos para a van. Subindo o morro, dois rapazes mais velhos bloqueiam nosso caminho. O mais baixo dos dois fica para trás, o suor grudando seus pelos nos antebraços. O mais alto está com as mãos nos bolsos. Tem uma mancha de nascença no maxilar bem recortado, na forma de um ovo borrado, e ele talvez me lembrasse os príncipes das histórias de Baba se não tivesse um olhar tão assustador. Ambos, de olhos semicerrados, têm sorrisos estranhos. Algo em seus rostos me fez puxar Huda pelo pulso, tentando andar mais rápido. Eles têm uma aparência diferente daquela dos rapazes da praça — não irritados, mas entediados, como se estivessem prestes a roubar dois refrigerantes de um mercadinho só porque podem.

Dizem a Huda algo em árabe, mas ela os ignora. Entre dentes, ela diz:

— Continue andando.

Os rapazes entram no nosso caminho. Tentamos nos desviar, mas eles bloqueiam a calçada. Tento puxar Huda comigo, mas o rapaz mais alto agarra o braço ruim dela, que grita, e ele tenta calá-la.

— Huda!

Eles a arrastam até uma rua secundária, um bequinho. Corro atrás deles, chutando a parte de trás dos joelhos do rapaz baixo. Ele me fulmina com o olhar, sussurrando palavras irritadas que não apreendo. Suas palmas abertas me atingem no peito e ele me derruba. Bato com força no chão, esfolando a lombar, e fico sem fôlego. Huda grita, pedindo ajuda, em duas línguas.

Em algum cantinho do meu cérebro, eu sei o que está acontecendo, mesmo sem ter uma palavra para isso. Quero fechar os olhos. Quero vomitar. Meu corpo inteiro está vibrando, como se as pontas dos meus dedos fossem se abrir num estouro. Sob minha bochecha, a calçada fede a poeira e sal marinho. Ela me lembra o inverno em Nova Iorque. O inverno era a estação do sal.

— Socorro!

Sigo os rapazes até o beco, onde tudo é sombra. O alto imprensou Huda contra a parede, inclinando-se sobre ela de forma que a luz fraca alcance uma verruga em sua nuca. O baixo segura as pregas da saia longa de Huda, erguendo-as sobre as línguas de seus tênis, acima de suas panturrilhas bronzeadas. Ele se pressiona contra ela, fazendo tilintar a fivela de seu cinto quando ele luta para soltá-la com uma mão só. Huda chuta e se debate, e o alto levanta suas saias acima dos joelhos.

Os rapazes trocam palavras em árabe — *Deite*. São necessários os dois para obrigá-la a se deitar no chão, e o alto dá um grito quando Huda enche a mão com seu cabelo oleoso e puxa forte. Então ele a estapeia, e ela fica imóvel.

Clank, retine a fivela no asfalto.

Huda arranca a cabeça debaixo da mão do rapaz. Seu grito soa mais fraco, sem fôlego.

— Socorro...

Mas ninguém vem. Ponho a mão num dos meus bolsos, cheio das pedras de Abu Said. Alcanço um pedaço de basalto. Minhas mãos estão tremendo, envolvendo de modo desajeitado a rocha, como as mãos esmagadas da tocadora de oboé. Miro, fechando um olho, mas a pedra passa por cima da cabeça dos rapazes.

— Corra. — Huda debate a cabeça e chuta. — Vá buscar Mama.

Mas, em vez disso, eu avanço sobre os rapazes, arranhando suas camisetas, tentando alcançar seus olhos. Lembro o que minha professora de ginástica da PS 290 disse, quando eu fui para a antiga escola pública na cidade — que eu era baixinha para a minha idade

Eu pulo nas costas do alto, puxando ele para longe de Huda, mas o baixo me derruba. O ar está rançoso de suor e medo e sangue nas minhas costas. Alguém solta um grito que não vem de mim ou Huda, um rugido de peito, vermelho como uma língua cortada fora.

Estendo a mão mais uma vez, enterrando as unhas no rapaz alto enquanto ele luta com seu zíper. Abro três talhos na pele macia do seu ombro. Ele grita e tenta me esmurrar, mas eu me desvio. Mordo seu braço. Ele guincha, caindo contra a parede. Eu pulo nele, afundando os dentes em seu peito.

Estou líquida. Estou trancada fora de mim. Estou em chamas.

As mãos de alguém surgem por cima da minha cabeça e ouço gritos em árabe. Ou estão me puxando de cima do rapaz ou puxando o rapaz de mim. Desmorono sobre a coxa nua de Huda, nós duas ainda no chão. O lado direito do seu rosto tem um vergão comprido e há um monte de sangue e cabelo sob suas unhas.

Ainda estou em chamas. Encaro meus punhos de algum ponto distante, acima do beco. Alguém está gritando de novo, redondo e vermelho. Não ouço. Em vez disso, vejo: uma cor de rubi, como quando eu acabo de acordar e o som do despertador é apenas uma forma no ar.

Mãos tocam meus ombros. Eu as afasto bruscamente. Me enrolo feito uma bola em cima de Huda, soluçando contra seu hijab florido, querendo bater a minha cabeça na parede.

— Nur. Nur! — Alguém ergue o meu queixo, e o rosto de Abu Said aparece diante dos meus olhos. — Você está bem?

— Onde eles estão? — Não reconheço minha voz.

— Os filhos de cães se foram — ele diz e cospe.

Huda abaixa a saia, evitando tocar a própria pele. Abu Said a ajuda a sentar. Ela envolve o próprio tronco com os braços e inspira e expira, soltando o ar.

Não consigo. Contenho a minha respiração até sentir que vou explodir. Não me restaram palavras. Não estou segura e também não consigo manter ninguém em segurança. Não sou Rawiya. Eu repito sem parar:

— Não sou. Não sou.

Abu Said nos leva de volta até a van. Mama nos rodeia de olhos arregalados.

— Huda, Nur! — Ela passa a mão pelo meu crânio áspero e verifica a tipoia de Huda. — O que aconteceu com vocês?

Abraço a cintura de Huda.

— Conte — eu digo.

Mas ela não conta.

— Nós podemos atravessar o golfo hoje à noite, se esperarmos — diz, com a voz tensa como um cofre. — A balsa parte à meia-noite.

Eu olho para Huda, mas ela não me olha. Me pergunto se *quase* pode custar tanto quanto *aconteceu*, se a real ferida é quando você entende que não pode fazer nada. Levo a mão à minha cabeça raspada, limpando a sujeira. Huda ajeita a saia, puxando as pregas para baixo e alisando as dobras, como se não pudesse fazer mais nada para não gritar.

O sol ultrapassa o lábio do horizonte e o bronze esvanece na água. O Mar Vermelho não é vermelho de verdade, mas também não é azul. É preto como ônix, à semelhança dos espaços vazios entre as placas tectônicas, os buracos em Manhattan. Esses lugares vazios podem algum dia ser preenchidos? A gente pode criar um mapa a partir de algo que não existe?

Deslizo a mão para dentro do bolso, sentindo minha meia-pedra verde e roxa. Eu devo ter posto a mão no bolso errado no beco. Eu me pergunto: se eu tivesse lançado a pesada meia-pedra, em vez da outra, eu teria acertado o rapaz bem nos olhos?

Ninguém fala. Olho para Yusuf, acompanhando o contorno do seu maxilar, o modo como o seu cabelo tem o mesmo corte do rapaz que eu arranhei. Naquela primeira manhã no apartamento de Amã, Yusuf bateu a porta com força suficiente para sacudir as janelas. Sua camiseta cinza, manchada de suor, cheirava como a do rapaz que levantou a saia de Huda. Dou as costas. Não consigo mais olhá-lo.

A brisa salgada derrama água preta dentro de mim. Ela afunda bastante, até um lugar que não consigo nomear, um lugar que não consigo mapear.

MAR DE SANGUE

A EMBARCAÇÃO MERCANTE aportou em segurança do outro lado do Golfo de Aila. Rawiya e seus amigos desembarcaram os camelos enquanto os servos traziam seus fardos. Haviam alcançado a península chamada Ard al-Fairouz, a Terra de Turquesa, e chegado a um pequeno acampamento beduíno, com suas tendas de pelo de cabra espalhadas. Montanhas secas elevavam-se diante deles, quase como se saídas do mar, e, tão logo o grupo deixou as palmeiras costeiras para trás, a estrada tornou-se irregular e traiçoeira. Eles seguiram uma passagem sinuosa da montanha, em meio a penhascos e punhos de rocha, parados como silhuetas a observá-los. A base dos penhascos tinha faixas amarelas e vermelhas, como se alguém houvesse raspado sua metade inferior com uma faca. Onde não havia rocha, havia apenas areia. Sem água, eles foram obrigados a se limpar com poeira em vez de realizar o abdesto anterior à oração.

Após dois dias de viagem, a passagem da montanha começou a descer, com uma leve inclinação, até uma planície arenosa pontilhada com colinas e acácias. Mesmo ali, havia poucas plantas e nenhuma água. Atravessaram uma terra vermelha pedregosa durante uma semana, seguindo uma estrada de caravanas.

A primeira água que viram foi a pontinha norte do Golfo de Suez. Os servos comemoraram, por saberem que, dentro de uma semana, alcançariam o Delta do Nilo.

Depois disso, o caminho foi se tornando mais fácil e mais plano, e ficaram todos de bom humor. Logo, avistaram uma fina linha verde no horizonte. O deserto acabava numa linha de árvores que se espalhava do norte ao sul, ao longo do Rio Nilo. Na cabeça do delta ficava a cidade do Cairo e sua vizinha, um centro de artigos têxteis e porcelana chamado Fostate.

Rawiya sobressaltou-se quando chegaram aos portões do Cairo. A pedra apresentava talhos gigantescos, como se rasgados por imensas garras. Khaldun também deu um pulo em sua sela. Eles trocaram um olhar inquisidor, mas não viram nada de errado. Por ora, os céus estavam livres de sombras à espreita.

Desmontando seus camelos diante dos portões, a expedição mergulhou em barulho e flores e música. Casas altas de pedra erguiam-se à sua volta, exibindo janelas de madeira entalhada com vigas contendo gravuras, portas cortadas à mão em gelosias e crescentes, ou escancaradas para revelar ornamentos de vidro ou pratos de porcelana.

Al-Idrisi levou-os mais para dentro da cidade. Eles puxavam os camelos consigo. Espremeram-se para passar por mercadores, sacerdotes e mulheres com crianças. Cruzaram em fila ruas delineadas por palmeiras, repletas de tocadores de oud e contadores de histórias. Rawiya comprou um novo conjunto de pedras afiadas para sua funda. Bakr admirou os coloridos lenços de linho, enquanto al-Idrisi ficou para trás, observando as multidões.

Bakr ergueu um lenço cor de vinho e lápis-lazúli, com um padrão de videiras entrelaçadas desenhado em branco ao longo do seu comprimento.

— Eu nunca sei do que a minha mãe vai gostar — disse Bakr. Ele o dobrou e espiou um segundo lenço nas cores damasco e azul-pavão. — Khaldun, você viu damas na corte. Qual você escolheria?

Rawiya tocou a bainha de um lenço bege e piscou rápido para afastar o pensamento acerca de qual sua mãe usava.

— A sua mãe vai amar qualquer coisa que você comprar para ela — disse Rawiya.

Mas Bakr soltou uma risada debochada pelo nariz.

— Você não conhece a minha mãe — disse ele. — Ela é a razão de eu estar aqui.

— Como assim, para fugir dela? — perguntou Khaldun.

Bakr riu.

— Para me provar. Para provar meu valor como comerciante, igual ao meu pai. — Ele examinou os lenços outra vez. — Ela é uma mulher difícil de contentar.

— Mas não escolheu esta jornada — disse Rawiya. — É você quem tem de estar contente.

Mas Bakr não estava ouvindo. Ele ergueu o lenço vermelho e azul.

— Esse aqui, acho.

O vendedor embrulhou o lenço num pedaço limpo de linho liso. Eles abriram caminho entre as multidões para continuar avançando.

— Esta cidade é uma colmeia — disse Rawiya a Khaldun.

— Cantam-se as preciosidades do Cairo por mil léguas em todas as direções — disse o poeta. — O medo na cidade agora... É uma pena. O medo de espiões. Facções rivais andam procurando uma abertura, depois da morte do último califa.

— A morte deixa buracos — disse Rawiya. — Assim são as coisas.

— Buracos? — Khaldun inclinou a cabeça na direção de Rawiya com uma olhadela tão rápida que ela quase não percebeu.

— Às vezes, uma pessoa morre e deixa um buraco grande demais para se preencher — disse a jovem.

Ela abaixou a cabeça para evitar um comerciante e seu camelo. A multidão atrás deles agitou-se e Rawiya hesitou antes de se voltar para Khaldun.

— Como a morte de um rei amado — ele disse —, ou um imã, ou um padre.

— Ou um pai. — Rawiya desviou-se de uma fileira de crianças, esbarrando em Khaldun para evitá-las.

Ele agarrou seu braço, conduzindo-os para longe de uma aglomeração de comerciantes. Rawiya enrijeceu e corou ao toque da sua mão.

— A ligação entre pai e filho é forte — disse Khaldun, dando-lhe uma batidinha no ombro. — Ele ainda está com você.

— Bons pais nunca abandonam os filhos — disse Rawiya. — Nem mesmo quando morrem. Pais e mães, na verdade. — A imagem da sua mãe veio à tona com força, a ideia da dor que a sua ausência causara. Disse baixinho: — Mas, às vezes, me pergunto se seus filhos os abandonam.

Alguém gritou atrás deles. Rawiya virou-se e viu uma nova movimentação na multidão — o lampejo de um manto cor de romã.

— Você não precisa se sentir culpado por ter partido — disse Khaldun.

Rawiya diminuiu o passo, gesticulando para os amigos.

— Alguém está nos seguindo.

Quando se viraram, um homem atirou-se numa loja de sedas atrás deles.

Khaldun franziu a testa.

— Você está certo.

A expedição apertou o passo, passando sob a sombra de cobertores pendurados em soleiras de lojas para proteger os fregueses do sol. Rawiya e seus amigos viraram num beco. Bandeirinhas de papel colorido tremulavam na brisa. Pilhas de tecido acenavam com suas bainhas, guardadas por vendedores de ar sonolento sentados em almofadas, de olhos ainda afiados.

Atrás deles, subindo a rua em forma de ziguezague, as multidões partiram-se para um grupo de homens exaustos, mas irados, que guiavam seus cavalos. Seu líder ergueu o braço a fim de pará-los, e seu intrincado tiraz dourado reluziu num dardo de luz solar.

— Senhor... — Rawiya puxou a manga de al-Idrisi.

O cartógrafo se virou.

— Parece que conhecemos mais gente no Cairo do que pensávamos.

Eles correram, seus camelos abrindo-lhes caminho. Esquivaram-se das aglomerações, dividindo-se entre placas de lojas e velhos ambulantes vendendo chá e chapéus, entre comerciantes com macacos e mulheres com crianças pequenas. Derrubaram frascos de especiarias e cântaros de óleo e farinha, derramando uma bagunça na rua.

Lançaram-se numa ruela lateral, lotada de lamparinas de ferro forjado e bronze. Varais balançavam em sua esteira. Esquivaram-se de gatos de rua e homens comprando louças brilhantes de cerâmica, decoradas com pássaros e peixes de cobre.

Rawiya, Khaldun, al-Idrisi e Bakr entraram voando numa construção de portas abertas para ventilar. Al-Idrisi mandou os servos dispersarem-se na multidão, instruindo-os a se reunirem nos portões da cidade.

Haviam entrado numa fábrica têxtil. Caldeirões ferventes de tintura fresca e enormes rolos de lã e linho amontoavam-se pelo chão empoeirado do lugar. Numa parede distante, uma escada de madeira subia até um sótão com janela para a rua.

— Espiões! — a voz de Ibn Hakim soou, estridente, atrás deles.

— Traidores do califa!

Cimitarras sibilaram ao deixarem suas bainhas.

Rawiya empurrou al-Idrisi para trás de uma pilha de restos de lã e atirou-se atrás de uma panela de tintura índigo junto com Khaldun. Bakr arrastou-se para trás de um rolo de linho.

Ibn Hakim e seus homens invadiram o lugar.

— Covardes — retumbou Ibn Hakim. — Vocês insultaram o homem errado. A sua traição será recompensada com a morte.

De trás da panela de tintura, Khaldun puxou sua cimitarra incrustada de joias, e Rawiya enrolou os dedos ao redor da gola de sua funda.

O primeiro guarda avistou a ponta da bota de Bakr atrás do rolo de linho e avançou sobre ele. Levantando-se de trás do caldeirão, Rawiya deixou uma pedra voar, atingindo o guarda na parte de trás da cabeça. Ele tropeçou, puxando consigo a bainha de uma túnica de linho. O cabideiro inteiro caiu junto, sobre as suas costas. Os tintureiros, que haviam se escondido, gritaram com as mãos na cabeça.

Al-Idrisi investiu contra o guarda seguinte, desviando a cimitarra do homem para longe de si. A espada resvalou pelo chão. Khaldun a pegou, brandindo ambas as cimitarras. Ele soltou um canto de guerra e atacou os guardas restantes, girando com as lâminas nas mãos.

Rawiya acertou um dos dois guardas com uma pedra. O outro apanhou Khaldun de surpresa com um golpe nos joelhos, derrubando-o. Al-Idrisi precipitou-se sobre o guarda, dando a Khaldun a oportunidade de se reerguer. Rawiya colocou outra pedra na funda.

Mas não haviam levado um homem em consideração. Ibn Hakim lançou-se sobre al-Idrisi pelas costas, com a espada em riste.

Rawiya soltou a pedra, atingindo Ibn Hakim na mão. Sua espada caiu com um estardalhaço, e ele urrou. Al-Idrisi sumiu atrás de um tonel fervilhante de tintura amarela.

Quando o cartógrafo se pôs em segurança atrás de Rawiya, ela chutou o tonel, derramando a tintura fervente sobre os homens de Ibn Hakim. Eles gritaram e rolaram sobre lã para secar o líquido escaldante.

Rawiya, Khaldun e al-Idrisi começaram a subir a escada de madeira para o sótão com sua única janela. Ibn Hakim saltou atrás deles.

Khaldun e al-Idrisi subiram, com Rawiya logo atrás. Quando Ibn Hakim estendeu a mão para segurar a bainha de sua saruel, a menina agarrou uma viga de madeira do sótão e despedaçou-a sobre a cabeça de Ibn Hakim. Ele caiu no chão, estremecendo.

Khaldun ajudou Rawiya a terminar de subir. Mas logo perceberam que Bakr ainda estava lá embaixo, com a cimitarra travada contra a lâmina de um dos guardas. Ibn Hakim marchou na direção do rapaz, com uma ira pálida ardendo no rosto.

— Vá — disse Rawiya. — Leve al-Idrisi para os servos. Vou encontrar vocês nos portões.

Khaldun tentou alcançá-la.

— Rami...

— Vá! — Rawiya pôs outra pedra na funda e mirou no guarda. Khaldun agarrou al-Idrisi, ignorando os seus protestos, e empurrou-o para a varanda pela janela.

A pedra de Rawiya atingiu o guarda entre os olhos, atirando-o pesadamente contra um rolo de seda, que se desenrolou em torno dele, cobrindo o chão de tecido escorregadio e fazendo-o perder o equilíbrio.

Ibn Hakim ergueu a cimitarra. Bakr a aparou.

— Rami! — ele gritou. Ibn Hakim empurrou Bakr com sua lâmina, e o rapaz golpeou com a sua própria. Errou. — Não consigo vencê-lo sozinho.

Rawiya desceu a escada com um pulo e investiu contra Ibn Hakim. Ela o acertou na lombar com a parte dura de sua funda, deixando-o estatelado. Ele levantou a espada e tentou infligir-lhe um corte, fazendo-a pular para trás. Ela saltou um caldeirão caído e empenhou-se em mirar uma pedra, mas foi lenta demais. Embora Ibn Hakim estivesse ofuscado por uma fúria arrogante, era um espadachim talentoso demais para ela conseguir escapar.

Sua cimitarra cortou o ar sobre a cabeça de Rawiya, visando seu pescoço.

Bakr atirou-se contra o flanco de Ibn Hakim, desequilibrando-o e afastando-o dela. Ibn Hakim virou-se para ele, estocando com a lâmina. Enterrou a cimitarra no peito do rapaz.

— Bakr!

Ele desabou no chão da fábrica. Rawiya soltou uma pedra, que atingiu Ibn Hakim na testa com força. Ele caiu no chão, de olhos revirados.

Rawiya puxou Bakr para seu colo. Ele tossiu sangue no seu pulso e na sua túnica e tirou de baixo do manto um pacote, cuidadosamente embrulhado em linho marrom.

— Se você voltar para casa, dê isso para a sua mãe — disse ele.

— Não. — Rawiya secou o sangue do maxilar dele com a manga da sua veste. — Vamos conseguir ajuda.

A túnica de Bakr era um emaranhado de coágulos pegajosos como mel roxo. O rapaz comprimiu o pacote contra o peito de Rawiya.

— Para ela saber que você não a abandonou — disse ele.

A uma pedrada de distância, Ibn Hakim despertou.

A LUA CORCUNDA ASCENDE e o sol desce, e Abu Said encontra uma loja ainda aberta onde podemos comprar uma lata de gás de cozinha. Umm Yusuf estaciona a van numa rua secundária próxima ao porto, de modo a nos permitir ficar de olho na balsa. O calor da tarde não chega a esvanecer, nem mesmo no escuro, por isso, me mantenho longe do cilindro de gás.

Umm Yusuf e Sitt Shadid pegam uma panela amassada e meio saco de arroz. A panela vai em cima do cilindro, sobre um suporte redondo tipo o que tínhamos no nosso forno a gás na cidade. Mama corta a carne da cabra em pedacinhos. Sitt Shadid tem alguns temperos, guardados por ela num velho pote de geleia, e salpica a carne com eles. O cheiro de gordura e óleo preenche tudo, como não sentimos há semanas. Meu maxilar coça e formiga, me fazendo lamber os lábios. A carne dura é a única coisa fresca que temos, e não há o suficiente para encher a barriga de todo mundo, mas o simples cheiro de banha e tempero é sempre melhor do que qualquer refeição de arroz puro e lentilhas.

Enquanto Mama cozinha, Abu Said, Umm Yusuf, Sitt Shadid e Huda fazem suas orações, amontoados sobre o nosso tapete empoeirado. Zahra paira por perto, parecendo incerta. Yusuf se ajoelha sozinho, sussurrando baixo demais para se fazer ouvir.

Não sei como agradecer a Deus enquanto minha cabeça continua repassando os punhos dos rapazes segurando a saia de Huda. Mas Baba dizia que você deve rezar mais quando não consegue ver as coisas boas do mundo. E eu sei que deveria rezar porque, afinal de contas, Deus é Deus, e hoje é um dia em que devemos lhe agradecer.

Então tento me lembrar das orações que Baba costumava sussurrar em nosso velho apartamento, e as orações de Mama quando ela me levava à missa, e então acrescento as minhas próprias porque sei que Deus ouve, mesmo se você não acertar as palavras direitinho.

Mama levanta a tampa da panela e o perfume de carne e temperos se espalha. Cada um de nós pega um pãozinho nas mãos, o tipo achatado que Baba teria chamado de pão sírio, não pita.

— Façam durar — Mama nos diz. — Não vamos voltar a comer carne por muito tempo.

Mas Sitt Shadid só esfrega meus ombros e gesticula para eu comer.

— Sahtein, ya ayni — ela diz com um sorriso, desejando-me saúde duas vezes.

Quando acaba o nosso pão, pegamos a carne e o arroz com as mãos. Tem gosto de risos e cobertores quentinhos e meias secas e histórias de ninar. Por um momento, consigo esquecer de todo o resto, fechando os lugares sombrios que se formaram dentro de mim como cáries.

Acho que todos os outros devem se sentir do mesmo jeito, porque não demora muito para Sitt Shadid bater palmas e levantar as mãos e então começar a cantar. É uma canção popular que nunca ouvi antes, mas Mama parece se lembrar da melodia, mesmo que não da letra. E então a letra não importa, porque logo todos estão murmurando e cantando também. Todos nos levantamos e batemos palmas ao redor da lata de gás e da panela e então nos damos as mãos e dançamos.

À minha esquerda, Abu Said dá chutes e tapinhas nos joelhos, através dos rasgos em suas calças de linho. À minha direita, até Huda segura a saia comprida para não a arrastar na terra quando mexe os pés ao ritmo da música. E eu sei que esta dança é para todos nós ao mesmo tempo e para Deus e que, embora eu provavelmente tenha rezado errado, espero que, mesmo assim, ele saiba da nossa gratidão por estarmos juntos e se alegre.

◆

DEPOIS DE COMERMOS, ficamos na doca, esperando dentro da van. A bandeira jordaniana se agita no escuro. O som prateado da água marulha contra o para-choque e o cheiro amarelo de sal entra pelos respiradouros. Quando eu era pequena e Baba me contava histórias, o escuro costumava ser repleto de possibilidades. Agora só parece ameaçador, esperando sob a pressão de todas as palavras que ninguém quer dizer.

Balanço minha perna para quebrar a corrente infindável de respirações. Zahra rosna para eu parar. Na frente, Mama e Abu Said sussurram entre si. Mama aperta seu mapa, ainda dentro do saco, então relaxa os dedos. Eles acham que, por estarem falando em árabe, eu não os entendo, mas apreendo palavras e frases. Abu Said pergunta: *Quando você vai contar a elas?* Pedaços da resposta de Mama chegam até mim, no banco de trás, flutuando. *Se a pessoa errada descobrir quem está esperando... Tem gente que é sequestrada por menos.* Mama acrescenta em inglês, entre dentes:

— E eu não quero alimentar as esperanças delas.

— Mama. — Ela não responde. — Mama.

— Nur. — Sua voz volta a ficar vermelho-abrupto. Ela abaixa o quebra-sol, usando a luzinha do espelho para tirar um cílio do olho. Seus dedos tremem. Ela tenta outra vez.

— Quando a balsa chega?

— Não sei.

A pedra verde e roxa pesa em meus shorts.

— Mas vai chegar logo?

— Hayati, eu não sei.

— Mas...

— Por favor! — Mama fecha o quebra-sol com força e cruza os braços sobre o peito e, em seu reflexo na janela, julgo vê-la chorando.

— Temos que esperar — diz Mama, com a voz instável. — O que você quer que eu faça?

Não sei. A noite está fechando o cerco como uma centena de mãos invisíveis. Me remexo e dobro os dedos dos pés. Começo a respirar rápido demais. Parece que o teto da van vai cair em cima de mim, como se a escuridão fosse se trancar ao meu redor.

— Deixe eu sair. — Luto contra a maçaneta da porta, mas a trava de segurança está acionada. — Deixe eu sair!

— Qual o problema? — Huda desativa a trava de segurança e me segue para fora.

— Estou com medo. — Afundo meu rosto na sua saia. Temo tocá-la, como se o que aqueles rapazes tentaram fazer tivesse aberto uma ferida que estou aumentando.

— Vai ficar tudo bem. — Huda me cobre com seus braços e seu lenço. — A Huppy está aqui.

Como eu digo a ela que não consegui salvá-la, que tentei ser corajosa e não fui? Como eu tiro o sangue dos rapazes de baixo das minhas unhas e o cheiro asqueroso do seu suor do meu nariz? Não sei como dizer essas coisas. Não sei como dizer a ela que sinto muito ou perguntar o quão perto os rapazes chegaram de conseguir o que queriam antes de Abu Said botá-los para correr. Não sei como contar a ela o que vi em seus rostos — que, para eles, ela não passava de uma lata de refrigerante a ser roubada.

Em vez disso, viro a cabeça para o outro lado e digo:

— Não posso mais chamar você de Huppy. Você já é tão adulta.

— Você está errada. — Huda se ajoelha e encosta a testa na minha. — Eu sempre serei a sua Huppy.

Me agarro nela enquanto a brisa passa por nós, tentando memorizar o sentimento de segurança transmitido pelo seu cheiro.

Depois de um tempo, Huda diz:

— A balsa é lenta, mas barata, e vai nos levar até Nuweiba. Aposto que o caminho até o Cairo é bonito. Talvez a gente consiga ver a Esfinge.

— Algum dia vamos voltar a ficar em segurança? — Minhas palavras pesam tanto que abrem a noite com um estouro. — Huppy... ainda existem lugares seguros?

Ela envolve o meu pescoço com os braços.

— Ya Nuri, ouça — diz.

Ela é a única a me chamar de Nuri, uma palavra que, em árabe, significa tanto *minha Nur* quanto *minha luz*. Sua voz está rouca e baixa; cada palavra, delicada:

— Ninguém vê o futuro. Ninguém sabe o que foi planejado. Mas estar em segurança não tem a ver com coisas ruins nunca lhe acontecerem, e sim com saber que as coisas ruins não podem nos separar. Ok? Não importa o que aconteça. A sua família ainda te ama e você pode enfrentar qualquer coisa se souber disso. Você está segura comigo. Com Mama. Com Deus. Nada pode lhe tirar isso.

— Ela passa o polegar na minha bochecha e me oferece a bainha de seu hijab. — Agora seque as suas lágrimas.

Toco as rosas. O linho mal retém algum cheiro de água de rosas, aquele que amo e me parece um monte de cachos cor de lavanda.

— É bonito demais. Vou estragá-lo.

— Ande logo — diz Huda. — Vou lavar do outro lado. É só meleca, afinal.

Ela sorri e oferece de novo. Dessa vez, assoo o nariz.

A BALSA ATRASA UMA HORA, e o convés dos carros está lotado com os veículos das pessoas que já compraram suas passagens. Não tem espaço para a van.

Umm Yusuf resmunga e bate a porta com força. Reunimos as ferramentas de Abu Said e nossas mudas de roupa e deixamos a van para trás. Seguramos nossos sacos e fazemos fila na doca.

Está quase tão quente quanto ontem à tarde, e úmido perto da água. Em noites assim, eu e Baba ficávamos deitados no tapete do apartamento, acordados, contando histórias. Eu costumava usar a minha camisola preferida, aquela com flores de cetim. Me pergunto que fim ela levou, se eu a trouxe comigo para Amã. Mas então me lembro que todas as minhas roupas ficaram no meu antigo quarto, rasgadas, arrancadas da cômoda. Me pergunto se minha camisola ficou com buracos queimados. Me pergunto se meus tênis estão sem a língua, pendurados no vidro da janela pelos cadarços.

As pessoas se amontoam, arrastando os pés pela escuridão. Encaro o homem apoiado numa bengala. Ele parece mais novo do que Abu Said. Outra família chega, carregada de malas de lona e mochilas, como se estivessem rebocando sua vida inteira nos ombros. A aglomeração cresce, apertando-se no gargalo da entrada, e conversas afogam o rugido das ondas. Árabe egípcio é muito diferente do modo como Mama fala; o dialeto me lembra dos velhos filmes árabes que Mama e Baba assistiam. Mas algumas das crianças ao nosso redor usam gírias que eu ouvia em Homs. Começo a me perguntar, como sempre: *Quem são eles? Eles vieram do mesmo lugar que nós? E para onde essa gente toda está indo?*

Eu dou as costas para eles e engulo saliva grossa. Não temos água e estou com sede por causa da carne de cabra. Toda essa água à nossa volta, e toda ela é sal. Meu estômago tenta beber minha coluna.

O vento guincha ao nosso redor, uma tensa voz laranja, e atravessa as palmeiras, cortante como um trem. Ele arranha o mar até fazê-lo sangrar em branco.

Embarcamos na balsa à uma da manhã, subindo uma rampa de madeira que faz um barulhão onde quer que se pise. A água golpeia o casco metálico sob meus pés. Deve estar quase uns trinta graus, mas estremeço de nervosismo e medo de altura. Sei que não há como deixar um barco senão na água, e não sei nadar.

Encontramos um assento no convés superior, perto de uma das luzes, ao vento. Conforme as famílias embarcam, nós nos esmagamos para abrir espaço. As pessoas ficam prensadas contra as balaustradas, segurando suas bolsas ou bagagens de mão. Abu Said está sentado de um dos meus lados, Mama do outro, e Huda e Zahra à nossa frente. Umm Yusuf, Sitt Shadid e Yusuf estão perto, amontoados, Rahila no colo da mãe. Mordo os dedos quando a rampa é tirada da balsa.

— Você está com medo? — pergunta Abu Said.

Estar ao seu lado faz com que eu me sinta segura, mas então o vento nos assola novamente e a buzina ressoa pelo barco. Aquiesço, de olhos arregalados, sentindo o vento morno arranhá-los. Tenho que tomar cuidado ou vou começar a chorar.

— Se isso faz você se sentir melhor — ele diz, tão baixinho que Mama não ouve —, também estou com medo.

— O quê?

Não acredito. Examino seus ombros murchos, a barba enrolada e espessa nas suas bochechas curtidas, suas mãos largas com os nós dos dedos em relevo. Não consigo imaginar Abu Said com medo de nada. Ele se remexe, curvando os ombros sobre o colo, e dá uma olhada em torno.

— Não sei nadar — ele diz, como se fosse uma confissão.

— Nem eu. Eu ia fazer aulas na piscina que Baba frequentava, na cidade. Mas nunca chegamos a ir. — O calor volta a aumentar atrás de meus olhos. — E ele prometeu.

— Eu queria que meu filho aprendesse — diz Abu Said. — Nunca tive a oportunidade de levá-lo. Seu baba queria ir com você. Tenho certeza disso.

Dou um puxão nos meus tênis.

— Mama me disse que Said foi embora.

Abu Said repousa as mãos nas coxas. Pela primeira vez desde que embarcamos, seus dedos não se movem. O barco deixa o porto com um gemido e adentra o golfo.

— Said queria algo que não conseguia encontrar — diz ele. — Algo que eu não podia dar a ele. Depois da morte da mãe, ele não foi o mesmo. Ele tinha que ir, disse, deixar as coisas no passado. Fiquei brabo. Eu já tinha perdido uma pessoa, mas perder os dois? Não disse adeus a ele, pensando que ele voltaria. Nunca mais o vi.

As ondas rosnam contra a embarcação. Penso nas fotos instantâneas de Baba, em como os pais dele acolheram Abu Said quando ele perdeu os seus, em como o filho de Abu Said fugiu do único pai que lhe restara.

— Ele deu as costas ao que você não chegou a ter — digo.

Abu Said abaixa a cabeça, examinando as unhas.

— Eu o perdoei por isso há muito tempo — diz ele.

Esfrego a meia-pedra verde e roxa através do bolso.

— Então você procura pedras para ouvir a respeito do seu filho?

— As pedras não falam assim — diz Abu Said. — Mas acredito que o nosso Criador pode falar através delas. — Ele entrelaça os dedos, e os nós vincados se alinham como uma cadeia de montanhas marrons. — Algumas orações ficam sem resposta por muitos anos. O coração sabe disso.

— Mas mesmo se Deus ouvir as nossas perguntas, e se não conseguirmos entender as respostas? — indago.

— Com certeza algumas perguntas têm respostas que não entendemos — diz Abu Said. — Mas você pode entender mais do que imagina, se estiver disposta a esperar por esse conhecimento.

— O que você quer dizer, esperar? — digo. — Tipo minha lição de matemática, a forma como alguns problemas fazem sentido depois de pensar neles por uns dias?

— Às vezes, leva anos para entender o que Alá quer que saibamos — diz Abu Said.

Tento arquear uma sobrancelha, mas as duas sobem.

— E ele quer que a gente só fique esperando?

Abu Said sorri.

— Nuvenzinha — diz ele. — A fé é isso.

O barco avança pesadamente até o mar aberto, que se torna preto como o centro de uma tulipa. Eu me pergunto quais criaturas estão sob nós, sussurrando segredos entre si enquanto nossa sombra passa.

— Então, o que você tem nos bolsos? — pergunto. — Eu vi você pegar pedras quando nós partimos. O que você trouxe?

O sorriso de Abu Said está triste e torto.

— Eu só trouxe uma — diz ele. — Uma especial.

Ele tira do bolso um lenço empoeirado e busca algo lá dentro enquanto o barco dá um tranco. Então me mostra um seixo achatado, do tamanho e da forma de uma moeda de vinte e cinco centavos.

— O que é isso?

Tem uma cara boa para jogar na água, mas não para colecionar.

— Said a encontrou quando tinha a sua idade — diz ele. — Foi a primeira pedra a sair do chão quando plantamos o bosque de oliveiras. Pensei que ele a levaria ao partir, mas a encontrei em suas coisas. De tudo, pensei que ele teria levado essa pedra.

— Você plantou aquele bosque de oliveiras fora da cidade?

Observo a rígida pele castanha nas bochechas e na testa de Abu Said. O sol deve ter endurecido seu rosto enquanto ele e o filho lavravam o bosque de oliveiras, enquanto ele passava as tardes cavando os campos, ensinando ao menino os nomes das pedras.

Abu Said se vira para a água.

— Eu deveria tê-la devolvido à terra, mas não tive coragem — diz ele.

O homem à nossa frente deve ter escutado parte da conversa, pois diz algo a Abu Said. Consigo apreender "zeitoun" — azeitona. O homem se inclina para frente sob a luz.

É o homem da bengala, aquele que não parece ter idade para usar uma. Um de seus joelhos está firmado com gesso. A outra perna... Meu estômago aperta. Abaixo do joelho, ele não tem nada.

Abu Said traduz:

— A família dele tinha um bosque de oliveiras perto de Halab.

Eu me pergunto se ele é um homem mau. Penso em Mama raspando minha cabeça. *Só por precaução*. As panturrilhas castanhas de Huda, o tinido da fivela de bronze no asfalto.

Mas tento racionalizar que nem todo homem pode ser mau, e quero saber por que ele só tem uma perna. Então reúno coragem e pergunto:

— O que ele faz?

— Costumava fazer — diz o homem, através de Abu Said. — É isso o que você quer saber. O que eu fazia antes disto. — Ele ergue o coto da perna, envolto em bandagens.

— Você não tem mais perna — eu digo, e Abu Said hesita antes de traduzir.

— Eu era jogador de futebol — diz o homem. — Atacante. Agora... — Ele endireita os ombros e tosse com um sorriso, que deve ser como ele ri. Abu Said diz o resto baixinho: — Agora, para mim um bom dia é quando consigo andar até o banheiro sem sentir dor.

— Por que você está rindo? — pergunto.

O homem dá de ombros. Seu árabe é todo de bordas marrons comparado à tradução amarelo-mel de Abu Said.

— Deixei pra trás minhas lágrimas quando abandonei minha casa. É mais fácil rir, já que chorar não cura mancos. E a vida continua, não é, mesmo sem uma perna?

Eu não sei como responder a isso, então ponho as mãos nos bolsos. Bato o dedo em algo duro. Uma pedra.

Tiro a meia-pedra verde e roxa com a mão em forma de concha, para ela não cair do barco.

— Olhe o que eu encontrei, Abu Said.

Ofereço a ele, que estreita os olhos sob o luar esverdeado, como uma criança sedenta com um copo d'água.

— Estava verde no sol — eu digo. — Mas as sombras a deixam roxa. Que nem você falou.

Abu Said dobra meus dedos sobre a palma da minha mão, prendendo a pedra lá dentro.

A crista de pele entre meu polegar e meu indicador formiga de empolgação. A esperança me ataca como um fósforo riscado.

— Ela é o que eu acho? — eu lhe pergunto. — A pedra que o gênio disse para encontrar?

Abu Said sorri, devagar.

— Acho que no fundo você sabe a verdade — diz ele.

Devolvo a meia-pedra ao meu bolso e o balanço da balsa a move de um lado a outro.

— É real ou não? Quero saber o que estou procurando.

Abu Said dá uma palmadinha na minha mão e sorri e, pela primeira vez, seus ombros parecem um pouco mais robustos, seus olhos um pouco menos tristes.

— Talvez, se você esperar um tempo, vá acabar sabendo — diz.

Imagino Rawiya, ouvindo a voz do seu pai. *Bebê Papagaio.* Do que Baba costumava me chamar? Tento me lembrar da sua voz. *Ya baba, minha plantinha. Minha filha é forte como uma palmeira nova.* A pedra incha em meu bolso. O que eu daria para ouvir a voz de Baba de novo?

— E se for real? — digo. — Você quer tentar?

— Tentar o quê? — ele pergunta.

— Falar com o seu filho.
O motor engasga, vermelho e preto, soando furioso. Levamos um tranco de nos fazer pular nos assentos. O fedor de queimado arde em meu nariz, amarelo e marrom. Agarro o braço de Mama. Ácido sobe pela minha garganta.
O barco oscila e solta fumaça, e Abu Said e o homem de uma perna só seguram a balaustrada. Alguém grita em árabe uma palavra que não entendo, e Mama sussurra:
— Fogo.
Uma nuvem passa diante da lua.
À nossa volta, as pessoas entram em pânico e gritam. Homens jogam caixas e mochilas na água, agarrando rolos de corda extra e pedaços soltos de madeira. As pessoas pegam cadeiras do convés a quatro braços e as atiram pela borda. Correm de um lado para o outro, procurando qualquer coisa que possam encontrar. Ouço elas gritando em árabe: *afundando — o peso — vamos todos nos afogar.*
Minha mão é uma garra. Não avisto terra em nenhum lugar ao nosso redor. O convés vai se enchendo de água.
— Mama?
— Há um incêndio — diz Mama, mordendo o lábio. — O motor está falhando.
Minha boca fica selada, minha cabeça, pesada, e meus olhos queimam. Um homem grita e esvazia caixotes na água. A essa altura eu o entendo: *Ainda estamos pesados demais.* Até mesmo o homem de uma perna só está em pé agora e vai mancando até uma das bordas, ajudando com uma mão a jogar uma mala para fora. A fumaça engrossa, fazendo os meus olhos arderem. Começo a tossir.
— Tem água entrando.
Mama e Umm Yusuf lançam na escuridão a nossa mala de roupas sobressalentes e Abu Said atira para fora suas ferramentas de geólogo. Ouvimos uma explosão de coisas caindo na água por todo lado. Não sobrou nada para jogar no mar. Ainda estamos pesados demais.
— Abu Said. — Seguro sua manga, com os olhos marejados por conta da fumaça. — O que a gente faz?
Ele me levanta com um puxão. Todos se amontoam, resistindo à força do muro de corpos. Pessoas empurram e gritam, transpor-

tando sua bagagem sobre a cabeça. Mama empurra um colete salva-vidas amarelo nas minhas mãos e Abu Said me ajuda a colocá-lo, suas mãos trêmulas.

Meus dedos tremem, puxando a alça.

— Cadê o seu?

Abu Said sacode a cabeça. — Não há o bastante para todos. Os coletes salva-vidas são só para os pequenos. — Ele então dispara na direção da balaustrada, veloz como uma libélula, e estende as mãos, procurando algo na fumaça. Ele é uma tosse nas sombras. — Botes! Seguimos o som de sua voz. Há botes salva-vidas infláveis presos à lateral da balsa e várias famílias se esparramam dentro deles. Perto de nós, alguém dá um puxão forte numa corda e um bote inteiro mergulha no escuro com um tranco.

— Todo mundo para dentro.

Mama e Abu Said ajudam Sitt Shadid a embarcar. Empurram Zahra, Huda, Yusuf e Rahila logo em seguida. Então Mama me ergue sobre a borda, pondo o pé na balaustrada.

Ambas nos sobressaltamos quando uma corda arrebenta. Todos perdemos o fôlego em um ganido agudo e os meus braços giram no ar. O bote balança, um canto cedendo. A fumaça sobe do piso inferior ao convés e o calor faz o resto das cordas se distenderem e guincharem como um oboé desafinado.

A balsa se inclina num lado. Bancos de madeira voam, batendo na balaustrada distante. O bote se choca contra a lateral da balsa, quicando e se remexendo na corda restante.

— Não vai segurar muito mais — diz Abu Said. — Andem!

Ele ajuda Mama a pular a balaustrada comigo no colo, agarrada no seu pescoço. Caímos no piso do bote, o saco de juta de Mama suspenso.

As cordas se retorcem e gemem. Estendo a mão para Abu Said.

— Para dentro. Entre!

Mas ele dá as costas à balaustrada, sufocando na fumaça. Entre os botes salva-vidas, todos já foram baixados, exceto o nosso. Eles flutuam na água abaixo de nós, em algum ponto da escuridão ao longe. Os últimos passageiros tombam na água e nadam para os botes, saltando para fugir das chamas.

Sigo Abu Said com os olhos. Do outro lado do convés está o homem de uma perna só, preso sob um dos bancos tombados. Seu quadril está prensado no convés e ele não consegue se levantar só com os braços. A fumaça o envolve e ele tosse, estendendo a mão em nossa direção.

Abu Said se vira para verificar as cordas e ergue um dedo. *Esperem aqui.*

Entro em pânico e faço menção de agarrar a balaustrada, arranhando o punho da sua manga.

— Está afundando. Você precisa voltar.

— O mais rápido possível. — Então Abu Said sorri. — Eu não te disse, mas não preciso. De uma resposta da pedra, de Alá. Eu precisava era de você, nuvenzinha. O que é mais importante já está aqui.

Ele mantém o sorriso, os ombros retos e fortes. Naquele momento, ele está igual às suas fotos vestindo a camisa laranja com Baba. Parece jovem de novo.

Tento alcançá-lo, mas ele mergulha na fumaça e avança até o homem de uma perna só. Enquanto Abu Said grunhe e arrasta o banco de cima dele, as chamas sibilam contra as cordas acima do bote. O vento nos sacode. Abu Said cruza a fumaça de novo, ajudando o homem de uma perna só a subir a balaustrada e entrar no bote. As cordas se distendem, lambidas pelas chamas. Abu Said levanta um pé sobre o corrimão.

Um estalo soa e então um *snap!* alto. O bote salva-vidas fica suspenso no ar e, por um segundo, não tenho peso.

As chamas acima avançam na direção das estrelas. O convés vira uma faixa de luz e calor, tão alto quanto uma nuvem de tempestade. Tudo escurece. Então o bote cai na água e as ondas pulam abaixo de nós. Eu voo.

Tento agarrar o ar, inspirando num arquejo, e o lençol de escuridão úmida investe contra mim. Como Rawiya, eu pensei que o mar aberto seria plano. Em vez disso, são cem facas vigorosas.

Mas então surge um peso no meu tornozelo e a água cai de mim. Em vez de mergulhar de cabeça no golfo, meu peito bate na borda de borracha do bote.

Olho para trás. O homem de uma perna só agarrou meu pé e sua mão é a única coisa que me mantém aqui dentro. Ele me puxa de volta, para longe das ondas, apoiando a perna boa na borda de borracha.

Lá em cima, o rosto de Abu Said aparece através de uma neblina de fumaça preta, asfixiado e desvairado. Mama grita para ele que estamos bem.

— Não consigo ver vocês.

Abu Said abana a fumaça, tentando afastá-la dos olhos. O vento transforma a água em espuma e as ondas se agigantam. O bote começa a se afastar da balsa, debatendo-se e nos sacudindo.

— Você tem que pular! — Mama grita.

Abu Said sobe na balaustrada, se equilibrando na borda com as mãos. Ele se endireita, tossindo. Então toma impulso com as pernas e pula da balsa. Parece que ele fica no ar durante um minuto inteiro, suspenso entre nós e as estrelas, uma imensa aranha preta tecendo uma órbita e bloqueando a lua.

Mas erra o bote. Ele tomba no escuro gelado, aterrissando com um salpico de sal.

— Abu Said! — eu grito. — Ele não sabe nadar!

O mar é áspero e preto. Mama procura uma lanterna na parte de trás do bote e Yusuf e Umm Yusuf remam com as mãos. Não conseguimos ver Abu Said. Fico desesperada, arranhando a borda do bote, gritando para o sal. O lenço de Abu Said cai do convés, esvoaçando, e eu o agarro antes que ele alcance as ondas.

— Abu Said!

Grito e remo, lutando contra ondas da grossura de geladeiras. Mama vasculha a espuma com a lanterna. Uma luz verde surge no horizonte e sinto o gosto de minhas próprias lágrimas. O homem de uma perna só afunda a cabeça nas mãos.

Botes de resgate estão vindo, cruzando as ondas com seus holofotes. A mão de Abu Said tenta alcançar a minha através do verde, muito mais à frente, e então seus dedos desaparecem no preto-ônix. Ele se foi.

O PESO
DE PEDRAS

IBN HAKIM COMEÇOU a se mexer e a gemer, e os tintureiros saíram de seus esconderijos com cautela. Rawiya tentou erguer Bakr, mas seu corpo pesava demais. Ela se agachou de costas para ele e içou-o nos ombros, andando encurvada sob o seu peso.

Mas Ibn Hakim postou-se entre eles e a porta da tinturaria. Lá fora, uma pequena multidão havia se reunido, murmurando. Rawiya sabia que não conseguiria subir a escada com o corpo de Bakr e pular da janela do segundo andar, mas estava determinada a dar a ele um enterro adequado.

A única saída era passando por Ibn Hakim. Ela grunhiu sob o peso do rapaz, avançando para a porta com cuidado.

A mão de Ibn Hakim contraiu-se na direção da espada, e ela saltou para trás.

Mas os tintureiros, que haviam testemunhado tudo e sabiam que Ibn Hakim era um homem cruel e corrupto, saíram rápido de trás dos tonéis de tintura e rolos de seda.

— Vamos atrasá-lo — um deles disse, empurrando Rawiya na direção da porta. — Nunca gostamos muito de Ibn Hakim e seus valentões e não vamos ajudá-los. Vá!

Rawiya agradeceu-lhes e atirou-se para fora quando Ibn Hakim gemeu e tocou a cabeça. Avançou às pressas na direção dos portões da cidade. A massa corpulenta de Bakr tornou-se mais e mais pesada, até ela achar que seus ossos se quebrariam com o peso.

Khaldun e al-Idrisi já haviam se reunido aos servos e carregado os camelos, e todos estavam montados e prontos. Quando Rawiya chegou, bufando, Khaldun correu para ajudar a tirar Bakr das suas costas.

— Rami, ele está...?

Mas Rawiya sacudiu a cabeça. Gritos ganharam volume atrás deles. Os dois amarraram o corpo de Bakr sobre o seu camelo e Rawiya conduziu o animal pelas rédeas. Saíram a galope pelos portões. Fugiram pela planície fértil do Delta do Nilo, seguindo o grande rio. Por dias, cavalgaram num ritmo forte, parando para dormir só quando estava escuro. Não acenderam fogueiras e comeram pão duro. Só à primeira luz da alvorada al-Idrisi esboçava em seu livro encadernado em couro, desenhando com tristeza o cone do Delta do Nilo, com sua costumeira letra grande e sinuosa reduzida a um garrancho tenso que descaía ao longo da linha.

No terceiro dia, quando tinham certeza de não estarem sendo seguidos, deitaram Bakr na margem do Nilo. Lavaram seu corpo no rio ao pôr do sol, massageando o frescor das águas até elas penetrarem sua barba e seu cabelo.

Al-Idrisi passou o astrolábio a Rawiya. Ela determinou a direção da qibla, apontando o sudeste sem nada dizer, para eles saberem em qual direção deviam enterrar o corpo de Bakr. Então o envolveram em lençóis limpos e o enterraram ao lado do laço azul do Nilo, deitado de lado virado para a qibla. Rawiya ficou segurando o astrolábio muito tempo depois, com lama do Nilo sob as unhas. Khaldun gentilmente tirou-o da menina, envolvendo as costas das mãos dela com as palmas das suas.

A expedição inteira rezou sobre o corpo. Rawiya pegou a misbaha da sua mãe, contando as miçangas de madeira. O pacote de Bakr, envolto em linho marrom, continuava dentro do seu fardo, tão pesado quanto pensar no desespero da sua própria mãe. As orações trouxeram pouco consolo. Rawiya passou os últimos resquícios de cascalho e lama no seu coração, como se um corte fosse se abrir nas suas próprias costelas, como se sangue fosse inundar os seus próprios pulmões. Na margem oposta do Nilo, um crocodilo fechou uma pálpebra branca.

No dia seguinte, despediram-se do rio e voltaram-se para o noroeste, rumo a Alexandria. Contornaram a cidade por medo, pois sabiam que o califa devia ter sido avisado a respeito deles. Em dois dias, alcançaram a estrada costeira que ligava Alexandria ao centro comercial beduíno, conhecido pelos romanos como Baranis, uma cidade litorânea a meio caminho entre Alexandria e Barneek.

Ao deixarem o verde para trás, al-Idrisi pintou a seta do Nilo em seu livro, o escancarar do rio no Cairo, a sombra das Pirâmides de Gizé, por trás das palmeiras de Fostate. Gradualmente, suas letras foram aumentando e estabilizando-se, seu *ūāū* tornando-se mais redondo, a curva de seu *mem*, larga.

A estepe vermelha e cinza precipitava-se para o mar, margeada ao sul por um planalto com penhascos íngremes. Viajaram por duas semanas, atrasados por ventos cortantes vindos do sul, que desciam com força das montanhas. A comida e os suprimentos começaram a acabar. Os camelos ficaram agitados.

Uma tarde, com a cidade portuária de Baranis quase à vista, os ventos surgiram do sul, uivando contra os seus dentes. A poeira verteu dos estreitos montanhosos como cabelo passando por um pente. A ventania carregava penachos brancos grandes demais para pertencerem a uma águia e, de quando em quando, uma pena pálida do tamanho do braço de Rawiya.

Atacada pelo vendaval e temendo que o roque tivesse a intenção de cumprir a promessa de vingança, a expedição buscou abrigo sob os penhascos. O roque não veio, mas a tempestade de areia também não passou. A cada intervalo nos ataques da poeira a paisagem mudava. Sempre que abandonavam seu abrigo, descobriam ter andado em círculos ou mudado de direção, retornando a Alexandria. Então os servos começavam a praguejar contra o deserto e resmungar sobre gênios, sussurrando preces aterrorizadas. Muitas vezes, Rawiya e seus amigos sentavam-se e choravam de frustração.

Finalmente, al-Idrisi avistou um grupo de silhuetas através da cortina de poeira. Lutaram para alcançá-lo, conduzindo os camelos arredios. Quando a poeira baixou, estavam encurvados perante um grupo de homens a cavalo, escondendo o rosto com seus turbantes.

Os ventos descortinaram-se, dando voltas a seus pés como vagens secas de alfarroba.

— Saudações, amigos — disse al-Idrisi. — Precisamos de comida, descanso e água para nós e nossos camelos. Estamos ao seu dispor, se puderem nos ajudar.

No entanto, em vez de devolver a saudação de al-Idrisi, um homem adiantou-se para eles e desembainhou um par de punhais. O resto dos homens empunhou arcos e cimitarras, cercando-os com brados. Os cavalos batiam as patas e os circundavam. Bandeiras abriram-se acima deles, num xadrez preto e branco sobre um fundo vermelho. Seu líder usava um elmo envolto em tecido bordado, uma túnica escarlate e uma capa marrom de lã cobrindo o peito. Seu cavalo, preto como tinta, vestia um manto escarlate combinando.

— Estranho — gritou o líder —, ouvimos histórias sobre espiões fatímidas nesta área. Recebemos ordens para massacrar qualquer ameaça ao Império Almóada.

Ele fitou a sela de al-Idrisi e seus fardos, as túnicas novas dos servos, feitas a partir do tradicional tecido riscado de linho e lã do Cairo.

— Não vimos tal gente desagradável — respondeu al-Idrisi. — Nós somos humildes peregrinos, explorando as maravilhas de Deus.

Mas o líder da tropa almóada, que os vira se aproximando vindos do leste, não acreditou.

— Mentirosos! — rosnou. — Confessem seus crimes de uma vez, ou será pior para vocês.

— Mentiras? — perguntou al-Idrisi. — Esta é a verdade de Deus, sem um grão sequer de inverdade no meio.

Mas não adiantou. Patrulheiros almóadas haviam visto a expedição avançando no sentido oeste, de Alexandria para Baranis, e o líder estava convencido da sua perfídia. Ele deu um sinal para seus homens, que se apoderaram dos camelos e arrancaram todos de cima das selas.

Os cavaleiros almóadas rasgaram seus fardos para abri-los e tiraram de lá as sacolas do tesouro de Nur ad-Din. Ignorando as riquezas, abriram o livro de couro de al-Idrisi e os seus pergaminhos. Não buscavam tesouros, mas informação.

Rawiya soube que era exatamente como Ibn Hakim os avisara: ela e os seus amigos eram os viajantes procurados pelos almóadas.

De fato, o líder almóada, um velho general encarquilhado, chamado Mennad, ouvira histórias fantásticas de um grupo de viajantes liderado por um estudioso e cartógrafo, um homem reunindo todo o conhecimento geográfico e cultural, do Maxerreque ao Magreb. Mennad sabia que tais viajantes deviam ter mapas das terras fatímidas, informação passível de ser usada de forma vantajosa por seu povo. Mennad planejava há tempos um ataque a fim de repelir os fatímidas, que desejavam retomar o controle do litoral do Golfo de Sidra e da cidade de Barneek das forças almóadas.

Os almóadas gritaram em triunfo ao encontrar o livro de anotações e os mapas esboçados de al-Idrisi. Mennad agarrou o livro e passou as páginas com avidez.

Mennad era experiente nos cursos da guerra. Lutara muitas batalhas e recebera longos espirais de cicatrizes pelo rosto, braços e costelas. Defendera muitas vezes seus homens em batalha. Mas sabia que os exércitos fatímidas eram fortes, e precisava de uma vantagem. Era um homem astuto.

Ele colocou o livro de al-Idrisi dentro das vestes e tirou o turbante. Uma cicatriz comprida e pálida cortava seu rosto.

— Agora, vocês pagarão por suas mentiras — disse ele. — Mas espero receber seus agradecimentos, espião, antes do dia terminar. Não tirarei a sua vida. Em vez disso, pela sua perfídia, você deverá lutar pelo Império Almóada na grande batalha por vir.

— Não faremos nada do tipo — disse al-Idrisi, fazendo menção de pegar sua cimitarra. — Libertem-nos.

Mas os cavaleiros almóadas puseram espadas e punhais em sua garganta. Cercado, o cartógrafo baixou a mão.

Mennad repuxou a boca num sorriso arrogante.

— Você se curvará à minha vontade como todo homem orgulhoso fez antes de você — ele prosseguiu. — Não sou um rebento novato, um jovem imprudente. Política e orgulho não significam nada para quem tem sede de verdade e liberdade. E quando eu não tiver mais utilidade para esses mapas e cartas de navegação — ele sorriu —, eu me certificarei de que os nossos inimigos não possam usá-los contra nós. Eu queimarei tudo isso.

Al-Idrisi, sabendo que sem seus mapas todas as viagens e dificuldades seriam em vão, abaixou a cabeça e chorou.

Mennad e seus homens conduziram a expedição deserto adentro, numa longa fila, postando guardas à sua frente, às suas costas e ao seu lado. Os almóadas os levaram para o oeste, contornando o pé de montanhas até alcançarem uma passagem que levava a um planalto. A subida foi muito lenta, um caminho natural pelos penhascos. E, embora Mennad tivesse roubado as anotações e mapas de al-Idrisi, este ainda analisava a passagem e sussurrava consigo mesmo, calculando mentalmente o ângulo do declive.

— Se sairmos dessa e eu conseguir terminar o meu trabalho — disse a Rawiya e Khaldun —, eu chamarei este lugar de *Aqabat as-Salum*. A Subida em Degraus.

— Ele não perdeu as esperanças — sussurrou Rawiya para Khaldun.

Viajaram durante dias. Depois do planalto, a estepe pedregosa virou um deserto de verdade, um trecho de areia amarelo e plano como a planta de um pé. Rawiya agora entendia que nenhum deserto era semelhante a outro. Compreendia: o deserto era vivo, uma coisa com sangue e fôlego, uma criatura de muitos braços estendendo os dedos.

Os almóadas conduziram a expedição para o seu acampamento. Ali, um patrulheiro contou a Mennad que guerreiros fatímidas haviam se reunido perto do Golfo de Sidra, entre Agedábia e Barneek, a menos de um dia de distância. Na confusão da tempestade de areia, a expedição desviara-se para o oeste muito mais do que seus membros haviam imaginado.

Os almóadas enfiaram Rawiya e Khaldun numa tenda e al-Idrisi em outra, postando um guarda do lado de fora. Com o livro em sua posse, Mennad não tinha mais utilidade para Rawiya e seus amigos, exceto reforçar seu exército contra os fatímidas — um confronto ao qual provavelmente não sobreviveriam.

Rawiya, incapaz de ver uma saída para o dilema, punha e repunha as cordas de sua funda, contando as pedras para a batalha vindoura.

— É uma pena — disse Khaldun, com a cabeça nas mãos. — Eu teria amado ver o trabalho de al-Idrisi terminado. Em vez disso, nossa jornada chegou a este ponto. E a morte de Bakr foi em vão.

Ele começou a chorar, deixando-se cair de joelhos e encolhendo-se.

Rawiya pousou a mão em seu ombro.

— Vamos encontrar uma saída. Vamos dar um jeito de pegar os mapas de volta.

— Como vamos fazer isso, com apenas um poeta, um estudioso e um moleque? — Khaldun desviou o olhar. — Desculpe. Você mostrou grande coragem, mas...

— Não — disse Rawiya. — Eu deveria estar me desculpando, e não você.

Ela fechou a porta de tecido com um puxão e inspirou fundo. Virando-se para Khaldun, tentou memorizar a bondade nos seus olhos negros, o modo como a luz moribunda incidia no seu rosto. Seus sentimentos por aquele homem bonito, aquele poeta gentil, haviam sido fadados ao fracasso desde o princípio, ela sabia. *Eu devo contar a ele*, pensou, *mesmo que ele nunca me perdoe*.

— Se vamos morrer amanhã — disse Rawiya —, você precisa saber que eu não falei a verdade quando me juntei à expedição de al-Idrisi. — Meu nome não é Rami.

A testa franzida de Khaldun suavizou-se.

— A nobreza não importa na estrada.

— Não é isso — disse Rawiya. Ela soltou o turbante. Nos meses anteriores, seu cabelo preto crescera num emaranhado de cachos. — E aí? Você nunca se perguntou por que nunca cresce barba em mim? Khaldun recuou um passo.

— Eu presumi que você fosse um menino novinho — disse ele.

— Meu nome é Rawiya, não Rami. — Ela fez uma pausa, lutando contra o nó de ansiedade em seu estômago, e examinou o rosto dele. — Sou uma mulher.

Khaldun ficou rígido como couro novo, com as mãos apertadas como se rezasse.

— Eu sempre soube que você era especial — disse ele —, e eu tinha um carinho por você que às vezes parecia superior ao de irmãos... — Ele sacudiu a cabeça, parecendo perdido. — O que diremos a al-Idrisi? Você mentiu para ele. Quando ele descobrir a verdade...

— Khaldun...

Ele se ajoelhou diante dela e abaixou a cabeça.

— Independentemente de quem é você, estou ao seu dispor, por salvar minha vida e minha honra — disse ele. — Só espero que Deus me conceda a coragem e a oportunidade de devolver o favor. Homem ou mulher, eu prometi segui-la até o dia da minha morte, e cumprirei o meu juramento.

— Khaldun. — Rawiya fez ele levantar. — Não se esqueça, você salvou minha vida mais de uma vez. Ninguém está ao dispor de ninguém. Só encontraremos uma solução juntos.

Khaldun devolveu-lhe um sorriso nervoso.

— Então o que faremos? — ele perguntou. — Se amanhã é o último dia da nossa vida, o que faremos enquanto a lua chora por nós?

Rawiya tocou sua algibeira, onde estava a metade do olho do roque. Aquilo, pelo menos, não fora roubado. Antes de Ibn Hakim cortá-lo ao meio, a pedra mostrara a Rawiya o rosto do seu pai, a sua voz. Permitira-lhe falar com os mortos.

Mas, naquela noite, Rawiya não precisava do seu poder para ver o que queria lembrar: a sua mãe, naquela noite no bosque de oliveiras, depois do seu pai ter imergido na escuridão, como ela sentara a filha no seu colo, com a lua salpicando a relva e o cheiro do mar as envolvendo. O que sua mãe dissera — aquelas palavras que, dez anos depois, haviam feito ela cortar o cabelo e partir para Fez, palavras que lhe permitiram acreditar num mundo mais bonito?

Rawiya fechou os olhos e inspirou.

— Deixe eu te contar uma história.

OS BARCOS DE RESGATE nos tiram dos botes salva-vidas e os bebês guincham como gatos. Respingos de água me encharcam até os ossos. Já no barco, meus dentes rangem, tornando impossível eu continuar chorando. Encaro o verde lá embaixo e me lembro do que aprendi no bote: o mar não é plano.

As pilhas da lanterna acabam. Mama se agarra à sua casca metálica como a uma costela extra; o sol se levanta acima dos destroços da balsa, que se encontra de lado, quase inteiramente afundada a essa altura. Barcos maiores borrifam água do mar no fogo, procurando sobreviventes. Do outro lado da borda da embarcação, o mar está vivo, agitando seus membros. A água guarda os mortos.

O homem de uma perna é separado de nós no barco de resgate. Ele tosse e enche o peito com arquejos, o queixo enegrecido, agarrando a perna. Só na luz se consegue ver onde o fogo o lambeu, as faixas pretas nas costas das suas mãos e nas suas bochechas. Os vergões onde o banco o estava esmagando não são tão óbvios, mas consigo discernir as serpentes vermelhas de hematomas nos pontos onde a madeira cortou a pele, as farpas que ficaram presas quando Abu Said o libertou.

Consigo discernir, através da multidão de gente trazendo água para ele e o envolvendo em cobertores, os buracos da sua camisa e a camiseta vermelha de futebol por baixo dela. Ele me vê, mas não sorri. Eu o encaro, procurando o olhar perdido que ele tinha sob o banco — o olhar de alguém que viu a própria morte. Eu estava certa, acho — encarar demais a morte pode marcar uma pessoa.

Mas ele apenas continua segurando o joelho envolto em curativos e sustenta meu olhar. Pessoas passam entre nós com água e cobertores térmicos, mas nenhum dos dois desvia o olhar.

E então o homem de uma perna só assente, como se soubesse que nunca mais nos veremos depois disso, como se ainda fosse se agarrar ao meu tornozelo se tivesse de fazê-lo outra vez.

OS BARCOS DE RESGATE nos levam a Nuweiba, a primeira parte que vi do Egito. A polícia verifica os documentos de todo mundo antes de deixarmos o terminal, emaranhados dos corpos envoltos em cobertores sacando passaportes e vistos encharcados. Logo desembarcamos aos tropeços, alcançando o sol verde.

O mundo está laranja daquele modo que as coisas ficam depois que você encarou o mar durante tempo demais. Navios chegam e deixam o porto, gingando. Meus pés ainda não estão funcionando direito, ainda tentando compensar as ondas inconstantes que não estão mais lá. É como se eu estivesse num skate invisível.

Eu avanço com um solavanco, tropeço e percebo que partes de mim vêm vazando esse tempo todo. Um fantasma de mim ainda jaz, disperso, pela estrada entre Amã e Aqaba. Fragmentos de mim vagam pelas ruas de Homs sob os toldos das lojas. Não tenho voz, não tenho âncora. Como posso evitar me despedaçar ao vento como sementes de dente-de-leão? Como posso evitar me esvair sem Abu Said e suas pedras para me segurar com seu peso?

Quando morávamos na cidade, eu pensava que os círculos pretos de chiclete na calçada eram pontos gravitacionais, que eram gravidade fabricada. Pensava que alguém os pusera ali para nos impedir de sair flutuando até o espaço. Afinal, por que não? Se pularmos alto demais, nós todos apenas escorregamos da terra? Se a cidade se esquecesse que é pesada, ela toda se alçaria e colidiria com a lua?

Agarro a mão de Mama e vasculho a calçada, procurando pontos de chiclete perdido. Mas não há nenhum, não os do tipo grande e preto que tínhamos em Nova Iorque. Um sobressalto de medo sobrevém como se eu tivesse batido o dedão do pé no escuro: não há nada me segurando, nada entre eu e o quadro de cortiça onde Deus pregou as estrelas.

Nos afastamos das multidões na saída do terminal da balsa. Somos uma corrente de pessoas: Sitt Shadid arrastando seus escarpins, Umm Yusuf abraçando o corpo de Rahila contra o seu, Zahra segurando a mão de Yusuf. Acho que ela não soltou desde o princípio do fogo na balsa.

A cidade de Nuweiba é cercada por montanhas altas, quase saídas da água, e a praia é polvilhada de barquinhos de pesca azuis e guarda-sóis de palha. Essa cidade litorânea de férias e os turistas passando de óculos escuros parecem tão errados hoje.

Na rua, Mama desenrola seu mapa, sacudindo-o para o caso de estar molhado. Mas, embora tenhamos perdido todas as nossas roupas e o meu bichinho de pelúcia, ainda temos o que está em seu saco de juta — o seu mapa enrolado e o tapete sujo, algumas latas de atum, frascos de aspirina pela metade e tubos de pasta de dente. Umm Yusuf e Mama discutem aos sussurros para onde ir, Mama piscando os cílios úmidos.

Observo os meus pés e respiro. As imagens retornam — Abu Said dobrando os joelhos, enrijecendo os cotovelos, os braços e as pernas girando em meio ao ar fumacento. Na minha mente, ele nunca atinge a água.

Espero os meus dedos do pé se erguerem, espero me sentir flutuando até o espaço.

Me deixo cair de joelhos, me agarro ao concreto com as unhas. Cubos de basalto e gotas de mármore granuloso como açúcar retinem no meu bolso esquerdo. No direito, a meia-pedra verde e roxa gira, envolta no lenço de Abu Said.

Fecho os olhos. Sua voz está me esperando lá, esperando para me chamar de nuvenzinha?

— Ele nos salvou — ouço Huda dizer. Abro os olhos e vejo as linhas na palma da sua mão. Ela se inclina e acaricia meu rosto. — Ele é a razão de termos vestido os coletes salva-vidas. Ele é a razão de termos baixado os botes antes do barco virar. Nós teríamos nos afogado sem ele. Ele nos deu tudo.

— Baba o salvou. — Quando ergo uma mão, a calçada deixa marcas na minha palma. — Então ele nos salvou.

Huda concorda e vira a cabeça para a palma da sua mão — aquele olhar amargo. A calçada morde as minhas canelas. Quero me convencer de que essa dor não é sem sentido. Quero que essas imagens de Abu Said signifiquem alguma coisa.

Huda seca a bochecha, coletando gotas d'água sob as unhas.

— O que você está fazendo? — pergunta.

Baixo os olhos para os meus joelhos no concreto e a minha mão espalmada no chão.

— Rezando — eu digo.

— Então eu também estou.

Huda tira da bolsa uma garrafa d'água pela metade e derrama um pouco nas mãos. Está realizando o abdesto, se lavando antes de rezar.

Não leva muito tempo para todos notarem suas ações, e Sitt Shadid, Yusuf e Umm Yusuf se juntam a ela. Sitt Shadid tira os sapatos e desenrola as meias três-quartos, esfregando água nas rachaduras dos seus calcanhares. Yusuf passa as mãos molhadas no cabelo. Mama estende o tapete sujo na calçada para nós. Nos ajoelhamos nele, tanto quanto cabemos, com os joelhos de Huda e os meus escapando do tapete. O concreto granuloso come as nossas canelas. Mama faz o sinal da cruz. Cada um a nosso modo, rezamos pela alma de Abu Said.

Mas ele estava certo. Embora Deus ouça, ele nem sempre responde.

Mama e Umm Yusuf estendem as palmas das mãos, enfatizando palavras com movimentos dos queixos e dedos. Em árabe, capto as palavras de Umm Yusuf: *Vamos para o oeste — Líbia — carro ou ônibus?*

Mama franze a testa. *Não temos dinheiro para um carro.*

Eu levanto e o céu faz menção de tocar o alto da minha cabeça. Há pedacinhos de concreto grudados nos sulcos da minha pele. O espaço entre nós se estende como uma mão vazia.

— Queria nunca ter saído de casa — eu digo. — Queria que tivéssemos ficado em Homs. Queria nunca ter vindo pra cá.

— Você perdeu o juízo? — Zahra gesticula duramente. — Nossa casa já era. Já era, pra sempre.

— Pode-se consertar as coisas — eu rebato. — Você não sabe.

— São escombros — diz Zahra. — Só sobraram escombros. Ou você não sabe o que é isso? É louça quebrada, idiota. Drywall. Meio prato. Braços arrancados de bichinhos de pelúcia. É vidro preto e poeira de gesso.

Prendo a respiração, tentando não gritar.

— Não sou idiota.

As pessoas na rua começam a nos encarar. Zahra planta os pés e se mantém firme, seus jeans rasgados úmidos de água do mar.

— Não — ela devolve. — Você está louca. Abu Said se foi. Você entende isso?

Huda se põe entre nós.

— Chega.

Minhas mãos se fecham como pedras angulosas e algo explode dentro de mim.

— Você é uma mimadinha — eu grito. — Você só se importa

com joias e garotos. Você não se importa com a sua família. Você não se importa com nada.

Todos se calam, incluindo Zahra.

— Parte de mim está morta — eu digo. O sol pinica as minhas canelas feridas. — Eu nunca nem soube que estava viva.

Zahra roda o bracelete.

— Por que você acha que eu uso isso? — Ela gira sobre os calcanhares e se afasta.

— O quê?

— O bracelete foi presente do Baba — diz Huda, baixando os olhos. — No aniversário de dezessete anos dela.

E então minha raiva se esvai. Aquele bracelete não é um bracelete para Zahra. É um ponto gravitacional.

Zahra vira numa esquina. Eu sigo os seus cachos negros, pesados de sal.

— Espere — eu chamo. — Desculpe. Eu não sabia.

Viro a esquina e bato com tudo nas suas costas.

— Olhe isso. — Zahra passa o dedo no muro. Há um papel pregado sobre o grafite lustroso. — São os horários dos ônibus no sentido oeste. Há um ônibus para Bengazi hoje à tarde, com conexão no Cairo.

―――

MAMA, UMM YUSUF E SITT SHADID juntam seu dinheiro e dividem o custo das nossas passagens de ônibus. Mama morde a parte interna da bochecha quando pagamos. Consigo vê-la fazendo cálculos de cabeça. Ela acha que não notei quanto ela pegou, o quanto cada gasto agora é como uma praga de gafanhotos abrindo buracos no pouquinho que nos restou.

Multidões nos seguem aonde quer que vamos. Pessoas se amontoam para entrar no ônibus, crianças sentadas no colo das mães, pessoas espremidas no corredor. A terra parece estar transbordando de famílias vindas de todos os países, não apenas do nosso. Vejo outras guerras em todo lugar — na cicatriz no queixo de uma moça ou nos hematomas no tornozelo de um garoto.

O ônibus está abarrotado de gente suja e cansada, mas não sentimos nosso próprio cheiro, nenhum de nós. Famílias compartilham pão, e o cheiro de noz de grãos de fava paira sobre os assentos. Eu sento entre Huda e Mama, tomando cuidado para me apoiar no ombro certo de Huda. Homens conversam baixinho atrás de nós.

O ônibus nos leva para o norte, seguindo as montanhas até alcançarmos Taba e nos voltarmos para o oeste. A estrada é um cotovelo entre colinas em forma de cone com faixas vermelhas e amarelas, sangrando areia. Passamos por guetos e acácias, lugares onde a areia formou crostas na estrada. Mama diz que a Península do Sinai tem turquesas enterradas em si, veios de verde-azulado encharcando a rocha. Ela diz que costumavam chamá-la de terra da turquesa.

Viro para o outro lado e penso: *Abu Said teria amado isso.*

O túnel chega depressa. Franzo a testa para um navio que se ergue sobre a areia, água que não consigo enxergar. Um cordão inteiro de navios se estende até a autoestrada e, por um minuto, penso que vamos atingi-lo. Então a estrada passa por baixo de uma ponte decorada com um mural de barcos a vela, mesquitas e pirâmides. O ônibus mergulha na escuridão.

— Estamos no Túnel de Suez — diz Mama. — Embaixo do canal.

O ônibus avança, barulhento, colado à parede, e as luzes passam voando. *Tchan-tcha-tchan-tcha-tchan.*

— Estamos embaixo dele? — pergunto.

Antes de Mama conseguir responder, saímos do túnel. Vemos a fumaça de poluição antes de avistar a cidade. O Delta do Nilo é uma faixa de verde, visto por esse ângulo, um dente empurrando o norte, saído de um amontoado marrom de prédios.

— Antes havia duas cidades aqui — diz Mama. — Perto do Cairo, havia uma cidade chamada Fostate. Ainda há ruínas de templos antigos lá.

— O que aconteceu com a outra cidade? — pergunto.

Huda se reclina contra a janela e se sobressalta, estremecendo, antes de fechar os olhos. Sua testa está tão quente que embaça o vidro gelado pelo ar condicionado.

Mama junta as mãos no colo, suas veias retesadas e verdes.

— A cidade maior devorou a menor — diz ela.

NÓS DESEMBARCAMOS na estação Turgoman, no Cairo. O próximo ônibus, aquele para Bengazi, é daqui a algumas horas. O terminal mais parece um shopping do que uma estação de ônibus: três andares, balaustradas de vidro, chão lustroso de linóleo. O cheiro vermelho-amarronzado de freios de ônibus se agarra mesmo às superfícies mais lisas. Os outros passageiros descem do ônibus num turbilhão e se espalham em meio às multidões, afastando-se do banco onde esculpimos um bolsão de calmaria em meio ao caos.

— Preciso me sentar um minuto.

Huda se arrasta até o banco e se abaixa, descansando a cabeça no próprio braço. Umm Yusuf se senta ao seu lado e seus olhos encontram os de Mama. Então olha para mim, tão rápido que quase não percebo. Ela está com aquela cara dos adultos quando querem proteger você, aquela cara que diz: *Não deixe ela ver*.

— Tenho que esticar as pernas — diz Mama. — Nur vai andar comigo.

— Vou?

Deixamos o terminal juntas. O calor se desenrola sobre nós como uma cortina caindo. Pisco na luz do sol. Atrás de nós, o brilho do sol transforma o vidro verde e azul do terminal em punhais de luz. Algumas famílias vagam pela praça e carros circundam a entrada. As calçadas parecem estranhamente vazias, especialmente agora que o Ramadã acabou. Olho para trás, para dentro da estação além do vidro, pensando na possibilidade de enxergar o interior do terminal e vislumbrar Huda, mas a multidão e o brilho do sol fervilham numa massa contínua. Não consigo vê-la.

Uma vez, quando eu era pequena, ajudei Zahra a tingir o cabelo de Huda. Ela estava dormindo, e nós nos esgueiramos até ela. Pasta de hena é verde como azeitonas moídas, embora tinja o cabelo de vermelho. Ajudei Zahra a pintar um punhado do cabelo de Huda com a hena. Foi engraçado até Huda se virar e a hena encostar no sofá. Mama deixou Zahra de castigo por uma semana quando ficou manchado.

— Eu não queria manchar — eu digo.

Mama franze a testa para mim.

— Manchar o quê?

— O sofá. Lembra?
— O que fez você pensar nisso?
Atravessamos a praça, evitando as vias de carros. Coço os shorts grudados nas minhas pernas.
— Eu não sabia que nós só o teríamos por cinco anos. — Minhas unhas quebradas ficam presas nos shorts. — Eu o estraguei.
— Na verdade, foi Zahra quem o estragou — diz Mama.
— Mas, se eu soubesse, não teria ajudado.
Eu não sabia o quanto as coisas podiam mudar rápido. Num minuto, Huda estava rindo e, no seguinte, o metal tinha se alojado no seu osso. Sua pele sangrou calor através das mangas durante toda a viagem até o Cairo. Ela nunca teve uma febre dessas antes, nem mesmo por gripe.
— Não foi uma mancha tão terrível. — Mama se vira e segue a calçada cheia, acompanhando a avenida, cutucando o botão branco leitoso da sua blusa, no ponto onde a costura está começando a soltar. — As almofadas já eram velhas. Elas não duram muito, não com três crianças.
— Mas eu não sabia o quanto aquele sofá era bom. — Limpo o nariz no braço, deixando uma longa faixa úmida. — Pensei que nós o teríamos para sempre.

Mulheres de vestidos compridos e homens de camisas de mangas curtas e sandálias vêm e vão em disparada, atravessando o tráfego. O Cairo voltou a ficar abarrotado de caminhões e bicicletas depois do feriado do Eid no fim de semana. Observo a agulha esticada da minha sombra conforme as pessoas passam às pressas. Minha sombra não tem nem mesmo a largura de uma costela de cordeiro do supermercado.

Mama envolve meus ombros com os braços enquanto andamos.
— Em algum lugar — ela diz baixinho —, seu baba está muito orgulhoso de você.
— Pelo quê?
— Por ser corajosa.
Cruzo os braços.
— Se Baba estivesse aqui, eu não teria que ser corajosa — digo.
— Todos nós temos que ser. — Mama aperta o chifre de osso na

ponta do meu ombro. — Esse colar... Eu já te contei? — Ela passa o fecho por cima da cabeça e segura o pedaço quebrado de cerâmica, com o cordão enrolado entre os dedos. Sua sombra no chão faz o mesmo. — Quando seu baba e eu nos casamos, morávamos em Ceuta. Sabia disso?

— Quer dizer, na Ceuta de Rawiya?

— Isso mesmo — diz Mama. — Mas morávamos a uma distância considerável da fronteira marroquina. Tínhamos um riad pequeno, perto de La Puntilla, ao lado do porto.

Ficamos quietas. Palmeiras e vielas cheias de lojas delineiam a rua. Uma está lotado de dúzias de lamparinas redondas forjadas à mão, outra, de lenços da cor de romãs e figos maduros, dobrados como lençóis de rubis. Há bolsas de couro empilhadas, formando torres. Prédios residenciais de concreto vão se amontoando mais na direção do cheiro de pepino que vem da água fresca. Um deles ainda está decorado com o cartaz rasgado de um político de terno risca de giz e gravata borboleta.

— Tínhamos um jardim grande e uma fonte de azulejos — diz Mama. — Disseram que a casa pertencia a um nobre, que tinha centenas de anos. Eram só histórias, sabe, mas escolhemos acreditar nelas. Observávamos o mar e dizíamos que um dia iríamos para a América, quando fosse a hora.

— Quando foi a hora?

— Nunca. — Mama ri e joga para o alto o pedaço de cerâmica na palma da sua mão. Quando foi a última vez que a ouvi rir? — Uma tempestade veio do estreito numa noite, como uma nuvem de morcegos. Os ventos destruíram o jardim e quebraram o telhado. Quando a tempestade foi embora, saímos e encontramos isso.

Mama me entrega o colar. A cerâmica está morna e meio torta, um azulejo arredondado, com vinhas azuis e brancas pintadas. Acho que nunca vi nenhum outro igual.

— O que é isso?

— Tudo o que sobrou dos azulejos da fonte. Ande, ponha. — Ela me cutuca, então ergo o cordão sobre a cabeça e o coloco. A cerâmica morna bate na minha barriga, balançando com meus passos.

— Vocês consertaram a fonte?

— Não. — Mama afasta o cabelo dos ombros. — Entendemos isso como um sinal e compramos nossas passagens de avião no dia seguinte.

— Para a cidade?

— Para a Síria primeiro — diz ela. — Seria um lugar melhor, achei, para criar as meninas. Mas não foi a mesma coisa para o seu pai com o seu tio longe e com Abu Said estudando no exterior, além disso. E, mesmo depois de uma década, aquela sede nunca o abandonou: por lugares distantes, suponho, as partes vazias do seu mapa. Então pegamos Zahra e Huda quando ainda eram pequenas e trocamos a Síria por Nova Iorque.

Imagino Mama e Baba de mãos dadas no aeroporto, observando os aviões com corpo de enguia deslizando pela pista. Imagino o terninho azul que ela costumava usar em reuniões com os compradores de seus mapas, aquela blusa branca impecável, o livrinho de bolso quadrado, encadernado em couro preto.

— Não entendo como você pode desenhar um mapa sem as partes vazias — digo.

Passamos por pôsteres de filmes e vinhas de grafite em vermelho e preto. Na esquina, há um policial da tropa de choque parado, com os quadris num ângulo perpendicular à rua.

— Algumas pessoas nascem sabendo que precisam preencher esses espaços — diz Mama. — Elas nascem com uma ferida e sabem desde o começo que, se não encontrarem a história que pertence a elas, essa ferida nunca vai sarar. — Mama faz uma pausa e gira o anel de âmbar. — Outras levam mais tempo para perceber isso.

Prédios velhos viram a cara na direção do sol, as molduras entalhadas das suas janelas de madeira e as suas portas altas embotadas por séculos de calor e vento.

— E quanto à casa de Ceuta? — pergunto.

— Nós a vendemos ao seu tio Ma'mun. — Mama ri outra vez, e mal acredito na minha sorte, na risada, nesse colar. — Demos, na verdade. Nós cobramos um quarto do preço.

— Então ele a consertou?

Mama franze a testa e ergue as sobrancelhas, o que adivinho ser um não.

— Não volto lá há anos — diz ela. — Durante a nossa última visita... antes de você nascer... ele ainda estava consertando a fonte. É difícil fazer uma coisa duas vezes, sabe, ainda mais igualzinha.

— Talvez não dê — digo.

— Talvez não. — Mama inclina a cabeça na direção do sol laranja. — Não exatamente.

Viramos à esquerda e caminhamos até alcançar a Rua 26 de Julho. Ela é uma artéria entupida de carros e bicicletas, homens andando com pão e pacotes na cabeça. Passamos uma loja que eu teria chamado de venda em Manhattan, com pilhas de caixas de comida embalada e latas de refrigerante enfileiradas como soldadinhos de brinquedo.

— Para onde estamos indo?

— Achei que você ia querer ver o Nilo — diz Mama.

Cutuco o pedaço de azulejo quebrado.

— Não. Estou falando do nosso destino final. Por que estamos fazendo esse caminho todo? Você disse que tem alguém nos esperando, mas não sei quem é.

— Vamos a um lugar onde podem ajudar — diz Mama.

Mas fico impaciente. Quero saber o que Mama quis dizer quando falou *se a pessoa errada descobrir quem está esperando* para Abu Said.

— Quem é? Quem está nos esperando?

Mama desvia o olhar para o fim da rua, onde as palmeiras acenam.

— Por favor, entenda, habibti: é mais seguro se você não souber de algumas coisas. E eu não quero alimentar demais nossas esperanças.

— Você não quer dizer as minhas esperanças?

— As suas também.

A água se desdobra diante de nós, do outro lado da rua, mas não percebo até pararmos de andar. Esperamos para atravessar a calçada oposta à avenida dividida e observar o Nilo ficar da cor de damascos enquanto o sol vai descendo.

— Eu te direi isso — diz Mama. — Se a gente se separar, use o mapa. Você vai ver o que é importante, onde está a rota. Nós acabaremos no mesmo lugar.

Isso soa como uma das charadas de Baba, e o mundo está estranho e sem sentido demais para charadas a essa altura.

— O mapa é idiota — eu digo, cruzando os braços sobre o cordão do colar. — Não tem nem nome nenhum. Eu vi.

Atravessamos a rua.

— É perigoso dizer ao mundo para onde você está indo o tempo todo — diz Mama. — E você nem olhou direito.

— Humpft.

E então não há mais nada entre nós e o Nilo: lamacento, verde--acinzentado e largo como o Rio East. A água é da cor das costas de um crocodilo, deslizando e agitando-se em nós largos e cordilheiras esculturais. O outro lado do rio é um borrão de prédios de concreto amarelo, outdoors vermelhos e luzes acendendo nos arranha-céus. Quase transmite uma sensação de estar em Nova Iorque. Quase.

— Quantos quilômetros precisamos cruzar hoje à noite?

— Na época de al-Idrisi, eles usavam a palavra *léguas* com mais frequência do que quilômetro — diz Mama. — Farsakh.

— Mas não é a época de al-Idrisi — eu digo —, e eu não sou a Rawiya. Rawiya nunca teve de pegar um ônibus abafado.

Mama dá uma risadinha.

— Você é mais parecida com Rawiya do que qualquer outra pessoa, na minha opinião.

O chão rumina e vibra sob mim quando um caminhão passa. Me agacho e passo um dedo sobre meus próprios cadarços, a língua onde Mama rasgou as costuras e colocou dinheiro, maços grossos de notas, e costurou de novo. Eu não entendi quando estávamos em Amã. Agora, longe de lá, as notas deixam meus tênis mais pesados. Elas me prendem ao chão. Se meus sapatos estiverem conectados ao concreto e o concreto estiver espalhado sobre a terra como pasta numa panela, eu poderei enviar minha história através dos meus ossos, das plantas dos meus pés, das ruas, para dentro da terra e do rio. Baba consegue ouvir minha história, nossa história, através da lama do Nilo?

— Venha — diz Mama. — Vamos lá.

Começamos o caminho de volta para a estação. Pego a mão de Mama.

— Baba devia gostar mesmo da fonte de Ceuta — eu digo. — Ele sempre gostou daquela no Central Park. Era como se ela fizesse dele uma pessoa diferente.

Às vezes eu surpreendia Baba encarando a água, como se estivesse esperando alguma coisa sair e bater nele. Me recordo do peso em meu bolso, a meia-pedra verde e roxa no lenço de Abu Said. Posso perguntar diretamente a ele?

— Seu pai estava perdido quando nos conhecemos — diz Mama.

— Estava procurando por si mesmo. Mas não há nenhum mapa para isso. — Ela sorri e passa um dedo na ponte sobre o meu nariz. Eu me afasto. — Você se parece muito com ele. Quando olho para você, tudo o que vejo é ele.

— Mas eu não sou ele.

— Não — diz Mama. Ela se cala e desvia o olhar. — Desculpe.

Quando eu era pequena, eu dizia a mim mesma que se alguém viesse e levasse Baba embora e fingisse ser ele, eu saberia a diferença por causa da cor da sua voz, aquela faixa marrom. Eu saberia pela cor do seu cheiro, os círculos verde-escuros e cinza que via quando cheirava seus pulsos. Mas agora eu penso: se as cores estavam apenas em mim, eu o conhecia de verdade?

— Se Baba não tinha um mapa de si mesmo, eu vi seu eu verdadeiro alguma vez? — pergunto.

— Quer saber? — Mama estica a mão para tocar o colar. — Os pontos mais importantes de um mapa são aqueles para onde não fomos ainda.

— O que isso quer dizer?

— Ele encontrou o mapa que estava procurando — diz ela. — Era você.

Nós vamos nos arrastando até a face vítrea da estação de ônibus.

— Você acha que existe um lugar no mundo onde ninguém nunca pisou? — pergunto.

— Acho que há mais deles do que o contrário — diz Mama.

◆

O BALANÇO DO ÔNIBUS para a Líbia me faz dormir de novo. Eu pego no sono no ombro de Huda ao som de Yusuf e Sitt Shadid falando baixinho em árabe.

Fico cochilando e acordando, sem me lembrar onde estou, em

qual cidade ou país. Me pergunto se já atravessamos a fronteira, sem nunca ter certeza de qual fronteira estou falando.

Não sonho mais, não de verdade, não desde que a bomba caiu na nossa casa. Os sonhos que tenho não quero chamá-los assim. Nas horas escuras entre o adormecer e o despertar, estou gritando e gritando, mas ninguém me ouve, nem eu mesma.

Os ziguezagues vermelhos dos freios do ônibus me acordam com o seu guincho agudo. É o mesmo dia? Está escuro, mas não como no horário após o jantar. Está mais para o escuro anterior à hora de sair para o trabalho, o tipo de escuro quando os varredores de ruas são os imperadores do pedaço.

Esfrego os olhos. Ar fresco vem flutuando das janelas rachadas, pungente e amarelo pelo sal.

Mama me cutuca.

— Estamos em Bengazi.

Não a ouço a princípio.

— Onde estamos?

— Líbia — Zahra diz, com a cara no colo dela, esperando as pessoas passarem. Ela não me olha. — No litoral oriental do Golfo de Sidra.

Mas Mama sussurra um nome da história em meu coração, dizendo:

— Barneek.

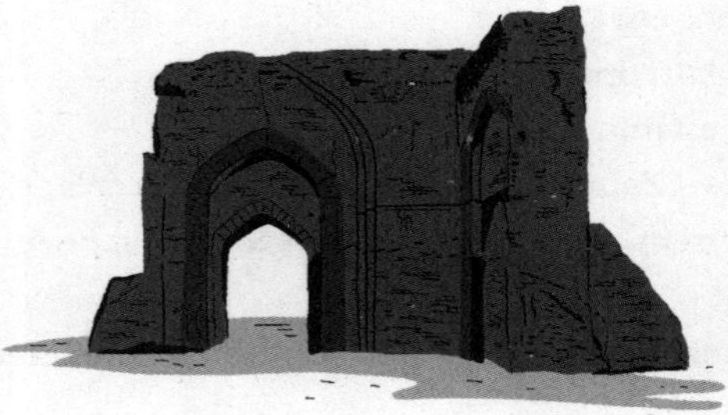

PARTE III

LÍBIA

Essa dor
tem mil faces; essa fome, dois mil
olhos. Meu amor, somos poetas, não
guerreiros, e mesmo os galhos um dia aprenderam
a se dobrar. E, assim como toda chuva vem do mar, nós somos as
línguas e os dedos do Asi: o rio, nossos ossos. Cada veia corre com ele; cada gota
de sangue é um choro na margem da água. Por que nossos joelhos se dobram
quando chegamos ao mar? Por que o arco de todos os pés se torna um sabre?
Acaso correremos eternamente para braços que nunca nos abraçarão, vozes que
nunca falarão nossos nomes? Pois todo poeta sabe que o mar em pessoa nunca
amou, meu amor, e está repleto das nossas lágrimas. Só o deserto sabe o que é o
amor. Só o deserto se abre quando vêm as chuvas, inalando nossa dor, suspirando
acácias, tamargueiras e flores. Só o wadi sabe o que é prender a respiração. Só o
wadi sabe o que é chorar de alegria, dizendo: sim, houve morte aqui e haverá de
novo um dia e, entre esses dois momentos, existe riso e a respiração ritmada
de gerações. Por quanto tempo devo prender a respiração? Sou as palavras na
língua da minha mãe, sou a poeira de estrelas inalada, sou o pulmão-mãe,
sou a terra-mãe. Acaso a estrada para o mar não amado se dobra sobre si
mesma? Eu usarei preto até o dia da minha morte, meu amor. Então
seu fantasma e o meu dançarão, e o útero do
vento nos respirará. Venha e veja. O
wadi incha-se com o riso dos
exilados retornando.

MAR DE ESPADAS E DENTES

NA MANHÃ SEGUINTE, os almóadas acordaram Rawiya e seus amigos antes da aurora. Equiparam a expedição com armadura de couro, cota de malha e elmos prateados pontudos. Sobre a armadura, foram obrigados a vestir as túnicas vermelhas dos guerreiros almóadas. Mennad ordenou que Rawiya carregasse uma lança com a bandeira vermelha, preta e branca do Califado Almóada em sua extremidade arredondada. Mennad e seus homens não tinham a intenção de matá-la junto com os amigos, mas sim absorvê-los em suas fileiras. Na batalha por vir, o mortal exército fatímida tomaria conta do resto.

Os almóadas não pilharam os fardos da expedição em busca de riquezas. Mennad era um líder maduro e astuto e disse aos seus homens que receberiam uma parte quando a batalha acabasse. Ainda assim, os guerreiros almóadas provocavam os servos da expedição, gabando-se da própria sorte. E, embora a metade remanescente do olho do roque continuasse escondida, Rawiya temia o que viria a acontecer se Mennad descobrisse seu poder de falar com os mortos. Onde Ibn Hakim fora imprudente e desconfiado em relação à magia da pedra, Mennad seria perspicaz o suficiente para ver seu valor, e Rawiya temia que o olho do roque permitisse a Mennad tornar-se o governante mais poderoso do Magreb. Por isso, enfiou a meia-pedra do tamanho de uma ameixa nas dobras de sua túnica.

O escudo vermelho do sol ergueu-se no leste. Mennad encontrava-se à parte de seus homens, estudando as anotações de al-Idrisi.

— Ele mantém o livro consigo o tempo todo — disse o cartógrafo. — Não podemos roubá-lo.

— Não deveríamos ter que roubar o que é nosso por direito — disse Khaldun.

Mas abaixou a cabeça, pois todos sabiam que o livro de al-Idrisi continha o conhecimento a respeito dos lugares por onde haviam viajado. Sem ele, nunca completariam o mapa do Rei Rogério e a sua missão.

Mas Rawiya, que estudara a paisagem enquanto os almóadas os conduziam para o Golfo de Sidra e Barneek, tinha outros temores. Seu pai contara-lhe histórias sobre aquela terra e suas feras, e a jovem não as esquecera.

— Há outros perigos com os quais deveríamos ter cautela — disse aos amigos. — Lembram das histórias sobre o ancestral território de caça do roque e seu retorno de ash-Sham para se alimentar num vale de cobras enormes?

Khaldun pousou a mão no cabo de sua cimitarra.

— Você não pode estar falando daqui...

Mas al-Idrisi notara os arranhões nos portões do Cairo e as felpudas penas brancas ao vento, e o modo como tais sinais pareciam acompanhar a expedição desde ash-Sham. Lembrava que Rawiya estivera certa antes quanto às histórias sobre o roque. Segurou a língua.

Enquanto ruminavam essas coisas, um guarda almóada correu até Mennad, com medo na voz:

— Senhor — disse ele —, nossos patrulheiros mataram uma fera não muito longe daqui, uma gigantesca serpente.

O olhar de Khaldun encontrou o de Rawiya.

— O inimigo do meu inimigo — disse ele. E Rawiya aquiesceu, moldando um plano em sua mente.

Os almóadas fizeram a expedição montar cavalos e a despacharam para junto das fileiras almóadas. Arqueiros tomaram os seus lugares atrás de guerreiros armados com cimitarras, lanças e punhais.

O exército almóada marchava do deserto interior rumo à costa, com a expedição cativa no meio. A estepe foi se tornando espessa com a quantidade de zimbros sob a sombra do Jebel Akhdar, a montanha florestada a leste de Barneek. Os almóadas ovacionavam e cantavam sobre fazer os fatímidas recuarem, sobre passar uma lâmina grossa da estepe ao mar.

O exército fatímida, envolto em verde, surgiu no horizonte. Mennad fez sinal para seus homens. Um grande brado nasceu entre suas fileiras e eles sacudiram as suas lanças e ergueram os seus arcos. Mennad levantou o livro de al-Idrisi como um talismã. E Rawiya, consciente do quanto suas chances de escaparem vivos da batalha — e com o livro de al-Idrisi — eram mínimas, apertou as rédeas em seus punhos.

Os exércitos avançaram sobre a estepe. Os guerreiros almóadas empurraram Rawiya, seus amigos e os servos da expedição em direção à primeira fileira. Os brados de guerra retumbavam nos seus ouvidos.

Os cavalos dos almóadas, treinados para a guerra, voaram pela estepe, e os guerreiros de túnica vermelha ganhavam o vento conforme avançavam. A muralha de soldados fatímidas assomava sobre eles como uma onda verde, um mar de flechas e gumes de espadas, aplainando a terra com o som de seus brados.

Mas, quando Rawiya e seus amigos ergueram suas espadas e flechas, um eco como um vento marinho passou entre eles. Do norte, um terceiro exército marchou em sua direção, vestindo cotas de malha e aço, com o estandarte vermelho e dourado de um leão hasteado.

Era a bandeira do Rei Rogério, as cores reais do Reino Normando da Sicília.

Os almóadas começaram a sussurrar e a gritar, dizendo: os exércitos sicilianos vieram da costa. E maldisseram seu azar.

Mas Mennad não queria recuar. Virou seu cavalo e ergueu o livro de al-Idrisi.

— Nós somos a dinastia almóada — ele gritou — e temos os segredos dos espiões fatímidas nas mãos. Vamos lutar.

Rawiya viu sua deixa.

Atirou-se para frente, girando a lança em sua mão, mirando a lâmina. Seu cavalo abriu caminho entre as fileiras de guerreiros, na direção da clareira onde Mennad se encontrava.

Mennad avistou-a. Ergueu a lança e estocou-a na direção do peito de Rawiya. Ela se desviou, apoiando o peso do seu corpo no flanco do seu cavalo.

Rawiya mirou com a lança a túnica de Mennad. Mas ele, que recebera de uma lança fatímida a cicatriz que dividia seu rosto, abaixou-se e enrolou o braço ao redor da haste da arma da menina, usando seu peso para bater a haste da lança no flanco dela, derrubando-a do cavalo.

Rawiya aterrissou de peito, tendo o fôlego arrancado de si pelo golpe, e ergueu-se sobre as palmas de suas mãos.

Mennad e seus homens a cercavam. Espadachins giravam suas lâminas, cimitarras lampejando, punhais gêmeos desembainhados. Arqueiros haviam posto flechas nos arcos.

Mennad soltou a lança de Rawiya. A peça tilintou contra o chão.

— Levante-se e lute, garoto. — Segurando a ponta da sua lança contra a garganta de Rawiya, disse: — Ou sua coragem fugiu?

Khaldun e al-Idrisi abriam caminho na direção dela através da estepe, mas o emaranhado de guerreiros os forçava a recuar.

Rawiya sabia que não conseguiria vencer Mennad sozinha. Ao pegar a lança, apanhou a metade do olho do roque nas dobras da sua túnica. Se o poder da pedra ainda fosse forte o suficiente, ela pensou, os mortos podiam sussurrar-lhe as fraquezas de Mennad.

Bebê Papagaio...

Bem quando Rawiya tocou a pedra do olho do roque, o chão retumbou e tremeu.

Dos penhascos arborizados, veio descendo em disparada um lampejo de verde. Era uma serpente gigante, mais veloz do que o cavalo mais forte, e com dez vezes o seu comprimento. A cobra ergueu a cabeça, sibilando, e apanhou guerreiros almóadas entre as duas mandíbulas.

Com um grito, as fileiras precisas estilhaçaram-se, abrindo-se ao redor da ameaça qual uma inundação.

— As histórias são verdadeiras — disse Rawiya. — O ancestral território de caça do roque. O vale das serpentes. Existe.

Mennad virou o seu cavalo, afastando-se da cobra, e agarrou o livro de al-Idrisi contra o peito. Um grupo de espadachins aproveitou a distração para avançar sobre Rawiya e seus amigos. Khaldun defendeu-se com sua cimitarra e Rawiya derrubou um homem da sela com a parte de trás de sua lança. Segurando as rédeas de seu cavalo — pois o animal era bem treinado e não se afastara muito —, Rawiya içou-se de volta para a sua sela.

Os gritos do exército normando aproximaram-se. Sangue corria em canaletas de poeira. Mennad escapou para a estepe aberta, flanqueado por guerreiros. Rawiya gesticulou para Khaldun e al-Idrisi, bloqueando um punhal almóada com a haste da sua lança.

Rawiya, Khaldun e al-Idrisi viraram-se na direção de Mennad e empreenderam perseguição, berrando como águias. Arrebentaram seu círculo de guerreiros, escapando. Mennad ergueu a lança, segurando o livro de al-Idrisi com força contra as suas costelas.

O exército normando desceu os penhascos acima de Barneek num vagalhão. Atrás deles, tanto os guerreiros almóadas quanto os fatímidas gritaram de terror quando outra forma verde veio cortando os exércitos, atirando homens para o alto e engolindo-os.

Mennad aguardou na clareira, de lança erguida, o caos à sua volta.

— Dê-nos o livro — Rawiya gritou para Mennad. — Por direito, é nosso.

Suor e sangue de Mennad escorriam-lhe pelo rosto.

— Então venha pegá-lo — disse ele.

Rawiya ergueu a lança, e os guerreiros de Mennad, suas lâminas.

Uma sombra passou acima deles. Uma figura branca sobrevoava as suas cabeças, bloqueando o sol.

Al-Idrisi deu um sorriso felino.

— A nossa ruína — disse ele, protegendo os olhos — ou a nossa salvação.

EM BENGAZI, a cidade que antes se chamava Barneek, o ônibus passa, ruidoso, por palmiteiros peludos e apartamentos de gesso em forma de caixa. A cidade se amontoa ao longo do litoral do Golfo de Sidra, cercada pela estepe vermelha e seca. Mama diz que o platô da montanha a leste se chama Jebel Akhdar, que significa "Montanha Verde". Até eu sei disso.

O ônibus vira à direita numa mesquita grande e suas rodas levantam poeira e pedaços de argila vermelha. Passamos um parque com mesas de piquenique vazias e construções com grafites de bandeiras em vermelho, verde e preto. O porto vazio cintila onde, Mama diz, aportavam antes os navios brancos de cruzeiro. A cidade é da cor de ovos tingidos, ou pelo menos era. Prédios comerciais de tamanho médio pintados de verde-pistache, azul pastel, amarelo-creme e róseo exibem manchas onde faltam pedaços de pedra. Há buracos torcidos, causados por explosões, nas balaustradas de ferro forjado das varandas, cuja cor são tons descascados de peônia. Na rua, balas lascaram as cortinas metálicas de lojas revestidas por tinta cor de sálvia.

Descemos no terminal e esticamos as pernas. Os corredores estão incrustados do fedor marrom-avermelhado de freios. Huda e eu somos as primeiras a desembarcar do ônibus. Ela tropeça nos degraus e quase me derruba.

Seguro seu cotovelo, embora eu saiba não ser forte o bastante para impedi-la de cair.

— Você está bem?

— Estou me sentindo meio fraca — diz ela. Vai andando com dificuldade até um banco e afunda nele. Sitt Shadid envolve seus ombros com um braço e diz algo a Mama — *quente demais*. Umm Yusuf se senta do outro lado de Huda e a deixa deitar em seu ombro. Mama põe uma mão na testa de Huda.

— Huppy?

Ela não me responde. Seus tênis não chegam a tocar o chão. Enrolo os dedos nos seus cadarços, amarrando o que se soltou. Quando levanto os olhos, os de Huda estão vidrados como os de alguém que respirou fumaça demais, como os de alguém preso embaixo de algo pesado demais para levantar. Sitt Shadid a abana e Huda passa a língua sobre os lábios rachados.

— Qual o problema? — pergunto.

— Só está muito calor — diz Mama.

O marrom-róseo dos lábios de Huda ficou cinzento e a pele fina sob seus olhos também.

— Tem certeza? — pergunto.

Mas Mama pousa a mão na minha cabeça.

— Você e Zahra, vão tomar um ar fresco. E, se algo estiver aberto — ela revira seu saco à procura de algumas moedas —, comprem algo para comer. — Aponta para mim. — Algo que consigamos fazer durar. Está bem? Temos um longo caminho para percorrer ainda e a nossa família não mendiga. Agora vão logo, vocês duas.

Não quero ir, mas Zahra me puxa para fora do terminal. Tragamos o ar marinho. Carros passam zumbindo lá na autoestrada, cobertos de poeira até as maçanetas. Os pneus girando criam tornados na sarjeta. As calçadas estão abarrotadas do que parecem ser pedacinhos de confete de ferro, mas, quando pego um, é uma bala usada.

Solto a ponta grumosa de latão e ela retine ao cair no chão. Limpo a fuligem nos shorts. Ergo a cabeça como uma pessoa que esteve dormindo por muito tempo e vejo a cidade pelo que é: os poucos homens caminhando pelas ruas de cabeça baixa não estão chutando os confetes para fora do caminho. Estão patinhando em meio a cascas de morte.

— Mama disse que, quando os rebeldes tomaram a cidade, atiraram para o alto para celebrar — diz Zahra.

Arrasto os pés nos espaços limpos, tentando não tocar o metal com os meus tênis, mas é impossível. Cada toque numa bala de bronze é roçar um tubarão.

— O que acontece quando as balas caem de lá de cima? — eu pergunto.

Para minha surpresa, Zahra pega a minha mão. Seu bracelete tilinta contra meu pulso.

— É melhor não ficar pisando aí — diz ela.

Atravessamos uma piscina de balas espalhadas e chegamos a um trecho limpo da calçada. O cheiro de fuligem e enxofre cede lugar a uma brisa marinha.

Toco o ouro delicado do bracelete de Zahra.

— Não sabia que Baba tinha dado ele para você.

— Ah. — Zahra solta minha mão. — Honestamente, esqueci que estava usando.

Chuto poeira e um ciúme formigante.

— Não me sobrou nada do Baba.

— Isso não é verdade — diz ela.

— Foi você quem disse que a casa já era.

— E no quarto de quem Baba ficava contando história toda noite?

— Zahra rosna. — Você trocaria isso por um bracelete? — Então ela esfrega a lateral da cabeça. — Eu não devia dizer isso. Nos últimos meses, não tenho estado muito presente. A morte de Baba... foi como se eu tivesse atravessado uma ponte e não conseguisse voltar.

— Não quero mudar.

— Mas não podemos ser as mesmas sem ele. — Zahra me puxa ao longo da calçada. — Ande. Pode ser que a gente nunca mais venha pra cá, sabia?

Então andamos. Toldos de lojas e varais bloqueiam o sol. Parabólicas lotam o topo dos prédios. Táxis pontilham as ruas. Avisto uma mulher com um cavalete na varanda de um prédio residencial, delicadamente pincelando tinta aquarela numa tela. Está pintando a paisagem urbana. E penso comigo mesma em quantas pessoas criaram coisas bonitas aqui, quantas pessoas continuam a criar coisas bonitas mesmo quando a vida se enche de dor.

— Quando ele te deu? — pergunto.

— O bracelete? Foi meu presente de aniversário ano passado.

— Zahra espicha o pescoço na direção do sol. O horizonte largo e enevoado estremece no calor. — Depois que ele se foi, senti que não tinha mais ninguém. Como se eu estivesse sozinha.

O que Mama disse? *Ele encontrou o mapa que estava procurando.*

— Mas eu estava aqui o tempo todo.

Zahra chuta uma pedra.

— Foi nisso que errei.

Alcançamos um caminho ao lado de um trecho aberto de água que leva a um pedaço de água ainda maior. Zahra e eu sentamos na calçada.

— Você sabia que os beduínos chamam este lugar de "Benghazi rabayit al-thayih"? — Rolo a ponta afiada de um seixo entre meu indicador e meu polegar. — Quer dizer: "Bengazi levanta os perdidos". Imigrantes viajavam da parte ocidental do Magreb, de al--Andalus... as pessoas vinham de todos os lugares para ficar aqui.

Zahra cruza os tornozelos na espuma de poeira.

— Gente como nós.

Um carro sai de uma rua atrás de nós e eu me viro. Na esquina, o muro de uma loja está coberto de caricaturas e grafites tão grossos que você não consegue ler as palavras.

Zahra se espreguiça de joelhos, aumentando os rasgos dos seus jeans.

— Você precisava de mim durante esse verão, mas eu me escondi onde ninguém podia ir — diz ela. Seus tênis estão cobertos de sujeira, a borracha branca na parte de baixo, preta de tanto andar.

— Fico triste com o que você perdeu. Você devia ter visto as coisas que Baba me mostrou quando eu era pequena. Você devia ter visto a Síria... como ela era antes. A gente comprava vagem fresca e fazia loubieh bi zeit e arroz. Levávamos nossos pratos e algumas cadeiras dobráveis para a entrada da garagem, debaixo da castanheira. Sitto costumava vir, os clientes de Mama, todo mundo. Essa era a Síria para mim. As vagens, as cadeiras dobráveis vergadas, as mãos oleosas das pessoas.

Escondo o rosto na dobra do braço.

— Agora já era.

— Mas não saiu de nós. — Zahra passa o polegar pelas costas da sua mão como se estivesse espalhando uma mancha invisível de óleo. — A Síria que eu conhecia está em algum lugar dentro de mim. E eu acho que dentro de você também, de certo modo.

No fim da rua, atrás de nós, dois homens discutem num dialeto que não consigo entender. Viro a cabeça e apoio a bochecha no antebraço, e os pelinhos que brotaram nele durante o verão estão molhados. Foco os olhos no bracelete de Zahra.

— Eu queria saber onde.

— Alguns lugares são difíceis de alcançar — diz Zahra. A poeira assenta nos rasgos dos seus jeans e ela chuta uma bala para longe.

— Se significar alguma coisa, eu sinto muito.

NO CAMINHO DE VOLTA, Zahra compra tâmaras, damascos e pão. Sinto o cheiro vermelho-amarronzado de freios antes de vermos o terminal de ônibus.

Lá dentro, Mama está com a mão na testa de Huda de novo. Ela revira a cabeça no ombro de Mama, com as pálpebras fechadas e vermelhas. Seguro a sua mão e está quente como uma panela no fogão a gás que tínhamos na cidade.

— Ela está com febrão — diz Mama.

Fulmino a cabeça de Mama com os olhos, mas ela não me olha. Por que ela deixou Zahra e eu sairmos, se Huda estava doente assim? Huda torce o nariz em seu sono.

— Eu deixei na mesa — diz ela. Quando Mama ergue a mão, a sombra dos seus dedos faz Huda abrir os olhos. Ela separa os lábios e uma pasta ressecada de saliva fica presa nos cantos da sua boca. — O fatuche. Eu fiz outra tigela. Onde está?

— Você estava sonhando, pequena. — Umm Yusuf abre a bolsa. — Tome isso.

Ela tira duas pílulas de um frasco plástico. Parece Tylenol, então deve ser algo para febre. Huda luta com uma garrafa d'água. Umm Yusuf abre para ela, que bebe.

— Habibti. Está se sentindo melhor? — Mama esfrega a lombar de Huda.

— Quando o remédio fizer efeito, vamos dar um jeito de conseguir um carro — diz Umm Yusuf.

— Não temos tempo. — Mama puxa as mangas da sua blusa mais para baixo, um gesto automático que ela costumava fazer quando os clientes vinham. — No ônibus, ouvi as mulheres conversando. Mesmo com o Conselho Nacional de Transição estabelecido, a luta na Líbia ainda não acabou. A violência e as armas estão transbordando na fronteira para a Argélia. Há rumores de que logo a Argélia vai fechar a fronteira com a Líbia. Talvez tenhamos alguns dias, não mais. O único modo de atravessar a Líbia a tempo é cruzar o Golfo de Sidra. Não temos tempo para contorná-lo.

Yusuf dá um passo na nossa direção, de mãos no bolso, com os olhos baixos.

— São mais de cento e cinquenta quilômetros daqui para Misurata, do outro lado do golfo.

O medo é uma aglomeração de besouros descamando os meus ossos.

— Não quero ir para a água de novo.

— Não há balsas mesmo — diz Zahra. — Não com a guerra.

— Não há balsas de passageiros. — Yusuf apoia os cotovelos no encosto do banco e gesticula para nos aproximarmos. — Mas há as balsas de ajuda humanitária. Elas atravessam o golfo a cada dois ou três dias. A gente podia dar um jeito de vocês embarcarem...

— Por favor. — Umm Yusuf agarra o banco atrás dos ombros de Huda. — Chega de balsas. Chega de riscos.

— E esse é meu exato argumento. — Mama devolve uma mecha do cabelo de Huda para dentro do hijab antes de se voltar para Umm Yusuf. Ela dispara a falar árabe. Observo os movimentos da sua boca e cada palavra se acende como uma lâmpada nova. *A luta está se espalhando como fogo pelo golfo. Sirte fica entre Bengazi e Misurata. Ficará sob cerco dentro de uma semana.*

Umm Yusuf inclina-se para Mama, do outro lado de Huda. *Vamos dirigir rápido. Vamos evitar os confrontos.*

Não dá para evitar, Mama rebate.

A última vez que Mama brigou com alguém assim foi nas últimas duas semanas antes de Baba morrer. A maioria das suas brigas era em árabe, mas eu sabia que tinha a ver com a quimioterapia. Baba já não aguentava mais sofrer, mas Mama não estava pronta para deixá-lo partir. Há algumas coisas que você não precisa de palavras para dizer.

Percebo, pelo rosto de Umm Yusuf, que ela não vai ceder, mas Mama está frenética. *As estradas viraram terra de ninguém,* diz ela. Penso nas ruas da cidade, nos prédios cheios de cicatrizes, no modo como os tapetes de balas e cartuchos vazios seriam arrastados e se espalhariam numa ventania.

Mas Umm Yusuf corta o ar diante de si com a palma da mão. *Dizem que já confundiram balsas de ajuda humanitária com rebeldes,* diz ela. *O confronto ainda está feroz de Misurata a Trípoli. Vocês podem ser atacadas por mísseis.*

Mísseis?

Ambas suspiram e olham para o outro lado por um segundo. Seus olhos recaem sobre mim. Pelas suas expressões, percebo que pensam que não entendi. Pensam que não sei o que um míssil ou uma bomba pode fazer com madeira e metal e pedra. Pensam que não consigo mais ver a altura das ondas no Golfo de Aqaba se fechar os olhos.

Mas o alto da minha cabeça está pulsando e os meus dedos tremem e, na minha mente, conto as famílias destruídas que vi. Conto os pais ausentes e os irmãos enterrados, dando forma e fôlego àqueles deixados para trás, me perguntando quantas vezes se pode perder tudo antes de se abrir para o nada.

Mama sacode a cabeça e diz:

— Onde não há ordem, as pessoas vão tirar vantagem.

O olhar de Umm Yusuf voa para Sitt Shadid.

— Não vou arriscar.

Zahra puxa seus polegares de novo.

— Quanto tempo precisamos ficar escondidas, se nos esgueirarmos para dentro de uma dessas embarcações?

— Vocês devem chegar a Misurata em um dia — diz Yusuf. — Se se esconderem em meio à carga, terão boas chances.

— Como assim, "vocês"? — Zahra agarra seu cotovelo. — Vocês vêm conosco.

— Sitti não vai cruzar a água — diz Yusuf. Sitt Shadid o observa, apertando os olhos ante seu inglês. — Ela nunca mais vai cruzar a água na vida. Diz que perder uma pessoa já foi suficiente. Ela não quer mais morte.

Os nós dos dedos de Zahra ficam brancos no antebraço dele.

— Por favor, eu não... — Ela abaixa a cabeça, seu cabelo ficando preso nos botões das suas mangas. — Já não perdemos o suficiente?

Yusuf desvia o olhar. A pele sob seus olhos está vermelha por causa da falta de sono e do sal.

— Não vou abandonar Sitti. Não me peça para fazer isso.

Huda estremece entre Umm Yusuf e Mama, pressionando seu rosto no braço dela.

— E se fecharem as fronteiras? — Mama segura o ombro de Umm Yusuf. — Se você dirigir por centenas de quilômetros e não puder continuar, o que vai fazer?

— O futuro vai se desenrolar como tem de ser. — Umm Yusuf segura a mão de Mama e encosta sua testa à dela, e o cabelo de

Mama se agarra à estática nas dobras do lenço de Umm Yusuf. — Maktub — diz ela. *Está escrito.* — Temos que arriscar.

Só percebo que estava prendendo a respiração quando fico tonta. Sento no banco perto de Huda. As águas agitadas do golfo golpeiam o interior do meu crânio. Abu Said está me esperando em meio ao verde?

Toco o lenço de Huda. As pílulas de Umm Yusuf não devem estar fazendo efeito, porque a poeira em meus dedos fica escorregadia, virando uma espécie de pasta com o seu suor.

NAQUELA NOITE, acampamos atrás do depósito da balsa, ocultas por caixas de carga de auxílio humanitário que supostamente serão levadas para dentro da balsa. Mama dá algumas moedas a Umm Yusuf para ajudá-los a pagar por um local onde passar a noite. Então nos despedimos de Umm Yusuf e da sua família e lhes desejamos boa sorte.

Mama estende o tapete sujo atrás das caixas do carregamento. Ela e Huda dormem lado a lado, com seus tornozelos nus no chão. Zahra apoia a cabeça numa caixa. Quando avisto Yusuf correndo de volta até nós, sou a única acordada atrás do depósito da balsa. Ele chega como uma sombra por entre os prédios, abaixando-se entre caixas e varandas.

— Você voltou — eu digo.

— Prometi que ajudaria vocês a embarcar e vou — diz Yusuf. Ele senta ao lado de Zahra, que se apoia no seu calor sem abrir os olhos. Ele enrijece os ombros e abaixa a voz. Está tentando não acordá-la.

— Tenho que pedir desculpas. — Abaixo a cabeça e remexo os pés, minhas pernas cruzadas em posição de lótus.

— Pelo quê? — pergunta Yusuf.

— Por estar errada a seu respeito.

Huda e Mama roncam no tapete sujo. Seus desenhos se foram, misturados pelo fogo e pela poeira e pela terra. Era bonito, anos atrás, quando Sitto o deu a Mama como um tapete de oração e ele ficava num lugar de honra na nossa casa.

Esfrego minha cabeça espetada. Também não estou mais tão bonita.

— Pensei coisas ruins a seu respeito — digo a Yusuf. — Pensei que você fosse como os outros homens maus.

— Que homens maus?

— Os que pegaram Huda — digo. — Os que levantaram a saia dela. Eu chutei e arranhei e mordi um deles e fiz ele sangrar. Mas eu não era grande o bastante para pará-lo. Ele só continuava soltando o cinto.

Meus olhos ardem como fogo úmido, minha garganta cheia de ácido.

— Ela não deu um pio. — Yusuf seca meu rosto com sua manga. — Você e suas irmãs passaram por coisas que ninguém deveria ter que enfrentar. Vocês não têm como ter passado por tantas coisas ruins e continuar iguais.

— Coisas ruins? — eu fungo. — São só coisas.

Yusuf tira do bolso a sua faca dobrável e faz aquilo de novo, aquela coisa de abri-la e fechá-la com uma mão só.

— Nós partimos depois que o meu pai foi morto no caminho para o trabalho — diz. — Ele estava a meio quilômetro do prédio comercial, e acabou. A bomba veio do nada.

— Atingiu ele?

Yusuf abre a faca de novo.

— Atingiu o prédio do outro lado da rua. O térreo desmoronou. Uma pedra voou... — Ele estala a língua e bate com o indicador na têmpora. — Dizem que morreu na hora. Sem dor.

— Sempre dizem isso. — A noite avança sobre nós, fazendo os pelinhos de meu braço se eriçarem. — Sempre dizem que nada doeu e que foi rápido. Mas você já viu, então sabe que não é verdade.

— As pessoas dizem muita coisa para se sentirem melhor.

Fico mexendo no concreto duro. Huda e Mama se reviram no tapete e dois pombos acomodados numa caixa da carga se sobressaltam e voam, arrulhando. À distância, um carro se afasta e alguém atira na noite com uma metralhadora.

— Aposto que você voltou à rua onde aconteceu — digo.

— Antes de partirmos, eu fui lá — diz Yusuf. — Eu costumava andar naquela esquina a caminho de casa uma vez por semana, mesmo sendo fora do meu trajeto.

— Engraçado.

— O que é engraçado?

— A gente sempre volta — digo. — Voltamos a locais de morte. É como se alguém morrendo abrisse uma porta e temos que ir lá olhar.

— Talvez o que não está lá seja mais importante do que aquilo que está — diz Yusuf.

— Talvez.

Ele fecha a faca de bolso com um estalo.

— Eu gostava de encontrar pessoas e ouvir as suas histórias. Mas agora eu fico me esquecendo de quem sou. — Ele estende a faca para mim. — Isso era do meu pai.

Eu pego. Antes havia um nome entalhado à mão no cabo de madeira, mas sofreu tanto atrito ao longo dos anos que não se consegue ler mais. A faca retém o calor das mãos de Yusuf.

— É bonita — eu digo.

— É sua.

— O quê?

Não consigo discernir a expressão de Yusuf no escuro.

— Ninguém deveria viajar sem uma faca de bolso — diz ele. — Quero que você e a sua família cheguem onde estão indo. Quero que fiquem seguras.

— Obrigada. — Na minha mente, eu penso: *Algum dia voltaremos a ficar seguras?* Coloco a faca no meu bolso esquerdo porque o direito ainda contém o peso da meia-pedra verde e roxa. — Às vezes eu sinto que todas as pessoas que já conheci ainda estão comigo. Como se estivessem logo ali na esquina e fossem surgir a qualquer segundo.

— Isso parece legal.

— Você sabe que não. — O mar se enruga como um papel-toalha.

— Será que algum dia some essa sensação de que a terra é um grande nervo? Como se os mortos sentissem todo lugar onde você pisa?

Lá no porto, a água mastiga e estoura, cinza e preta, como uma pessoa mascando gelo.

— Eu não sei se a dor passa — diz Yusuf.

Ele dá batidinhas no espaço ao seu lado e eu me sento ali com a cabeça no seu ombro. Ficamos assim, Zahra deitada num lado de Yusuf e eu no outro, até os pombos pararem de arrulhar. Adormeço.

◆

SONHO ESTAR FLUTUANDO no Mar Vermelho. Mergulho e procuro por Abu Said. Ele está em algum lugar em meio ao verde das algas, onde não consigo encontrá-lo. Eu procuro e procuro, meus olhos queimando por conta da água salgada, até meu peito arder e estremecer e eu precisar subir para respirar.

Engulo o ar e começo a achar que talvez eu esteja errada, e não apenas a respeito de Yusuf. Talvez eu estivesse errada sobre Homs e a Síria, e sobre a cidade também. Talvez meu lar nunca houvesse sido onde pensei.

A água está preta como ônix. Me deito na escuridão com as estrelas acima e o sol despontando, verde. Me lembro do bosque de oliveiras nos arredores de Homs, as folhas como palitos de dente verdes e prateados. Me lembro do cheiro da figueira, o óleo roxo das suas raízes, o mofado do suor da sua casca.

As coisas teriam sido diferentes se eu houvesse contado a minha história para algo além da terra? Se eu tivesse contado a minha história na estrada, no ônibus, no açougue, para o velho contador de histórias, para a tocadora de oboé lavando sangue das mãos, para o homem de uma perna só que antes jogava futebol — se eu houvesse contado a eles a minha história, eu saberia contá-la a mim mesma?

Nesse momento, começo a pensar em Deus. Me pergunto: como Deus não fica devastado com as coisas terríveis do mundo? Se ele ou ela vê cada pessoa, então como Deus não fica tão triste a ponto de não conseguir continuar olhando? Se a vida é um noticiário, por que ela ainda lê as manchetes?

Por que Deus não desvia o olhar?

Mama diz que Deus sente tudo. Mas suportar cada coisinha ruim, cada joelho ralado, cada casa explodida? Homens ruins levantando uma saia plissada num puxão? O tinido da fivela de um cinto no asfalto? Afogar-se com os bolsos cheios de pedras? O grito vermelho de bombas? Mochilas de plástico sob tijolos? Partidas sem despedidas? Balas abrindo buracos até os ossos? Prédios destruídos, corpos destruídos, línguas destruídas? O peso horrível de tudo?

Pode uma tristeza ser pesada demais para Deus? Talvez ela consiga suportar tudo, mas não sei se eu consigo. O mundo é uma pedra em mim, englobando o peso da voz de Baba e da velha torre do relógio e do homem vendendo chá na rua. Quero acreditar que as coisas vão melhorar, mas não tenho as palavras para dizer como.

Então conjuro a imagem de um coração embaixo de tudo, batendo sob o peso da esperança por algo melhor. Imagino esse grande coração abaixo do mar, bombeando compaixão como sangue espesso, drenando a raiva e a mágoa.

Esse coração enche a água de calor. Ele me levanta como uma semente de mostarda para dentro da boca escancarada de uma baleia. A água sangra a escuridão sob mim e Deus sorri por entre as rachaduras das coisas partidas. Sou uma migalha de porcelana. Sou um dente perdido. Sou um fragmento de lápis-lazúli.

A manhã chega. Yusuf observa a escuridão. Eu me agarro àquela imensidão sob mim, àquela grande bondade. Mantenho os olhos fechados e imagino ainda ser aquela minúscula pedra azul na terra, esperando Deus limpar o sal da minha pele.

A PROFUNDEZA VERDE

A BARRIGA BRANCA DE UM PÁSSARO passou lá no alto, exibindo suas ameaçadoras garras prateadas num lampejo. Mas Rawiya, Khaldun e al-Idrisi estavam cercados por Mennad e seus homens, que se mantiveram firmes. Não podiam fugir.

Mennad ergueu o livro de anotações e mapas de al-Idrisi.

— Você vai ter de arrancá-lo das minhas mãos.

Acima deles, o grande pássaro passou planando, atraído ao campo de batalha pelo fedor de sangue. Mennad ignorou-o.

— Com tais conhecimentos acerca de nossos inimigos, seus postos avançados e suas rotas comerciais, nós libertaremos o Magreb dos almorávidas e dos normandos. Você consegue imaginar quantos anos esperei para ver o meu povo ascender? — Sua voz engrossou com a antiga dor que perpassou seu rosto qual uma sombra. — Eu preferiria ver o livro queimado do que nas mãos de outra pessoa.

Mas, enquanto ele falava, um rugido ergueu-se da terra, cuspindo no ar flocos de argila vermelha e poeira.

— Cuidado! — exclamou Rawiya.

Ela puxou as rédeas do cavalo de Khaldun. Uma parte do chão afundou, formando uma tigela no ponto onde eles haviam estado. Seixos deslizaram para dentro da cicatriz até ela se escancarar num buraco, drenando areia solta e raízes de moitas. Logo o poço engoliu os arbustos de zimbro e pedregulhos. O buraco enorme tornou-se uma caverna, soltando vapor e sibilando.

Os homens de Mennad sussurraram e tremeram, segurando com força as rédeas dos cavalos aterrorizados.

Do buraco, saiu, contorcendo-se, uma enorme cobra cor de esmeralda, cujo corpo tinha a largura do tronco de uma palmeira. Suas escamas eram espelhadas como pedras preciosas; seus olhos, globos de âmbar. Ela jogou a cabeça para trás e escapou da terra, debatendo-se, agitando-se na areia. Esticou a língua rosa, retorcendo-se qual uma enguia.

— Não se mexam — sussurrou Rawiya.

Um dos homens de Mennad deixou o círculo, mas a serpente foi mais rápida. Ela deu o bote com a cabeça e ergueu da sela o homem, que gritava, engolindo-o inteiro. Em seguida, ela cruzou o que restara das fileiras almóadas, espalhando-as e queimando-as com veneno ácido.

— Os exércitos! — gritou Khaldun.

Todos os três batiam em retirada. Dúzias de cobras gigantes eclodiram do chão, e o imenso pássaro branco mergulhou na direção delas, carregando guerreiros e serpentes nas garras. Os fatímidas e almóadas saíram de formação, apavorados, com seus cavalos guinchando. As fileiras fugiram em todas as direções, correndo para a estepe ou para o Jebel Akhdar. Os normandos retiraram-se na direção de Barneek, onde um barco aguardava.

— Não podemos perder o exército do Rei Rogério de vista — disse al-Idrisi, consciente de que, se não recuperassem seu livro e embarcassem no navio normando, nunca conseguiriam atravessar o território almóada até os postos avançados normandos em Ifríquia.

Agora, Mennad era um guerreiro corajoso, mas não um tolo. Enquanto a cobra arrasava o exército almóada e fazia seus homens recuarem, ele virou seu cavalo e escapou pela estepe, enterrando o livro de al-Idrisi em suas vestes.

Rawiya deu a volta e perseguiu-o, com sua túnica vermelha esvoaçando ao vento.

Veio um lampejo de verde. Uma cobra gigante, cuja barriga era uma corda branca desenrolando-se de dentro da terra, dobrou-se diante de Mennad e investiu contra ele.

O general ergueu a lança contra suas presas. A criatura sibilou e gotejou veneno, corroendo o chão. Recuando, atacou de novo, arranhando o braço dele com um dente do tamanho de um punhal.

Mennad soltou um grito e vacilou sobre a sela, agarrando o braço ferido. A cobra enrolou-se em torno dele, sem lhe oferecer escapatória.

— Ajudem-me — Mennad gritou para Rawiya e seus amigos.

— Eu imploro.

— Nós vamos, se você nos der nossa propriedade e nossa liberdade — disse Rawiya. — O livro é nosso.

— Vocês estão livres então. — Mennad jogou a lança para o braço bom. — Mas o livro é meu.

Mennad estocou a cobra com a lança, mas a ponta resvalou nas escamas duras. A cobra chicoteou com o pescoço, escancarando as mandíbulas. Mennad atirou-se para fora do caminho, mas a massa corporal da serpente quase o derrubou da sela. Ele envolveu o pescoço do seu cavalo com um braço e endireitou-se. O sangue fazia a manga da sua túnica grudar na pele.

— Devolva o que é nosso por direito — gritou Rawiya — e nós ajudaremos com prazer.

— Não seja tolo — gritou al-Idrisi.

Mas Mennad passara metade da vida lutando por seu povo e passara meses procurando por aquele livro contendo os segredos dos fatímidas. Não cederia.

A serpente apertou a extensão do seu corpo ao redor dele e esperou para dar o bote, pois sua presa já estava quase sem forças.

Mennad investiu com sua lança uma última vez, mirando a boca aberta da serpente. Mas com um borrifo de veneno, a fera fechou a bocarra na lança e girou o pescoço imenso, quebrando a arma e arrancando-a das mãos do general.

O veneno ácido da cobra atingiu-o bem no rosto, aprofundando sua cicatriz antiga. Ele gritou e dobrou-se sobre o pescoço do seu cavalo. A serpente sibilou e cuspiu a lança quebrada, empinando-se outra vez.

Mennad, sabendo estar derrotado, pôs a mão dentro da túnica.

— Vocês estão livres — disse. — Eu dou minha palavra.

E atirou o livro de couro para al-Idrisi. Quando o cartógrafo o apanhou, o lampejo de movimento capturou a atenção da serpente. Ela avançou sobre Khaldun, que estava mais próximo. Ele apressou-se a bloquear as presas com sua cimitarra.

— Khaldun! — Rawiya colocou uma pedra na funda e soltou-a. Ela atingiu a cobra no pescoço, resvalando em suas escamas. Rawiya praguejou.

A cobra recuou e investiu de novo, dessa vez na direção de al-Idrisi.

— Use isto. — Rawiya atirou sua lança para ele. Al-Idrisi estocou na boca da serpente, que guinchou, com sangue pingando das presas, e atacou outra vez.

Al-Idrisi bloqueou a cobra com seu escudo almóada, então o soltou no chão depressa. O metal chiou e fumegou conforme o veneno o corroía, deixando um buraco.

Rawiya só tinha mais uma pedra na algibeira. Posicionando-se na frente dos amigos, colocou-a na funda e estreitou os olhos contra o sol, estabilizando a respiração.

A cobra empinou-se ante essa nova ameaça e abriu as mandíbulas. Rawiya deixou a pedra voar. Ela atingiu a serpente no fundo da garganta, explodindo com um chuvisco de sangue. A fera urrou como um trovão. O imenso corpo grosso pairou no ar, de olhos embotados, antes de desabar no chão, quebrando arbustos e zimbros, fazendo o chão tremer.

Mennad, um homem de palavra, assistira tudo isso, sangrando sobre a sua sela. Então ergueu a mão para Rawiya, Khaldun e al-Idrisi. O seu rosto e as palmas das suas mãos ficaram marcadas pelo veneno e pelo sangue.

Depois de um momento, o cavalo de Mennad foi mancando até os homens dele. À distância, as grandes cobras perseguiam o resto dos guerreiros almóadas e fatímidas até a estepe.

Al-Idrisi jogou a lança almóada no chão, o sangue da serpente pegajoso na areia.

— Esta, imagino, não será a última batalha que veremos — disse ele —, embora eu torça para que sim.

Enquanto eles lutavam contra as cobras gigantes, as forças normandas vinham recuando de maneira uniforme na direção de Barneek e da costa do Golfo de Sidra, onde ficava o porto. Rawiya gesticulou para os amigos e virou o cavalo na direção dos pontinhos dos cavaleiros, do tamanho de pérolas ao longe. Al-Idrisi chamou os servos, que os seguiram.

A expedição alcançou a fina linha dos homens do Rei Rogério, os cascos dos seus cavalos levantando poeira vermelha. Do outro lado, o golfo cintilava, roxo.

Rawiya vira o imenso pássaro branco carregando dúzias de homens em suas garras, mas a fera ainda não estava satisfeita. Ficara rodeando o campo de batalha, planando longamente, à procura de algo.

Na verdade, o pássaro monstruoso não estava minimamente interessado em Mennad e seus homens. Ele vislumbrara uma pedra numa funda e, se sua memória não lhe faltava, sabia muito bem a quem aquela funda pertencia.

Enquanto a expedição varria a estepe, o imenso pássaro sobrevoou-os. Ele virou-se ao alcançá-los, revelando um lado do seu rosto e então o outro.

O olho remanescente apareceu primeiro, amarelo pálido e maior do que um punho. Então o pássaro se virou e Rawiya viu a cicatriz. Um corte grande fechara-se onde o outro olho deveria estar, uma cicatriz rosa destituída de penas.

A fera caolha bateu as asas e ganhou altura, preparando-se para mergulhar. Rawiya sentiu um frio na barriga, lembrando a promessa do roque, antes dele fugir de ash-Sham, de se vingar da expedição.

— Separem-se! — ela gritou, impelindo o seu cavalo a avançar quando o roque mergulhou sobre eles. — Ele não pode perseguir todos nós.

Eles se separaram, fazendo zigue-zagues, e al-Idrisi afastou-se de Khaldun e Rawiya. Eles viraram os cavalos para a direita e para a esquerda, evadindo-se do bico do roque.

A costa apareceu no seu campo de visão, com a estepe vermelha tombando sobre areia branca. O roque caolho guinchou ante a água. Ele se virou, batendo as asas e rodeando, dando um descanso temporário à expedição.

Os normandos preparavam-se para embarcar e levantar a âncora, mas, quando viram a cota de malha e as túnicas almóadas dos membros da expedição, gritaram e brandiram suas espadas. Os sicilianos normandos e os almóadas eram inimigos, e não queriam dar ouvidos às explicações de al-Idrisi. Logo, cercaram a expedição. Um normando avançou, trazendo um escudo da corte do Rei Rogério, pintado de vermelho-rubi com o símbolo de um leão rompante dourado. Ele empunhou a espada.

— Suas últimas palavras antes de voltarem ao pó? — disse ele.

Mas al-Idrisi tirou seu livro de anotações da bolsa. Usando seu punhal, cortou o invólucro de couro empoeirado do livro e ergueu bem alto sua capa.

Os normandos arquejaram e recuaram um passo. Sob o invólucro de couro, a capa do livro de al-Idrisi tinha uma gravura no vermelho magenta real, uma cor usada somente pelo próprio rei siciliano. Trazia o selo pessoal do Rei Rogério, o mesmo que Rawiya vira no seu manto quando ele os saudara em Palermo: um camelo e um leão dourado, com rosetas vermelhas indicando as estrelas da constelação de Leão, o símbolo do poder do Rei Rogério. Os normandos não precisavam ler a inscrição em árabe para saber que o livro fora feito na oficina real, que o seu portador estava sob a proteção pessoal de Sua Majestade.

O guerreiro normando inclinou o queixo e tocou a testa.

— O senhor tem alguma mensagem para o rei? — perguntou.

Al-Idrisi tirou o elmo.

— Só uma mensagem sobre as maravilhas das mãos de Deus.

— O senhor é o cartógrafo, amigo do Rei Rogério!

— Eu mesmo — disse al-Idrisi. — E meus servos... Não, não são mais meus servos ou aprendizes. Esses são meus amigos: Khaldun, o poeta de Bilad ash-Sham, e o jovem guerreiro Rami.

Ele falou rapidamente da sua tarefa: mapear as terras da Anatólia, Bilad ash-Sham e o Magreb oriental. A oeste do Golfo de Sidra, onde estavam, ficavam os postos avançados do Rei Rogério em Ifríquia, um trecho de território bem mapeado.

Al-Idrisi estendeu o livro, gravado com o leão do Rei Rogério.

— Temos tudo que precisamos para completar a nossa missão.

O normando fez uma mesura.

— Os servos do rei estão ao seu dispor — disse ele.

A expedição embarcou com os normandos. O roque caolho voltou a rodear. A grande fera alçou-se na direção do sol, e o barco inclinou-se ante as batidas das suas asas.

A âncora gemeu ao deixar as profundezas, explodindo a superfície marinha. As velas inflaram, carregando o barco para o mar aberto. O barco era robusto e rápido e estava pronto para velejar, pois trouxera reforços e suprimentos de Palermo para Ifríquia várias semanas antes.

— Recebemos ordens para aguardar em Barneek e trazer o senhor e sua expedição de volta a Palermo, se pudermos — disse o normando.

Mas Rawiya apertou os olhos na direção do litoral. Quando o roque caolho se aproximou do barco, carregava algo nas garras: um pedregulho do tamanho de um camelo. Ele guinchou de fúria.

— Virar a estibordo — gritou al-Idrisi.

O barco pendeu para o lado. O roque pairou sobre eles e soltou a rocha, errando o barco por poucos centímetros.

Khaldun agarrou a balaustrada, seu rosto uma máscara de medo.

— Nós morreremos muito antes de alcançarmos Palermo.

O roque afastou-se outra vez, indo buscar outra pedra na costa e batendo as asas com força para vencer seu peso.

— A bombordo — gritou al-Idrisi. — Vire!

O barco cortou as ondas quando o roque largou a pedra. O bloco roçou o barco, esmagando a balaustrada e errando o convés por pouco. Os marinheiros normandos espalharam-se. A rocha afundou na profundeza verde com uma pancada formidável, agitando o mar e derrubando todos no convés.

Quando o roque caolho passou pelo barco, encontrou o olhar de Rawiya com seu olho restante.

Rawiya buscou sua algibeira — vazia. Mas, nas dobras da sua túnica, estava a meia-pedra do olho do roque, envolta em tecido. Rawiya deslizou os dedos sobre a pedra e o calor dela pulsou na sua palma.

QUANDO EU TINHA SETE ANOS, Baba me levou ao carrossel do Central Park pela primeira vez. Minha sitto tinha acabado de morrer, e ele não me contou para onde estávamos indo. Disse que era uma surpresa.

Lembro de termos deixado a cobertura das árvores, e a música era toda raios de sol e laços rosa, e os cavalos giravam. Foi mágico. Ficamos lá até depois de escurecer. Passeamos enquanto terminávamos de comer as nossas casquinhas de sorvete. Ficou tão escuro que não se enxergava a mão na frente do nariz. Baba disse que não queria voltar para casa ainda. Nem eu.

A ideia de voltar para casa, ao apartamento onde as velhas cartas de Sitto estavam empilhadas dentro das gavetas da minha cômoda, era insuportável. Eu não conseguia tolerar o pensamento de que ela nunca mais me escreveria, de que eu me deitaria na minha cama com as pernas para cima na parede, esperando uma ligação que nunca viria.

Então lambi os dedos e corri pelo caminho até as árvores. E fiquei em meio a elas, bem quietinha, sem nem mesmo respirar, esperando Baba vir à minha procura. Mas eu estava muito imersa, e era muito pequena, e me escondi muito bem.

Baba procurou e procurou por mim enquanto eu ria baixinho. Mas então ele parou de procurar e voltou para o caminho, e chamou meu nome. Eu o ouvi me chamando por muito tempo. Então ele saiu meio quarteirão para frente, sob uma luz da rua, e colocou as mãos no rosto e chorou e chorou. Ele se curvou e derramou lágrimas como uma fonte quebrada, enquanto eu fiquei lá em meio aos arbustos.

E não sei por que, mas não me movi nem corri até ele. Eu sabia que devia, que Baba estava triste, com medo de ter me perdido. Mas só fiquei lá. Acho que parte de mim queria ficar assim, sob o balde emborcado da escuridão, apoiada em gravetos e latas de cerveja e folhas mortas, me sentindo a um só tempo pequena e assustada e sagrada. Ver Baba com as mãos na cabeça assim era algo novo. Um lado dele que eu ainda não tinha visto. Não era mais o meu baba. Era só uma pessoa, perdida e encolhida como qualquer outra.

E então eu me lembrei de onde estava, só não enxergava as minhas mãos ou os meus pés. Eu tinha me tornado o escuro e os arbustos, e meu corpo havia evaporado. O meu eu conhecido desaparecera. E, por um minuto, gostei disso.

Eu me sinto assim agora, assistindo o sol nascer sobre Bengazi. Estou de costas para o porto onde a noite persiste, esperando para ver meus braços e pernas. Huda e Mama dormem de conchinha no tapete. Zahra e eu estamos grudadas cada uma numa metade das costelas de Yusuf, eu com a faca dele num dos bolsos e a meia-pedra no outro.

Yusuf se desvencilha enquanto ainda está escuro, depois do céu ter ficado cinza, mas antes do sol beber todas as estrelas. Zahra deita a testa na sua barriga, agarrando os seus cotovelos. Ele se solta com um disco de umidade na camiseta cinza, como se o centro dele estivesse vazando através do seu umbigo.

— Não sei explicar em inglês — diz ele.

As palmas das mãos de Zahra deslizam das dele.

— Nem eu.

Assisto Yusuf sair furtivamente do porto e desaparecer no fim da rua, dobrando uma esquina no ponto onde um grupo de pedreiros acaba de chegar para o trabalho. A sombra de Zahra estremece nas caixas de carga.

— Aquela brincadeira — Zahra me diz. — A dos níveis.

— O que tem?

— Existem níveis abaixo deste? — Seus dedos passeiam no chão.

— Existem níveis com coisas reais, coisas felizes? Ou está tudo acabado em todos?

A luz atinge minhas pernas esticadas, meus tênis gastos, meus joelhos protuberantes. Houve uma época quando as coisas eram diferentes? Eu já deitei mesmo na minha cama em casa, com as pernas para cima na parede?

Eu inspiro o ar e sinto o gosto amarelo de alfinetes de sal.

— Não tenho certeza.

Os trabalhadores chegam à balsa enquanto o dia ainda se levanta, um homem abrindo a prancha de desembarque, outro bebendo café. Eles percorrem a extensão da doca, verificando a carga e assobiando.

Zahra acorda Mama com uma sacudidela e toca o braço de Huda, mas ela não se mexe. Um vermelho pegajoso mancha o tapete sob sua bochecha.

— Huda? — A voz de Mama está áspera como mármore branco, sua blusa densa com o cheiro de canja de galinha que seu suor exala. Ela arrasta as vogais como uma canção de luto: — Habibti?

Mas Huda não responde. Quando Mama toca sua testa, retira a mão como se tivesse se queimado. À luz, o rosto de Huda está descarnado, como se toda a sua essência houvesse sido drenada. Os seus pulsos são ossinhos da sorte; as suas costelas, faixas formando um relevo em sua camiseta. Como ninguém sabia que a febre a comeria por dentro?

— Ela não vai acordar — Zahra fala alto e Mama agarra o seu braço.

Nós congelamos. Os trabalhadores da balsa passam andando, então saem do alcance da nossa voz. Eu começo a entrar em pânico.

— Mama — sussurro. — O que está acontecendo?

— A febre dela está muito alta. — Mama parece frenética, perdida. Ela muda para o árabe sem perceber, agitando as mãos pelo rosto de Huda. — Deve ter alguma infecção, alguma coisa no ferimento. Ya Rabb — ela sussurra. Oh, Senhor.

Vozes marrons-chocolate e cinza deslizam pelo porto. Vozes masculinas. Espio de trás dos caixotes. Dois homens vestindo o que passam por uniformes marcham em nossa direção, com as armas presas às costas como mochilas escolares. Não parecem policiais, com seus olhos nervosos e calças cargo, mas imagino que devam ser. Me lembro da história de Zahra a respeito de rebeldes atirando para o alto.

— Merda — diz Zahra. E ela nunca usa palavras feias na frente de Mama, nunca mesmo.

— Não fale palavrão. — Mama se vira para mim, seu rosto um mapa de medo.

— Mama?

— Aqui. — Ela pega uma sacola plástica, aquela onde pusemos os damascos comprados ontem. Ela põe o mapa lá dentro e amarra o saco, criando uma espécie de bolha. Então coloca a bolha dentro do saco de juta. — À prova d'água — ela diz e sorri, passando a alça do saco ao redor do meu peito, como uma mochila improvisada.

Ergo o olhar para o seu.

— O que você está fazendo?

— Não perca isso — diz ela. — O resto da comida está aí dentro, e um pouquinho de dinheiro. E o mapa. — Ela segura minhas duas mãos e seus olhos flamejam dentro dos meus. — Não ouse se esquecer, habibti. Use o mapa. Lembre do que é importante.

— Mas você vai com a gente.

— Não. — Mama aperta minhas duas mãos juntas entre as suas.

— A sua irmã precisa de um hospital.

— Mas os hospitais estão lotados por causa dos confrontos — sussurra Zahra. — Yusuf disse que eles estão ficando sem suprimentos e não há médicos suficientes...

— Me ouçam. — Mama põe uma mão na minha bochecha e a outra no antebraço de Zahra. — Se abaixem atrás desses caixotes quando forem. Corram direto para o barco. Se escondam embaixo do convés. Estão ouvindo?

Zahra aperta seus dedos.

— Mama, você não pode abandonar a gente.

— Não podemos nos arriscar. — A voz de Mama está aguda.

— A Argélia vai fechar a fronteira com a Líbia nos próximos dias. Saiam. Eu vou encontrar vocês.

Alguma coisa entre nós se desprende e se parte, alguma coisa suave e velha como uma respiração presa por muito tempo. Mama sorri. O azulejo branco e azul está quente em meu peito. Os olhos de Mama são castanho-escuros com pequenos flocos de âmbar e têm uma calma sob a superfície. Me pergunto por que nunca vi isso antes. Me pergunto se é a última vez que vou ver.

Os dois homens passam por nós, cutucando as suas armas.

— Mas, Mama... — Eu me levanto com esforço, tropeçando num cartucho de bala perdido. — Como a gente vai encontrar você?

— O mapa, habibti. — Mama aperta o meu braço e mantém a voz baixa. — Use o mapa.

Prendemos a respiração. Os homens param na frente dos caixotes, trocando o peso de perna. Um deles usa a sola de borracha da sua bota para coçar o tornozelo. Não conseguimos ver muita coisa, apenas as bainhas das suas calças.

Fecho os olhos. O tempo para, o ar para.

Então vem o *shck, shck* de um isqueiro e o chiado de um cigarro. Um dos homens ri e seus pés voltam a se afastar, se arrastando. Soltamos o ar quando passam por nós, falando, deixando o cheiro doce de fumaça de cigarro grudado nos pelinhos das minhas narinas.

Mama luta para levantar Huda, desdobrando os joelhos.

— Yalla — sussurra ela. — Vão.

Mama dispara pela rua, saindo de trás dos caixotes da carga com Huda nos braços. E, por um segundo, o mundo fica em suspenso. A saia fininha de Mama se agita às suas costas, aquela azul-marinho que ela estava usando no jantar com Abu Said na noite em que a nossa casa desabou. Congelo essa imagem na minha mente: Mama carregando Huda, seus escarpins tortos estalando, os rebites nus nos saltos batendo nos paralelepípedos. Seu perfume amadeirado suspenso no ar.

Zahra me dá a mão e nos abaixamos atrás das caixas e as contornamos, avançando em direção ao barco. Os homens não se viram, apenas tragam seus cigarros de novo. Olho para trás quando Mama e Huda saem do campo de visão, o contorno da sua panturrilha e o salto de um escarpim sumindo numa esquina.

Zahra aperta tanto meu braço que dói. Subimos a rampa nas pontas dos pés e nos precipitamos pelo convés, então mergulhamos num conjunto de degraus, rumo à escuridão, fugindo das vozes dos trabalhadores.

Terminamos no porão da balsa, com o teto baixo sobre as nossas cabeças, o espaço cheio de caixas empilhadas. Nos espremermos num metro quadrado, o mais fundo possível, e nos agachamos entre as caixas. O único fragmento de luz matinal vem de uma rachadura nas tábuas do piso do convés. Tiro minha mochila improvisada, a juta áspera nas minhas mãos.

Não falamos. O barco geme. Os trabalhadores gritam. Os caixotes rangem. O chão balança. Cada som é um passo nas escadas que levam até o porão. Cada voz pertence a alguém que está procurando por nós, alguém que poderia roubar dois refrigerantes de um mercadinho se ninguém estivesse olhando.

Parece levar uma eternidade até a rampa se fechar com um estalo. A balsa avança em direção às águas profundas, apitando. Abro a mochila de juta e desenrolo o mapa de Mama, e as minhas lágrimas e o meu catarro enrugam os cantos.

Queria que Huda estivesse com a gente, queria poder ouvir Mama me chamando: Ya Nuri! Queria Baba. Abu Said. Mama. Enfio uma mão no bolso e esbarro na faca de Yusuf, suja, ainda úmida pela friagem da noite anterior. Alguma vez eu já quis um irmão mais velho?

As palavras de Mama ressoam na minha cabeça: *Não ouse se esquecer.*

O mapa de Mama está grosso com a quantidade de tinta acrílica, como se fosse um objeto mesmo, uma escultura, um modelo. É tão pesado quanto duas ou três telas, cheio de cores em vez de nomes, pequenos blocos de tinta. Analiso as pinceladas de Mama sob o único fragmento de luz.

Zahra engatinha até mim no escuro. As coisas pulam para baixo e para cima, as ondas nos ninando. A luz desce até nós junto com poeira.

— Nunca vi um mapa assim — diz ela.

— Nem eu.

Encaro o mapa até as suas cores se borrarem. Uma fatia fina de luz as apunhala. Passo as mãos nas fronteiras das cores. Sinto uma tristeza absoluta, como a de segurar a extremidade partida de uma corda.

Viro o mapa de um lado para o outro, então de cabeça para baixo como al-Idrisi fazia com o seu, deixando o sul para cima. Há uma fileira de cores sobre cada país, cada mar e oceano, cada deserto.

É o jogo das cores.

— Minhas cores. — Um formigamento parte da base da minha coluna e começa a subir, cada osso um nó. — É um código. Mama codificou um mapa com as minhas cores.

Cada quadradinho de cor é uma letra, exatamente como Mama costumava me perguntar: marrom para H, vermelho para S. Alguma coisa entra no lugar como uma chave numa porta trancada: o jogo que ela costumava jogar, por que tinha que perguntar as minhas cores para fazer do jeito certo, por que tinha feito parecer algo tão importante.

Zahra enruga as sobrancelhas.

— Do que você está falando?

— Mama usou as minhas cores — eu digo. — Está vendo aqui? Diz *HOMS*, marrom, branco, preto, vermelho.

— Não diz *Homs*. Não tem nome nenhum aí.

Eu aponto os quadrinhos de cor para o nome — um quadradinho marrom para o H, então um branco para o O, preto para o M e vermelho — a letra S é vermelha.

— Então todas as cores são letras — eu digo. — Todas dizem alguma coisa. — Mas então estreito os olhos sobre a costa da África Meridional. — Há algo errado.

— O que, ela errou algum dos nomes?

— Não. Um deles está faltando.

Acima de nós, o mundo está uma erupção de sons: o baque de cordas golpeando o convés, as bofetadas de velas.

— Mama colocou todas as cidades no mapa — digo num sussurro. — Todas as cidades da história.

Zahra esfrega a testa.

— Vá mais devagar.

— Rawiya e al-Idrisi. Todas as cidades onde eles foram estão aqui. — Eu falo seus nomes, traduzindo a partir das minhas cores. — Homs e Damasco, e Aqabat Aila e o Cairo e Barneek, que é como chamavam Bengazi antes.

Zahra sacode a mão diante do rosto, como se estivesse afastando fumaça.

— Mas qual está faltando?

Estreito os olhos sobre as fronteiras do mapa. Cada país está pintado numa mancha de cor diferente, alguns mais espessos e alguns finos, como se certos países tivessem uma camada a mais de tinta.

— Faltou Ceuta — eu digo.

— Ceuta? — Zahra estreita os olhos no escuro. — E daí?

— Daí que todas as outras cidades da história estão aqui. Está vendo? — Toco o mapa. — Ceuta é a única cidade sem nome.

Zahra fica ruminando no escuro.

— Mas Ceuta?

— Ceuta foi onde al-Idrisi nasceu. Foi onde Mama falou com Baba pela primeira vez, onde ela lhe disse para pular dentro do estreito. Ceuta foi onde o tio Ma'mun comprou a casa.

Lembre do que é importante.

E eu vejo tudo de novo: Mama segurando o azulejo azul e branco no colar. O tio Ma'mun consertando a fonte. *Ele estava procurando a si mesmo, mas não há mapas para isso.* O jornal queimando, o nome circulado em vermelho. O homem barrigudo rindo na soleira da porta. Os olhos bondosos e familiares.

— Era ele no jornal — sussurro. — Era o tio Ma'mun.

— Que jornal?

Agarro as mãos de Zahra.

— É para lá que devemos ir. Mama estava nos levando para o tio Ma'mun.

Zahra para de respirar.

— Calma. Para onde estamos indo?

A balsa avança. A faca de luz recai sobre o meu rosto.

— Para Ceuta.

SANGUE E ÁGUA

NAQUELES DIAS, era bem sabido que o roque, embora a fera mais poderosa e mortal dentre todas, era também um trapaceiro e um astuto mentiroso. Com sua visão aguçada, enxergava tudo: cada fio de cabelo em todas as cabeças, as patas de cada gato, as asas barulhentas de cada inseto. Ele usara tal poder para espalhar o caos por todas as terras onde habitava.

E nunca se esquecia de um rosto.

O roque rodeou o barco. As batidas das suas asas elevaram-se a um rugido, e sua sombra escureceu o céu. Ele observou a expedição e a tripulação com seu olho restante. Seu hálito fedia a sangue.

— Vocês se esqueceram? — perguntou, sua voz como o som de montanhas desabando. — Acaso os traidores filhos dos homens se esqueceram da minha promessa? Eu lhes jurei uma vez que me vingaria. E aqui estou.

Os membros da tripulação sussurraram e desembainharam as espadas. O roque passou com um rasante pela proa do barco e percorreu a extensão a estibordo.

— Não temos nada para resolver com você — gritou Rawiya.

— Você! — A imensa sombra do roque pairou sobre eles, larga como uma ilha. — Sou eu quem tenho assuntos a resolver com você, atirador de pedras. E eu saberia quem ousa atacar o senhor dos ventos e das rochas.

— Fui eu quem jogou a pedra em ash-Sham — disse Rawiya.
— Tenho amizade com o poeta, sou aprendiz do cartógrafo. Fui eu que arranquei o olho da grande águia branca de Bilad ash-Sham.

O roque virou as asas e deu uma cambalhota no ar com a mesma facilidade de alguém flutuando na água, mostrando à tripulação a cicatriz alongada em seu rosto.

— Então olhe para mim, atirador de pedras, e prepare-se para a morte — disse ele. — Amizade com o poeta! — vociferou. — Diga ao seu poeta, se ele sobreviver, que eu ouço tudo, vejo tudo, sei tudo. Eu me lembro dele. Dele e do seu bando de arruaceiros. — O roque bateu as asas e ganhou altura para um último sobrevoo. — Chega de palavras. Eu vim destruí-los e deixá-los para as ondas devorarem.

O roque deu a volta e abateu-se sobre eles. Fustigou a proa do barco como um vendaval, derrubando caixotes de carga. Os servos da expedição e os normandos aterrorizados espalharam-se, mas o roque foi mais veloz. Esmagou homens com suas garras e derrubou-os no mar.

Rawiya tateou a funda, mas os olhos do roque eram aguçados. Ele a derrubou com o vento das suas asas e fechou as garras ao redor da jovem. Ela se debateu e golpeou as garras com os punhos, porém era impossível quebrar as escamas duras.

O roque ergueu-a no ar e soltou-a.

Rawiya colidiu com o convés de madeira. Sua visão enegreceu, então foi tomada por explosões de luz. O choque antecedeu a dor: uma agonia perfurante e abrasadora nas costelas.

Em seu pânico, Khaldun gritou:

— Rawiya!

Ao ouvir isso, al-Idrisi estreitou os olhos.

— Quem é Rawiya?

A menina forçou-se a erguer-se sobre um cotovelo e agarrou as cordas amarradas ao redor do mastro. Içando-se para ficar de joelhos, cuspiu sangue no convés.

— Eu sou Rawiya — disse ela. Com o braço tremendo pelo esforço, tirou o turbante e sacudiu os cachos negros. Jogou as pontas do tecido vermelho para trás dos ombros, o vento e o sol o encheram de luz, tal qual a vela de um barco. — Sou a filha de um pobre fazendeiro do vilarejo de Benzú, no distrito de Ceuta.

O roque rodeou o mastro, fazendo sua massa corpórea lançar sombras sobre o convés. Os olhos de al-Idrisi voaram de Rawiya a Khaldun.

— Você sabia disso?

— Não até ontem. — Khaldun abaixou os olhos.

Al-Idrisi fitou o cabelo de Rawiya e seu rosto liso.

— Presumi que você fosse muito jovem — disse ele. — Ainda não um homem feito, mas isso...

— Perdão. — Rawiya pôs-se em pé com esforço. A cota de malha almóada a protegera das garras afiadas do roque, mas a queda lhe esmagara três costelas. Ela lutou para respirar, tocando o flanco. Seus dedos saíram pegajosos de sangue. — Eu me juntei à sua expedição a fim de buscar fortuna para poder voltar e alimentar a minha família. Minha mãe é viúva. A essa altura, ela provavelmente acha que estou morta. E o senhor já sabe da morte do meu pai.

— Uma mulher? — Al-Idrisi ergueu as mãos. — Você, alguém em quem eu confiei, que eu treinei. Você mentiu para mim?

E o roque, que ouvira tudo isso, trovejou uma risada lá de cima.

— Atiradora de pedras mentirosa — disse. — Traiçoeira filha dos homens. Minha vingança será mais deliciosa do que eu pensava.

O roque mergulhou outra vez e suas garras roçaram o convés. Rawiya e seus amigos atiraram-se contra as tábuas do piso. A jovem apertou os dentes por causa da dor e estendeu a mão para um rolo de corda, próximo ao pé do mastro.

Dando tudo de si, ela jogou a corda no caminho do roque, que enroscou as garras nela. Preso, o pássaro deu um solavanco para trás e se debateu para se soltar. Ele planou baixo pelo mar e voltou a alçar-se às alturas.

— Sinto muito — Rawiya gritou para al-Idrisi, agarrando-se ao mastro. — Eu fiz o que precisava. Queria ver o mundo. O senhor me mostrou suas maravilhas: rios, estrelas, desertos. — Ela ficou de cabeça erguida. — Uma vez o senhor me disse que eu tinha coragem, coração. Esse mesmo coração ainda está batendo. O corpo que o contém não importa muito.

Khaldun, agachado à frente dela empunhando a cimitarra, disse a al-Idrisi:

— Nós vivemos numa época estranha, mas isso não muda nada. Rawiya provou-se uma guerreira astuta. Ela nos salvou mais de uma vez.

Al-Idrisi assistiu à sombra do roque aumentando.

— Nunca pensei que alguém cuja amizade me era tão cara me enganaria assim — disse ele.

Rawiya pegou sua funda de novo e colocou a metade do olho do roque na tira de couro. Era grande demais, maior do que qualquer pedra que tivesse usado antes. Lembrou-se do seu treinamento, das mãos do seu pai guiando as suas, e a pedra esquentou sob seu toque.

O roque mergulhou sobre eles de novo, com as asas coladas ao corpo. Julgando que ele tivesse a intenção de rasgar as velas e inutilizar o barco, Rawiya procurou o olho solitário do pássaro, mas ele manteve a cabeça erguida.

Em vez disso, o roque esticou as garras e agarrou a proa. Usando as asas para se manter no ar, inclinou o barco para frente, derrubando a tripulação e fazendo-a deslizar pela extensão do convés. Ele então deixou a embarcação voltar ao nível normal, de modo a fazer caixotes rodopiarem e homens colidirem uns com os outros.

Rawiya caiu e soltou a pedra. Uma dor vermelha apunhalou o seu peito. O meio olho do roque rolou pelo convés.

O pássaro crocitou, triunfante, e mergulhou. Com um estalo de coisas quebrando, suas garras rasgaram a madeira do convés de ambos os lados de Rawiya. O peso do roque afundou um pouco o barco na água, fazendo-a voar pelas bordas. Rawiya debateu-se contra as garras, mas o roque a segurou com força e começou a esmagá-la.

— O que você pensa de mim agora, filha dos homens? — perguntou o roque. — Eu lhe mostrei as reais dimensões do meu poder e minha força. Contemple, sua insignificante! Acaso não a deslumbrei com minha beleza e magnificência?

— Ó roque, você é mesmo belo e magnífico — Rawiya arquejou.

— Sou mesmo — disse o roque. — E agora, atiradora de pedras, eu a presenteio com sua morte.

— Mas existe uma coisa que você não sabe, ó grande roque. — Rawiya debateu-se nas garras dele. — Seu poder não é tão grande quanto você finge ser.

— O quê? — A fera bateu as asas, derrubando a tripulação. — Você não é nada para mim. Eu tudo vejo, tudo ouço, tudo sei.

— Rawiya! — Do outro lado do convés, al-Idrisi havia pegado a pedra do olho do roque. Ele a ergueu, pressionando as mãos ao seu redor como se em oração. O roque virou a cabeça na sua direção e abriu e fechou o bico violentamente.

— Eu estava errado em julgar seu segredo — al-Idrisi gritou para a menina. — Embora nunca tenha te contado, eu tinha uma esposa e uma filha em Ceuta. Elas se afogaram no estreito, fazendo a travessia de Ceuta para al-Andalus. Você tem toda a coragem e a força que eu teria desejado à minha filha. Nada pode mudar isso. — Ele jogou a pedra do olho do roque para Rawiya, e ela lutou para apanhá-la. Al-Idrisi deu seu sorriso felino, mas seus olhos mostravam temor. — Você e só você pode nos salvar, Lady Rawiya.

E, num movimento veloz, quando o roque afundou mais ainda as garras na madeira do navio, Rawiya controlou a respiração e colocou a meia-pedra na funda. *Ó Criador das maravilhas do mundo, desta pedra e desta criatura,* ela rezou. *Se os mortos puderem ouvir, peça a Bakr para me dar seus olhos. Que as mãos dele e as vossas estabilizem as minhas.*

Rawiya tinha dificuldade de respirar sob o aperto de ferro do roque e viu-se refletida em seu olho restante.

— Você diz que tudo sabe, ó roque, mas está errado — disse ela.

— Só Deus sabe de tudo.

Soltou a pedra do olho do roque de sua funda, e ela brilhou, verde, ao sol. Atirada a tão curta distância, ela estourou o olho do pássaro e penetrou sua carne macia. Sangue explodiu da testa da criatura. Com um berro impreciso, o roque cego soltou as garras do convés, girando as asas. O barco subiu na água, voltando ao nível normal, livre do peso da fera, cujo corpo sem vida tombou para fora. O pássaro caiu no mar, com as asas imensas abertas e sangue manchando a cabeça de penugem branca.

A tripulação tentou se estabilizar quando o barco se inclinou e balançou violentamente de um lado a outro. O corpo branco inchado do roque chocou-se com o verde, provocando ondas enormes. O pássaro afundou devagar, com as penas cor de creme molhadas de água marinha, o bico deixando-se entrever acima da espuma agitada. Então, seu rosto cego desapareceu sob o mar marmorizado.

Quando as últimas penas pálidas afundaram, al-Idrisi gritou:
— Lady Rawiya nos salvou!

A tripulação ovacionou. Khaldun ajoelhou-se ao lado da jovem, deitada no convés. O cabelo dele estava grudado no rosto por causa do suor, do sal e das lágrimas.

— Você. — Rawiya tocou-lhe o rosto. — Uma vez você me disse que somos a história que contamos a nós mesmos, que as vozes dos outros podem afogar as nossas. — Ela beijou-lhe os dedos. — Eu te amo. Não importa o que aconteça, isso, pelo menos, não vai se deixar sufocar.

E Khaldun abaixou a cabeça na direção das mãos dos dois.
— A sua história, minha senhora, não poderia deixar de ser cantada. Eu te seguirei onde quer que a estrada leve.

Enquanto Khaldun ajudava Rawiya a se levantar, al-Idrisi desembainhou a cimitarra. Tomando-a em ambas as mãos, abaixou a cabeça e ajoelhou-se, oferecendo a lâmina à jovem.
— Me perdoe.
— Não é preciso — disse ela, segurando as costelas. — Nós dois abrimos mão dos nossos segredos, ambos perdemos algo precioso. Eu só cumpri o meu dever para com os meus amigos.

Mas logo a tripulação inteira o imitou. Os marinheiros normandos puseram-se em silêncio e ajoelharam-se no convés. Logo o barco virou um tapete contínuo de cabeças abaixadas.
— Nós te devemos nossas vidas, Lady Rawiya — disse al-Idrisi.
— Deus fez de você uma guerreira corajosa, uma filha das montanhas e do deserto. Ele protegeu seus passos. — Al-Idrisi ergueu a cimitarra incrustada de joias presenteada por Nur ad-Din. — Eu te imploro para aceitar minha lâmina.
— Não posso lhe tomar a lâmina que salvou a sua vida — disse Rawiya.

— Nossa expedição foi bem-sucedida graças a você — disse o cartógrafo. — Foi você quem nos salvou. — Ele abaixou a cabeça. — Se Bakr estivesse aqui, diria o mesmo.

Então Rawiya ergueu a cimitarra de joias, com a águia esculpida no cabo incrustado de pérolas e rubis. A lâmina refletia o mar e as penas brancas do seu prêmio.

Ao voltar o barco na direção de Palermo, a tripulação entrou numa nova erupção de ovações.

JÁ SE PASSARAM HORAS sob o convés da balsa. O sol está completando o seu arco no céu, descendo na direção do horizonte. Só consigo perceber isso porque a luz vinda da rachadura se tornou avermelhada. A cada poucos minutos, prendemos a respiração quando alguém passa andando acima de nós, no convés, e sinto um frio na barriga ao me perguntar quanto tempo vai levar para alguém descer as escadas que dão no porão de cargas, quanto tempo vai levar para alguém perceber duas jovens passageiras clandestinas viajando sozinhas.

Ficamos sem conversar por muito tempo enquanto enrolo o mapa e o devolvo ao saco de plástico de Mama. Amarro-o bem, criando a mesma bolha de ar produzida por Mama, e a coloco de volta na mochila improvisada de juta.

— Antes eu achava mais fácil entender os mapas e os relatos históricos de Mama do que as histórias inventadas de Baba — diz Zahra. Ela se balança para frente e para trás, com os joelhos grudados no peito. — Ele costumava contar aquele monte de histórias e eu ficava braba porque ele nunca falava o que queria dizer com elas. Mas nem mesmo um mapa te conta tudo. Como a gente vai encontrar o nosso tio depois de chegar em Ceuta?

— Não sei. — Deixo meus ombros murcharem, e meu colar tilinta contra o chão metálico.

— E como vamos de Misurata a Ceuta sem Mama?

O barco e o golfo gemem como uma gaivota berrando.

— Você acha que elas vão ficar bem? — sussurro. — Será que eles conseguem consertar o braço de Huda de novo?

Zahra rói as unhas, fazendo seu bracelete retinir.

— Não sei o quanto eles ainda conseguem consertar.

Passos reverberam nos degraus, vindos da penumbra, e Zahra e eu enrijecemos. Há alguém chegando, com chaves chacoalhando no bolso. Por um momento, em vez desse som, ouço o tinido de uma fivela de cinto metálica.

Nós nos arrastamos mais para o fundo do nosso quadradinho, mas a luz incide nos nossos rostos. Vozes batucam nos engradados. Eu e Zahra nos esprememos entre caixotes, arranhando os joelhos em metal e lascas de madeira para não os batermos. Prendemos a respiração.

Um homem passa por nós, com a parte de trás dos sapatos tamborilando o chão metálico do porão, lendo uma lista em árabe.

Não há espaço suficiente para nós duas nos levantarmos por completo, nem para ficarmos sentadas. Eu me seguro entre dois contêineres de aço, jogando o peso nos joelhos, torcendo para não amassar o metal e ele acabar voltando ao lugar com um barulhão de pratos de bateria.

Minhas panturrilhas começam a queimar.

As vozes param, pés se arrastam. Alguém dá batidinhas nos caixotes. Zahra solta ar quente no meu nariz e enche de novo os pulmões o mais devagar possível. Meus pensamentos se embaralham. Contra a minha vontade, imagino como Huda deve ter se sentido antes dos homens maus a puxarem para o beco, se por acaso ela soube antes de mim o que eles queriam. Ela pressentiu o que aconteceria? Já tinha esperado sentir as mãos calejadas nas suas coxas? Ela sabia qual seria o peso do corpo deles quando a seguraram contra o asfalto?

Estremeço, sentindo o formigar de alguma coisa deslizando pela parte de cima dos meus pés. As perninhas são rígidas e têm garras afiadas — patas de caranguejo ou lagarto. Fecho os olhos com força, mas um choramingo agudo vaza do meu peito. Penso no que faria se esses homens encontrassem Zahra comigo no nosso esconderijo: qual reação seria melhor, arranhar ou morder?

Minha respiração está alta e rasa. O caranguejo ou lagarto se afasta correndo e some atrás dos caixotes. Eu me obrigo a continuar imóvel.

Em Nova Iorque, um búteo-de-cauda-vermelha costumava se acomodar em algum ponto ao lado das chaminés no topo do nosso prédio. Baba me contou o quanto isso era raro; que, na cidade, só havia alguns casais férteis da espécie, que às vezes os pássaros gostam de viver perto dos humanos, pois assim têm mais comida. Me lembro de estar caminhando rumo ao metrô com Baba enquanto ele explicava isso, encarando os túneis escancarados e me perguntando se Deus estava do outro lado, observando os ratos correrem entre os trilhos, percebendo que a cidade era mais animal do que humana.

Mas o escuro sob o convés da balsa abriga mais pessoas do que qualquer outra coisa, e aprendi que as pessoas são mais perigosas que os animais, mais perigosas que qualquer outra coisa no mundo. Mantenho os olhos fechados enquanto os trabalhadores da balsa voltam a avançar, resmungando, empurrando caixotes de volta para o lugar com os ombros e as laterais dos pés.

Um homem grita em árabe, agachando-se um pouquinho depois da fenda onde eu e Zahra nos escondemos. *Estamos com um vazamento*, ele avisa. Quando volta a se levantar, bate a cabeça na quina de um caixote e prageja.

Antes do homem mencionar o vazamento, eu não tinha percebido o estável tamborilar da água no meu cocuruto ouriçado. Agora estou sentindo, gelado, cheirando a madeira e óleo de motor. Minha pele parece ferida no ponto tocado pela água. Penso nos curativos de Huda, com manchas pretas de sangue e as bordas do linho amareladas pelo pus. Mama não tinha dito que poderia infeccionar? Uma pessoa consegue viver com um osso novo assim, um osso feito de metal e fogo, e ainda ser a mesma pessoa?

Estremeço, encostada nos contêineres metálicos. O espaço minúsculo parece um caixão. No espaço escuro entre os meus olhos, vejo Huda no leito do hospital e a morte se grudando nela como um cheiro ruim.

A sensação de morte é forte sob o convés da balsa, grudada em tudo. Depois do hospital, eu pensei que havíamos deixado essa sensação para trás e pensei o mesmo depois de Abu Said ter botado os homens maus para correr, no beco com Huda, após eu arrancar sangue.

Agora percebo que a sensação apenas nos seguiu. Os homens maus agarraram Huda sem saber nada a respeito dela, sem conhecê-la como eu conheço — o quanto ela é muito mais que panturrilhas bronzeadas, mais que gritos, mais que um corpo amassado embaixo deles. Sinto raiva por eles não a conhecerem, por acharem que tinham direito à sua barriga e às suas pernas, por Zahra e eu estarmos aqui nessa escuridão sob o convés, por termos perdido tudo, exceto uma à outra.

E, enquanto o barco avança, começo a pensar que talvez a morte esteja dentro da gente esse tempo todo, que no fim das contas não se prende a nós. Talvez pareça que a morte se agarra a nós quando a percebemos no nosso interior pela primeira vez. Talvez, como Mama disse, todos nasçamos com uma ferida que precisa ser curada.

Minhas panturrilhas tremem e têm espasmos. Observo a luz vermelha e roxa acima de nós, procurando ouvir as vozes marrons e acinzentadas. O sol está quase se pondo.

Faço menção de pegar minha mochila de juta, onde está o mapa em sua sacola plástica, mas não sinto nada. Enterro as unhas nas palmas das mãos ao perceber que a mochila deslizou de onde estava, no meio dos meus pés. Agora está bem à vista, no piso do porão de carga.

Aguardo, mordendo o lábio, torcendo para ninguém ter notado o saco. Conto os segundos. Não enxergo meus braços ou minhas pernas. Só sei que existo por causa das farpas nos meus polegares e da parte de trás dos meus joelhos, tremendo como gelatina depois de tanto tempo na mesma posição. Meu batimento cardíaco é a única parte de mim a se sentir corajosa.

Um dos trabalhadores da balsa solta um assobio entediado, aquele pio agudo que eu costumava ouvir no Central Park.

Quando ainda morávamos em Manhattan, chegou o dia em que o búteo-de-cauda-vermelha parou de vir à nossa janela. Eu não o via mais ajeitando as penas, não conseguia assisti-lo olhando para a Rua 58 lá embaixo com aquela frieza, como se lá houvesse alguma coisa antes da cidade crescer em cima. Aquela ave fulminava com o olhar a vista lá embaixo, como se algo importante estivesse faltando.

Algumas semanas depois, encontrei o falconídeo no jardim do telhado. As estrelas começavam a surgir acima dos prédios e quase não notei as penas. O pássaro havia se enterrado no musgo, afundando o bico na terra como se tentasse atravessá-la. Um último mergulho aéreo. Me lembro de ter pensado que ele havia acabado de se deitar para descansar. Estava com uma asa sobre os olhos, como uma pessoa tirando um cochilo numa sala iluminada. Suas penas eram uma combinação perfeita de marrom e vermelho, bagunçadas pelo vento. Peguei-o gentilmente, procurando ouvir um batimento cardíaco. Ele ainda estava quentinho, com as asas rígidas como papel. Mas não escutei nada. Antes de enterrá-lo como se deve, quis que ele sentisse o vento pela última vez. Então o levei à beira do telhado, e a brisa jogou meus cachos para além da borda. Seu olho vítreo refletia as luzes que se acendiam nos arranha-céus, as luzes de freio dos táxis passando lá embaixo. Montinhos de terra haviam ficado presos em seu bico curvo e no osso rígido da sua testa. É por isso que se enterram pessoas, para ajudá-las a beijar a terra?

Finalmente, as vozes se afastam. Palmas de mãos batem em madeira e metal conforme passam, até os trabalhadores subirem as escadas e gritos marrons e vermelhos estourarem no convés.

Volto a respirar.

Tão logo julgo que os trabalhadores da balsa se foram, saio do esconderijo e agarro a mochila. Eu a coloco, me certificando de estar bem presa.

Soa um estrondo. Vozes gritam alto acima de nós. As tábuas do piso se franzem e rangem. Eu me grudo nos caixotes, muito reta, torcendo para, se alguém descer correndo as escadas, pensar que sou uma sombra.

Um silêncio fantasmagórico se abate sobre a balsa e é então que ouço. Um gemido agudo preenche o ar, um zumbido semelhante ao da noite quando nossa casa desmoronou. O som se transforma num guincho, e Zahra estende a mão para fora do esconderijo, na minha direção.

A balsa rola como um barril vazio. Eu voo, batendo o ombro num caixote. Grito. Em algum ponto profundo do barco, algo geme e quebra. Meus ouvidos zumbem.

Eu luto para me endireitar e tento me arrastar de volta para o esconderijo entre os caixotes.

— Zahra...

A balsa se inclina de novo, de volta ao nível normal, fazendo a água quebrar contra suas laterais. Me seguro numa caixa e a mochila improvisada fica presa em sua quina. Por entre as manchas cinzentas de ruído branco, a balsa solta guinchos vermelhos como os de um animal com dor.

— Alguma coisa nos atingiu. — Não consigo ouvir meus berros acima do urro de madeira estalando e da gritaria no convés.

Acima de nós, a madeira se despedaça como ossos se partindo. Som e água entram com violência, e o porão de carga se enche com um rugido.

Antes de entender o que está acontecendo, estou submersa, com o choque do frio repentino agredindo os meus ouvidos, bloqueando qualquer outra sensação. Tudo é líquido. Minha pele está azul, meus olhos, meus tornozelos, meu couro cabeludo. Sou engolida por safiras, minhas escápulas cortadas por facas congeladas. Sou esmagada por todos os tons de azul que já vi. Ultramarino. Lápis-lazúli. Azul-marinho. Azul-escuro.

O LAÇO
DO ADEUS

QUANDO A EMBARCAÇÃO normanda enfim atracou no porto em Palermo, Rawiya ficou feliz em ver a corcunda calcária do Monte Pellegrino, as igrejas de mármore branco amontoadas contra casas de estuque e as mesquitas de abóbadas vermelhas. A expedição estivera fora por mais de um ano, e um grupo da realeza aguardava na doca para recebê-la.

Conforme passavam pelas ruas, músicos os acompanhavam com o oud e o corne, e al-Idrisi guiava o camelo sem cavaleiro de Bakr como um sinal de honraria. Haviam envolvido o caro manto verde do rapaz na corcova do animal, o tecido bordado com as estrelas das Plêiades.

Quando a expedição trouxe para a oficina do palácio os livros, mapas e esboços de al-Idrisi, Rawiya insistiu em seguir os servos do Rei Rogério até os estábulos. Bauza estava numa baia, de cabeça baixa, com uma aparência magra e desamparada. Não pela primeira vez, Rawiya lembrou-se de tê-lo trazido para muito longe de casa, em Benzú, e de não ser a única com saudade de lá.

Os servos desculparam-se, dizendo que o cavalo comera cada vez menos durante a ausência da jovem. Segundo eles, Bauza recusara até mesmo torrões de açúcar e escovadas.

Mas, ao vê-la, Bauza relinchou e empinou, batendo os pés no chão em sua baia. Quando Rawiya se aproximou, ele envolveu o pescoço nos ombros dela e esfregou-lhe o focinho no nariz. Ela enterrou o rosto na crina do cavalo e chorou, dizendo:

— Você não sabe como senti saudade, velho amigo.

※

EMBORA O RETORNO houvesse sido feliz, levou dias para verem o Rei Rogério, que adoecera pouco antes deles chegarem. Estava de cama e não podia receber visitas. Mas a volta de al-Idrisi pareceu dar alguma força ao rei doente e ele logo começou a ficar sentado na cama, ouvindo com avidez as aventuras do cartógrafo até bem tarde da noite.

Por meses, al-Idrisi trabalhou da aurora ao crepúsculo, e Rawiya e Khaldun serviram como suas principais testemunhas na criação de um mapa finalizado das suas viagens. Aquele era o mais preciso mapa já feito do mundo habitado, uma colaboração de grande escala, e o ápice da longa viagem por eles empreendida. Prepararam-se também para a mais difícil de todas as tarefas dadas pelo Rei Rogério: criar um planisfério, uma representação bidimensional da superfície curva da Terra, com todas as suas cidades, rios e mares, inscrevendo tais elementos num disco de prata sólida. Nunca se fizera algo do tipo antes e a missão intimidava. Ainda assim, Rawiya e Khaldun divertiram-se no trabalho de transcrever os esboços dos mapas de al-Idrisi, um nunca deixando a companhia do outro enquanto pincelavam pigmentos de cinábrio ou índigo no papiro, corando com um sorriso sempre que seus cotovelos se encostavam.

Enquanto al-Idrisi toda noite levava aos aposentos do rei pilhas dos livros favoritos dele, de geografia e matemática, Rawiya ficava acordada lendo as anotações de al-Idrisi, acumuladas ao longo dos anos anteriores até a mais recente aventura. O cartógrafo reunira testemunhos de mercadores dos cantos mais distantes do mundo, histórias de marinheiros que haviam cruzado o Mar da Escuridão e quase não voltaram vivos, descrições de cidades distantes e feras estranhas. Havia mais páginas do que Rawiya jamais conseguiria ler, pois al-Idrisi passara mais de uma década recolhendo tais relatos em preparo para a missão do Rei Rogério.

Mas, quando começou o mês do Xaual e al-Idrisi foi terminando seu trabalho, a saúde do monarca voltou a decair. Acessos de tosse e dormência o atormentavam. Dores no peito o confinaram à cama durante semanas.

O tempo passou assim, até, numa manhã bem cedo, no fim do Xaual, um mensageiro bater à porta de Rawiya.

Ela cruzou soleiras em forma de arco, passou balaustradas esculpidas à mão e tetos de afresco. Atravessou o pátio interno com suas varandas empilhadas e encontrou al-Idrisi e Khaldun na oficina real, debruçados sobre a prancheta de al-Idrisi. Quando Rawiya entrou, Khaldun ergueu o olhar, e a sombra de um sorriso perpassou seu rosto antes dele corar e baixar os olhos de volta ao trabalho.

— É verdade? — Rawiya perguntou, aproximando-se dos amigos. — Está terminado?

— Minha tarefa levou quinze anos — disse al-Idrisi. — Quinze anos de pesquisa, de cuidadoso planejamento — ele ergueu o olhar para Rawiya e Khaldun — e, é claro, os longos meses da nossa viagem.

— Será que, depois desse tempo todo, nossa jornada finalmente chegou ao fim? — perguntou a moça.

— De certa forma, sim — disse al-Idrisi. — E agora aqui estamos, no mês do Xaual. Enquanto eu viver, nunca me esquecerei do mês de Xaual.

— Que coisa bonita. — Rawiya adiantou-se para a prancheta de desenho contendo o mapa finalizado, admirando as curvas dos rios, o azul lápis-lazúli do mar.

— Você ainda não viu nada. Venha. — Al-Idrisi virou-se para um livro grosso sobre a mesa da oficina, com encadernação em couro e letras em ouro. Ele abriu as páginas, revelando sua caligrafia delicada e os mapas grandes e detalhados.

— Isso é um atlas? — Khaldun roçou os dedos na lombada de veludo do livro.

— Foi um pedido de Rogério — disse al-Idrisi. — O livro separa o mapa em sete regiões do mundo, ou climas, cada um deles dividido em dez seções. O livro contém mapas de cada uma dessas seções, além de descrições detalhadas de todas elas. Há setenta mapas no total, cada um contendo um relato detalhado acerca dos seus rios, montanhas, cidades, comércio e clima, um estudo exaustivo do mundo habitado como nunca foi feito antes. — Al-Idrisi sorriu. — Não é mais necessário viajar milhares de léguas para alcançar terras longínquas. Nessas páginas, você tem o próprio mundo nas mãos.

Rawiya virou a página para o primeiro mapa e acompanhou os rios verdes com os olhos, detendo-se nas voltinhas brilhantes de montanhas em tons claros de amarelo, rubi e roxo.

— Eu não fazia ideia — disse ela. Virando para os primeiros trechos do livro, ela leu a letra delicada de al-Idrisi: — "A Terra é redonda, como uma esfera...". Impressionante.

Al-Idrisi afastou-se da mesa, esfregando as costas. Havia ficado meio corcunda nos meses seguintes à viagem, com o peso dos anos pressionando-lhe os ombros. Ele parecia ter envelhecido de repente, como se a jornada em si houvesse preservado sua juventude e agora, enfim, os anos o tivessem alcançado.

— Você conseguiu — disse ela.

Al-Idrisi deu seu sorriso felino.

— A maior das minhas realizações é aquela que ainda não mostrei.

Rawiya e Khaldun o seguiram para fora do recinto.

— Os trabalhadores transferiram tudo para a prata? — perguntou a jovem.

— Tudo. Rogério ficará feliz por termos conseguido terminar a missão da qual ele me incumbiu tantos anos atrás. — Mas al-Idrisi desviou os olhos ao falar.

Tanto Rawiya quanto Khaldun sabiam muito bem que al-Idrisi havia corrido para terminar a obra a fim de que seu benfeitor e amigo de longa data pudesse viver para ver os frutos do trabalho. Rawiya tinha certeza de que a única coisa a manter o Rei Rogério vivo era a finalização do trabalho da sua vida e da de al-Idrisi: o mapa, o livro e o planisfério de prata.

O cartógrafo guiou-os por um longo corredor até uma oficina onde os gravadores reais haviam passado meses labutando para transferir para uma grande peça de prata o mapa de montanhas, mares, rios, litorais e cidades, feito por al-Idrisi.

Ele adentrou o lugar de mãos abertas, com o turbante e a saruel brancos reluzindo à luz das velas.

— Está pronto? — perguntou.

Um gravador ergueu o olhar do imenso disco de prata que polia. Falando baixinho com seus colegas, levantou-se e prestou uma mesura a al-Idrisi.

— Terminamos a gravação. Acabamos de completar o polimento. De acordo com as suas especificações, é claro.

O planisfério cintilava sob a iluminação bruxuleante das velas da oficina.

— Uma primorosa obra de arte — disse Khaldun.

— É mesmo. — Al-Idrisi deu a volta no planisfério com as mãos unidas às costas. Dispensou os gravadores, que se despediram com uma reverência.

— Eu sabia do mapa-múndi — disse Rawiya. — Sabia do livro e dos seus setenta mapas seccionais, e sabia que você havia encomendado uma tradução para o latim. Essas coisas já seriam estupendas o bastante. Ninguém jamais viu o mundo na sua totalidade, nem mapeou lugares tão distantes. Mas isso é...

— Bem extraordinário, sim — disse al-Idrisi. — Rogério encomendou a criação de um disco de prata pura, o maior possível. — Passou os dedos pelos baixos-relevos de estradas e rios, as letras brilhantes. — Ele pesa quatrocentas libras romanas e é feito de prata sólida. Fomos eficientes, de modo a usar só um terço da prata de Rogério. O planisfério contém todos os sete climas, os litorais, rios, tudo. As distâncias são precisas até a última légua. Nunca um tesouro precioso desses pertenceu a rei algum, em todo o mundo.

— Ele fez uma pausa, então continuou: — Quando começamos os trabalhos no planisfério, escrevi um livro correspondente a ele e ao mapa. Era o desejo de Rogério. — Uma sombra perpassou o rosto de al-Idrisi. — A visão dele foi perfeita.

Rawiya e Khaldun entreolharam-se.

— Essa doença surpreendeu a todos nós — disse a moça.

Al-Idrisi ajeitou as vestes e ergueu a cabeça com um sorriso firme.

— Nada poderia manter o leão de Palermo preso à cama por mais de algumas semanas.

— Independentemente do que acontecer, você fez mais do que o Rei Rogério poderia esperar — disse Rawiya. — Você criou uma maravilha em seu nome.

— Vamos lá ver meu velho amigo. Eu mandarei levarem o planisfério até ele.

Al-Idrisi bateu as mãos e os trabalhadores voltaram. Eles pegaram o planisfério e o pousaram num palete rolante, arfando mesmo após esse curto esforço. Embora várias pessoas juntas pudessem levantar o planisfério — com dificuldade —, ele era pesado demais para se carregar com as mãos a qualquer distância, mesmo entre três ou quatro homens.

— Decerto ver o planisfério pronto o animará e lhe devolverá a saúde — disse al-Idrisi, à frente da procissão rumo aos aposentos do Rei Rogério.

— Se Deus quiser — disse Rawiya, e Khaldun assentiu, mas nenhum dos dois ousou acreditar.

Quando entraram, o monarca dormia, sua respiração crepitando.

— Meu amigo e rei — disse al-Idrisi, que beijou a mão do monarca.

Os olhos do rei abriram-se devagar, rachando nos cantinhos, com um pus branco-amarelado ao longo das rugas do seu rosto. Ele sorriu e estendeu a mão para pegar a de al-Idrisi.

— Meu amigo — ele grunhiu, então tossiu. — Meu amigo mais antigo e mais querido. — Ele apertou com a outra mão a parte de cima da do cartógrafo. — Faz muito tempo.

— Só alguns dias — disse al-Idrisi. — Eu precisava supervisionar o trabalho que nos dispusemos a fazer tanto tempo atrás.

O Rei Rogério deu uma risada bem-humorada, mas áspera, com o peito congestionado.

— Quinze anos, pelas minhas contas — disse ele. — Mas não importa, se a tarefa finalmente estiver acabada.

Os trabalhadores deram a volta no planisfério para trazê-lo para dentro do quarto e o pousaram ao lado da cama.

— O mapa e o livro estão prontos — disse al-Idrisi. — Eu o venho chamando de *O livro de Rogério*, embora vá deixar o título final a critério de Vossa Majestade. Agora, essa última parte do nosso trabalho, o planisfério de prata, está concluída. — Ele inclinou a cabeça. — Foi tudo feito em seu nome, meu amigo.

O Rei Rogério lutou para sentar-se na cama.

— Essa coisa bela — ele conseguiu dizer, com a voz arranhada —, esse objeto glorioso. Maravilhoso. — Tossiu de novo, e um servo pôs um travesseiro sob seus ombros. O monarca dispensou o homem com um aceno. — Este leão velho aqui não viverá para ver uma segunda maravilha dessas.

— Esses quinze anos de trabalho compensaram — disse al-Idrisi. — Sua orientação, seus ensinamentos e sua generosidade não foram em vão. Mas, como Vossa Majestade sabe, não fiz tudo sozinho. — Al-Idrisi gesticulou para Rawiya e Khaldun, e eles se aproximaram e prestaram reverência. — Este momento pertence tanto aos meus companheiros quanto a mim.

— Eu os louvo pelo que fizeram. — O Rei Rogério abaixou a cabeça na direção do peito, tossindo. Um servo entregou-lhe um tecido para segurar sobre a boca. — Perdão. Não posso mais me curvar. Mas eu me curvaria para vocês, se pudesse. Esse é o trabalho da minha vida, o desejo do meu coração. Vocês acompanharam meu amigo e ao lado dele levaram a obra a ser concluída. Pelos seus esforços, eu lhes agradeço profundamente. Vocês serão belamente recompensados.

Com um movimento da mão do Rei Rogério, servos adiantaram-se, trazendo baús de ouro, sinetes entalhados de rubi, esmeraldas de cem faces, opalas flamejantes e punhais com cabo de pérola. Al-Idrisi recebeu o resto da prata reservada ao planisfério, além de todas essas outras riquezas.

— Vossa Majestade é generoso demais com os seus servos — arquejou Rawiya. — Para a filha de uma viúva pobre, ver tamanha bondade... é demais, meu senhor.

— Ah, Lady Rawiya, a quem um dia julguei um menino com muito a aprender. — O Rei Rogério sorriu em meio à sua dor. — Você uma vez andou comigo na biblioteca, em meio às lombadas de velhos amigos. Agora vejo que você era mais forte e mais corajosa do que jamais imaginei. Sua coragem salvou a expedição mais de uma vez, pelo que ouvi. Você realizou feitos grandiosos e honrosos. Sim — ele disse, erguendo o olhar para os três —, é adequado meus tesouros serem divididos com os meus três maiores amigos.

— Se eu tiver sido metade do amigo que foi para mim — disse al-Idrisi —, então terei realizado algo de valor nesta vida.

O REI ROGÉRIO faleceu naquela noite, seu último suspiro alçando-se à constelação do leão quando a lua se pôs. Al-Idrisi estava ao seu lado. Com o livro preferido do amigo no colo, ele pressionou a mão pesada do Rei Rogério contra sua testa.

As lágrimas de al-Idrisi salpicaram a capa de couro da *Geografia* de Ptolomeu, pálidas como estrelas.

O Rei Rogério II da Sicília foi enterrado em Palermo, num túmulo de pórfiro vermelho, uma pedra vermelho-arroxeada muito valiosa, vestido em seus trajes reais, usando uma coroa de pérolas. Após o funeral, al-Idrisi, Rawiya e Khaldun sentaram-se diante do planisfério de prata na biblioteca do palácio durante dias, silenciosos como os trabalhadores que os haviam deixado à vigília austera. O planisfério, a maravilha do mundo, o ápice da gloriosa colaboração entre o maior acadêmico muçulmano da sua era e o sábio rei sicílio-normando, não pôde salvar o amigo que al-Idrisi tanto amava. Suas montanhas e mares jamais voltariam a reluzir nos olhos do Rei Rogério.

Enquanto as estrelas testemunhavam o luto em silêncio, Khaldun pegou a mão de Rawiya na sua. Ali, à luz das velas, Rawiya pensou consigo que, às vezes, não importava o quanto se tentasse adiar, era preciso dizer adeus. Algumas coisas aconteciam do único modo que podiam acontecer, do modo que haviam sido destinadas a acontecer. Maktub, ela pensou: está escrito. E Deus sabe tudo, enquanto nós, não.

———

EU CUSPO ÁGUA. Há sal amarelo grudado nos meus dentes. Meus olhos ardem. Me debato, inalando um azul corrosivo, e rompo a superfície. Está um escuro avermelhado, a parte da noite que ainda é dia, quando o sol se dobra sobre o horizonte e sangra. A lua engordou de novo, um olho redondo.

Sons pretos rolam como bolinhas de gude na minha garganta. A água estapeia meu rosto. Algo flutuando embaixo de mim me empurra e o mar dá coices como o cavalo de um carrossel. Tento gritar, mas só saem arquejos truncados. Minha garganta regurgita medo.

Minha mão bate em alguma coisa mais dura do que alga, dura o suficiente para machucar os nós dos meus dedos. Uma rocha. Tento segurá-la, com os olhos ardendo. É pontuda, mas a agarro mesmo assim. Cracas cortam minhas canelas e clavículas.

Esfrego os olhos, e a água me empurra para o lado. Chegam gritos, vindos de uma praia que não consigo enxergar. Meu ouvido roça nas pedras.

Um tênis rompe a superfície da água, e não é meu. Tento pegá-lo, mas erro. Alcanço-o na segunda tentativa, agarrando os cadarços. O tecido branco foi tingido de verde, piolhos-do-mar pontilhando a lona.

— Zahra.

Estou falando ou gritando? A água se agita. Não consigo deixar de me perguntar se está cheia de corpos, se a mão de Abu Said vai subir das profundezas. Quantas vezes algo que lhe foi tomado pode reaparecer antes de sumir de vez? Quantas vezes ainda vou poder ver o dedo de Baba no pé de outras pessoas, sua carne nas algas sob o quase luar?

A mão da água devolve meu golpe, mais dura do que granito. A onda faz minha cabeça bater nas pedras e sinto o gosto de metal e sal.

A corrente me suga para baixo. Abro a boca, não querendo engolir, mas incapaz de fazer qualquer outra coisa, e o mar faz arder o interior das minhas narinas, queimando o caminho todo ao descer pela minha garganta.

Abro os olhos sob a água, lutando para agarrar a rocha. A água não é tão turva quanto em Nova Iorque, mas só enxergo bolhas e vermelho e, por um segundo aterrorizante, não sei para qual lado é a superfície. Dou uma cambalhota com os pés acima da cabeça, com as mãos invisíveis por trás do muro de luz molhada.

É de se esperar que eu entre em pânico. É de se esperar que o fato de eu estar sozinha me esmurre, mas não acontece. Em vez disso, uma voz pequena e distante me alcança, me dizendo calmamente que ninguém virá me ajudar.

Mas então a onda me empurra para frente e algo me puxa para cima. Meus joelhos batem na rocha e emerjo na luz. Tusso e cuspo, de olhos marejados pelo ardor. Sal ao sal.

Não consigo focar a visão logo de cara. Através do borrão, percebo tábuas açoitando a praia. Quinas de caixotes partidos montam as ondas, pedaços de metal e leme retorcido. Ao longe, pessoas gritam, jogando cordas para as cabeças dos trabalhadores, quicando na água. A balsa afunda com um buraco no casco, aberto por uma explosão, o tipo de rasgo recortado que só uma bomba ou míssil poderia causar.

Alguma coisa encharcada roça meus ombros, e é assim que percebo ainda estar com a mochila de juta. Ainda deve haver um pouco de ar dentro da sacola de mercado com o mapa. O ar que me puxou para cima era de Mama.

Algo atinge minha perna. Solto as rochas e me viro, minha mochila se chocando com o rochedo. O mar está da cor de refrigerante visto através de vidro verde, turquesa e prateado e roxo-acastanhado. O mar é uma coisa de muitas cores.

Algo branco sobe em minha direção, como uma larga bolacha-do-mar, a água vítrea na distância que nos separa. É um espelho da lua. É um rosto.

Pouco abaixo da superfície, há um disco esverdeado de pele e lábios azul-figo. Bolhas minúsculas se desprendem da boca e pressionam a água de celofane. A água está muito mais quente do que na praia de Rockaway.

— Zahra.

Alguém está dizendo isso com as minhas cordas vocais, mas não a minha voz. Estendo a mão para o rosto de Zahra, puxando-o para acima da superfície. Vejo só a beirada dos anéis cor de raiz das suas íris, com manchas de âmbar iguais às de Mama. Seu cabelo passa por cima dos seus lábios, emaranhando-se nos seus cílios quando ela se debate. Zahra reimerge sob a pele verde, deslizando, mais um fantasma bonito.

A lua geme, nascendo, e, por um momento, estou de volta ao Egito. O Mar Vermelho ficaria vermelho nessa luz? E quanto tempo vai levar para Abu Said alcançar o fundo? Quando a estação chuvosa chegar e o wadi se encher de água, a chuva vai lavar as nossas línguas?

As ondas nos açoitam, envolvendo nossas pernas, e as pedras rangem como dentes. A água enche as reentrâncias da rocha. *Riachos diferentes do mesmo rio.*

Alguma parte disso é real?

Eu me obrigo a agarrar a rocha com uma mão e a manga de Zahra com a outra. Isso, pelo menos, eu consigo alcançar.

Ela volta a afundar numa onda, com a cabeça balançando como um ovo cru, a parte de trás da sua cabeça quicando em rocha pontuda. Não vejo o sangue até o mar nos juntar com um empurrão, nos erguendo e fazendo a rocha nos arranhar, e lá ficamos presas como linho.

A lua nascente some atrás de uma nuvem vermelha e reaparece. A manga rasgada de Zahra se desenrola como um laço branco feito de alga. Toco a sua testa. O vermelho floresce na palma da minha mão, brilhando como o de papoulas.

Pisco para limpar os olhos do ardor da água salgada. Por trás das minhas pálpebras, vejo sangue em azulejos do teto esmagados. Sangue sob um curativo. Sangue na pia. Sangue nas algas.

— Zahra.

Tento chamar o seu nome, mas não consigo. Ouço gritos vindos de algum ponto mais adiante da praia, cercando os destroços da balsa de ajuda humanitária, quais os ossos de uma baleia encalhada. À luz avermelhada, as marcas chamuscadas brilham como as faixas de fuligem acima de uma lareira. Não preciso do som de tiros vindos da costa para me dizer que o responsável por tais marcas foi um míssil: essas são as mesmas faixas que acabaram com os ladrilhos do jardim em Homs, linhas de cinzas parecendo feitas pelos dedos de um anjo ao longo da proa da embarcação. O que foi que Umm Yusuf disse a Mama em Bengazi — que poderiam confundir balsas de ajuda humanitária com rebeldes?

Amasso a lua pintada com o rosto de Zahra. Sangue faz uma névoa na água.

— Levante, Zahra. — Eu sacudo seus ombros. — Ande.

Ela estende a mão para tocar o meu rosto. Uma ondulação nos empurra. A água arranca coisas dos meus bolsos, pedaços de quartzo e mica que coletei. O lenço de Abu Said escorrega, grosso e molhado em meio ao balanço contínuo. A água o abre, uma mão de dez dedos.

Apanho o lenço e o tiro da água e o devolvo ao meu bolso, onde ele se enrola ao redor da meia pedra. A faca dobrável de Yusuf pesa no outro lado do meu short, pressionada contra a minha coxa.

Puxo Zahra da água com as unhas, abrindo arranhões vermelhos em sua pele. A água segura seu peso até subirmos o rochedo. A lua reluz no bracelete dela como uma moeda lisa.

Nós nos desprendemos da maré. Somos as pedras nos bolsos de Abu Said.

◆

DEPOIS DE TER VISTO o corpo de Baba sob a luz verde da casa funerária, soltei seu dedão e passei correndo por Lenny ao subir as escadas. Atravessei voando a sala de espera de veludo vermelho com suas cortinas fechadas. Eu me sentia uma estrela incandescente em fusão.

Abri a porta da frente do lugar e vomitei no estacionamento. Eu não comia fazia dois dias, então botei tudo para fora até só ter espasmos secos, cuspindo água e polpa de laranja. Minhas entranhas se torceram como roupa lavada.

Quando ouvi Mama se aproximando, corri. Corri para a parte de trás da construção e atravessei um terreno abandonado que era pura terra. Atravessei correndo portões de ferro, cruzando jardinzinhos que mal passavam de terra nua, vendinhas e bancas de jornal. Passei o homem vendendo castanhas tostadas com mel em seu carrinho e vitrines de lojas com propagandas de pessoas bebendo suco e chá gaseificado.

Corri até alcançar o fim do parque, a três quarteirões de distância. Ali ficava a fonte onde Baba fixava o olhar quando soltava a minha mão. Ali ficava a falha do muro de onde saíra o coiote com seus olhos de âmbar. Ali ficava o trecho do caminho, pouco adiante, onde eu tinha fugido de Baba e me escondido nas moitas, onde ele havia se encolhido e chorado.

Era o fim do inverno, àquela altura, e o lago ainda estava derretendo. Esperei para ver se o fantasma de Baba sairia de alguma esquina, mas não saiu. Eu estava sozinha.

Esperei e esperei, até Mama pousar a mão no meu ombro e me levar para casa. Eu ficava olhando para trás, a fim de ver se a magia funcionaria, se desejos significavam alguma coisa depois dos onze anos. Eu disse a mim mesma que, se tivesse conseguido esperar só mais um pouquinho, talvez as coisas tivessem sido diferentes.

Mas não foram.

DEPOIS DO PÔR DO SOL, nós deixamos o rochedo nos arrastando e nos esgueiramos para longe dos destroços da balsa de ajuda humanitária. Gritos de comemoração ressoam enquanto caminhões produzem um barulho agudo com seus pneus, e seus escapamentos estouram alto na noite. Zahra vasculha o contorno da costa e as placas de rua e, assim, descobrimos que a balsa conseguiu alcançar o porto de Misurata antes de ser atingida. Havíamos chegado.

Aos tropeços, atravessamos a cidade aos poucos, em ímpetos curtos, evitando jatos de tiros e caminhões de patrulha militar. Ambas nos sobressaltamos ao depararmos com os esqueletos queimados de lojas, buracos de bala em placas de rua, prédios residenciais sem um dos cantos. Como Bengazi, Misurata é feita de tijolos sangrando e balas usadas. Me pergunto quantas famílias assistiram os seus lares desmoronando. Me pergunto se Umm Yusuf sabia o quanto a luta estava violenta, se alguém sabia o quanto nos seria familiar.

Zahra e eu nos encolhemos num beco, atrás de um caminhão abandonado, mas não dormimos. Passamos a noite tremendo até o sol nascer e secar as nossas roupas. Então começamos a despertar da letargia, estalando os dedos e esticando as pernas.

Zahra verifica o mapa na sacola de plástico, enterrada na minha mochila de juta — ainda seco. Lá dentro, a juta tem cheiro de sal misturado ao perfume de Mama. Imagino o ar saindo da sacola de plástico e me pergunto se existe mais esperança no mundo do que aquela que enxergamos.

Zahra cata o resto do nosso dinheiro, molhado como lenços de papel usados. O céu está vermelho de novo e a cidade vai arrastando os pés nas janelas e acende cigarros nas soleiras das portas.

— Nós precisamos correr — diz Zahra, me levantando com um puxão. — Faça isso por Mama. Faça por Huda.

Ela me puxa pelo pulso rua abaixo. Vagamos pouco mais de meio quilômetro até chegar numa feira onde vendedores de fruta estão montando suas barracas. Zahra compra tâmaras pegajosas para mim e tateia o dinheiro no seu bolso quando pensa que ninguém está olhando.

Passamos por uma barraca com o rádio ligado, falando depressa num dialeto do árabe diferente demais para eu conseguir entender. Zahra congela no lugar.

— O que foi?

Ela me pede silêncio. Fica rígida, escutando, e aperta os meus dedos.

— Você está me machucando — eu choramingo.

— Tarde demais — sussurra. — A Argélia fechou a fronteira com a Líbia hoje de manhã.

Esmago a carne de uma tâmara na minha mão.

— O quê?

Zahra prageja de novo, e Mama não está aqui para mandá-la não fazer isso. Ela me puxa de canto, à sombra atrás de uma barraca vendendo damasco.

— A gente não pode atravessar — ela sussurra. — A fronteira com a Argélia está fechada.

— Se a gente não pode sair, pode voltar para a Mama — digo.

Mas Zahra sacode a cabeça, comprimindo a boca e os olhos como se ainda sangrasse por dentro. O medo em seus olhos me lembra o de Mama, o modo como ela não quer que eu perceba, mesmo eu percebendo. O corte em sua testa endureceu e virou uma crosta preta, e suponho que o meu esteja tão feio quanto.

— Lembre o que Mama nos disse sobre o mapa — diz Zahra.

— Ela nos disse para encontrá-la em Ceuta. Temos que ir para lá agora, não importa o que aconteça.

— Mas como a gente vai chegar lá se não pode sair da Líbia? Você disse que não tem como passar.

Zahra morde o lábio.

— Há um modo — diz ela. Então me olha, preocupada. — Não importa o que aconteça, não diga nada. Falar inglês vai nos entregar.

Voltamos ao sol. O dia já está quente, e mulheres percorrem a feira com vestidos compridos de estampas florais. Zahra compra um punhado de damascos de uma moça e lhe faz uma pergunta em árabe.

Não conheço todas as palavras, mas o tom de Zahra me diz o que ela está pedindo, e que está disposta a pagar o preço. Desvio o olhar para uma fileira de rosas das areias numa barraca vizinha e puxo a manga de Zahra.

— Não.

Ela me ignora. A moça se inclina para frente e diz alguma coisa. Consigo traduzir as palavras simples. *Não faça isso.*

Por que não?

Você tem um menininho. A moça franze a testa para mim e percebo que ela imagina que sou filho de Zahra. *O perigo é grande demais.*

Mas Zahra continua falando até a moça ceder. Ela aponta para outra barraca onde um homem faz uma carranca para um cesto de laranjas.

Andamos até lá e Zahra fala com ele em frases hesitantes. Ele não sorri. Chama outro homem, com a voz rasa e fria.

— Não estou gostando disso — sussurro.

Mas Zahra me ignora de novo.

— Deixa comigo — diz ela.

Quando o amigo do homem chega, ele e Zahra conversam. Ela lhe diz que sou seu irmão mais novo, que nossos pais estão nos esperando em Ceuta. Observo os olhos dele, o modo como vagam, subindo e descendo, o modo como se detêm nas dobras da camiseta dela e nos rasgos dos seus jeans.

O homem sacode a cabeça. *Não posso levar vocês a Ceuta, mas sim para Argel. De lá, vocês podem viajar para Ceuta.* Seu sotaque e seu dialeto são diferentes dos de Mama e Zahra, mas entendo a maior parte do que ele diz. Tento calcular na minha cabeça a distância entre Argel e Ceuta.

Zahra pergunta: *Quanto?*

O homem a fita e estabelece uma quantia. *Dólares americanos ou euros*, diz ele.

Zahra discute com ele, mas não tem com que barganhar. Ela esvazia os bolsos, tudo o que nos restou, exceto o que está costurado dentro das línguas dos meus tênis.

Quando ela saca a última das cédulas de dólar de Mama, meu coração tropeça no seu ritmo. Não vejo dólares americanos há tanto tempo que eles parecem óbvios demais, perigosos demais para se levar por aí — como sacar seu passaporte no meio de uma multidão.

O homem apanha os dólares depressa e os conta. Pede mais.

Zahra lhe oferece o pulso. O homem toca seu bracelete de ouro, roçando os dedos nos sinais da pele dela.

— O que você está fazendo? — sussurro.

Ela afasta minha mão com um tapa e sibila de volta:

— Nada de inglês.

Zahra tira o bracelete do pulso e o dá ao homem. Ele aponta uma picape com o dedão num gesto brusco.

Pouco depois, o homem nos leva junto com outra família para uma casa velha e vacilante a três horas de distância, fora do que Zahra julga ser Trípoli. A porta range nas dobradiças e, lá dentro, a casinha fede a urina e podridão. Sinto um misto de vergonha e pavor, para o qual não tenho nome, um nó dentro de mim gritando que isso foi um erro.

O homem nos deixa entrar com algumas palavras curtas e fecha a porta. Nós ficamos sentadas na escuridão durante alguns minutos, sem nos movermos. Um menino da minha idade e um velho — seu avô? — clamam para si alguns colchões no chão, e fazemos o mesmo. Ninguém fala.

— Ele disse que vamos em alguns dias — diz Zahra depois de um tempo. — Os contrabandistas vão nos levar de caminhão na travessia do deserto até a Argélia, talvez Marrocos, se encontrarem gente disposta a pagar. Podemos tentar atravessar para Ceuta de lá.

Seus olhos vagam pelas manchas de óleo nas paredes descascadas.

— Mas como? — pergunto.

— Não sei.

Sento de pernas cruzadas, apoiando as mãos no colo.

— Fico feliz por você não ser uma daquelas pessoas.

— Que pessoas?

— Aquelas que nunca ouvem de verdade — eu digo. — Aquelas que te dão um sorrisão quando só estão esperando a própria vez de falar. Aquelas que sempre ficam de um lado para o outro ao sabor do vento. Obrigada por não ser assim.

— Não mais.

Não dizemos mais nada por um tempo. Passo os dedos sobre os pregos onde as pessoas penduraram roupas e trapos. Por trás do tecido há palavras escritas na parede a caneta e marcador, algumas em árabe, outras em francês e inglês.

O mundo muda de forma à noite, uma diz.

Zahra dá uma risadinha baixa.

— Ainda tenho a chave — diz ela. — Da nossa casa em Homs.

— Tem?

— Claro. — Ela desvia o olhar da grafitagem na parede e tira a fina chave prateada do bolso, com a gravação dos números desgastada e corroída pelo sal. — Imagine. Sem porta. Sem casa. Só uma chave.

Um caminhão é ligado do lado de fora. Do outro lado do recinto, o velho passa para o menino da minha idade um toco de giz de cera tirado do seu bolso. O menino despe a camiseta, revelando uma escada de ossos nas costas e no peito. Sua pele está repuxada sobre suas bochechas morenas e seu cabelo preto pende em seu rosto quando ele vira a camiseta do avesso, pressionando o giz sobre a etiqueta.

— O que você está fazendo? — pergunto a ele.

O menino ergue o olhar para mim, tirando o cabelo dos olhos. Seus jeans estão grandes demais para ele e seus joelhos são protuberâncias desproporcionais, como maçanetas enormes. Ele baixa os olhos quando me responde, mexendo com o colarinho preto da camiseta em suas mãos. Por um minuto, percebo que esqueci de falar em árabe e abro a boca para tentar de novo.

— Coloquei o meu nome na etiqueta — diz o menino, baixinho, em inglês, com um sotaque diferente do de Mama. — O meu nome, e o do meu avô, e quem sou eu. Para o caso de não conseguirem saber quem somos a partir de nossos corpos.

Ele diz isso com tanta calma. Eu gaguejo em resposta:

— Quem você é? Quer dizer, seu nome?

— Não. Quero dizer a história da minha vida, onde eu nasci e essas coisas. — O menino estende o giz para mim. — Quer escrever também?

Pego dele com a mão trêmula. Abro a bolsa de Mama e escrevo o meu nome e o de Zahra na parte de dentro da juta.

Então paro. De onde devo dizer que sou, de Manhattan ou Homs? E o que se pode dizer da sua vida em cinco palavras escritas com giz?

O menino e o seu avô esperam, fitando o lado de fora através da janela leitosa.

Enquanto penso, encosto a cabeça na parede. Leio outra frase, rabiscada a caneta por alguém que deve ter passado por aqui: *Não estamos em nenhum mapa.*

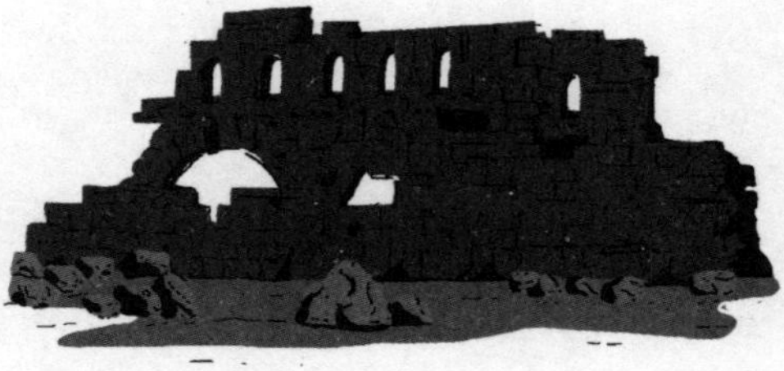

PARTE IV
ARGÉLIA/ MARROCOS

Meu nome é uma canção que canto para mim, a fim de me recordar da voz da minha mãe. Meu nome não se curva à sua língua, não se detém nas suas fronteiras. Meu nome não é um risco de voo. Canto meu nome a fim de me recordar de uma época quando nossa língua corria em nosso sangue, uma época quando nossas mães se irritavam conosco, uma época quando as vogais vinham do mesmo lugar profundo que o riso e o poço da sede não era tão vasto. Ó meu amor, enfrento com amarras e de pés descalços o caminho da vida, afundando as unhas nas colinas em busca da voz que deixei na casa onde minha mãe e os seus nasceram. Onde, ó meu amor, onde encontrarei tais palavras? Preciso de um termo que cheire à madeira do oud da minha mãe, um termo que tenha a aparência do sol criando calos nas mãos do meu pai. Preciso de um termo que ressoe como passos na noite, um termo que sangre água quando você o cortar com uma faca. Preciso de um termo que minhas filhas não consigam pronunciar, um termo estreito o suficiente para Deus passar por ele. Houve uma época quando as palavras consertavam as coisas, meu amor, uma época quando eu sangrava o nome que você me deu. Houve uma época quando Deus e minha mãe viviam em meu nome, uma época quando eu trançava meu nome no meu cabelo qual uma videira. Eu sei que um figo não é uma fruta, mas uma flor que cresce para dentro, e tenho fome do meu nome, tenho fome de alimentar minhas filhas com as coisas que elas esqueceram, tenho fome de encontrar as palavras para dizer que nossa casa já foi um lugar verde e voltará a ser.

Ó meu amor, chegará o dia quando eu entrarei na espuma dessa mortalha branca e pisarei nela. Pressionarei a palma da sua mão contra a minha e a sua pele será a minha. Vamos correr até aquela praia distante, cada um de nós na direção de onde o outro espera. Ó meu amor, você é o único lugar onde podemos cantar na língua das nossas mães. Nos seus olhos, estão suspensas as palavras, maduras como frutas.

TERRA NUA

DEPOIS DA MORTE DO REI ROGÉRIO, qualquer camponês em Palermo poderia dizer que seu herdeiro, Guilherme, não era o homem que seu pai fora. Os barões sicilianos espalhavam rumores de que ele não era apto a governar. Sussurravam contra ele, dizendo-o mau e perverso.

Mas Guilherme ficou impressionado com o trabalho de al-Idrisi para seu pai e prometeu recompensá-lo generosamente se ele permanecesse na sua corte e lhe escrevesse outro livro de geografia. Pelo fato do jovem monarca ser filho do Rei Rogério, al-Idrisi aceitou. Pediu a Rawiya e a Khaldun para ficarem na corte do Rei Guilherme a fim de assisti-lo em tal empreitada, alegando que não conseguiria sem eles. E Rawiya, que guardava os amigos no coração, concordou em continuar lá por algum tempo.

Conforme espalhou-se a notícia de que os nobres sicilianos conspiravam contra o governo do Rei Guilherme, Rawiya foi ficando nervosa. Ela e Khaldun falaram a al-Idrisi dos seus temores, mas ele os desconsiderou. O cartógrafo não abandonaria o filho do Rei Rogério num momento de necessidade. O Rei Rogério criara um refúgio de igualdade e aprendizagem, disse-lhes, e o Rei Guilherme daria continuidade ao legado do pai.

Mas não era para ser.

SEIS ANOS APÓS a morte do Rei Rogério, Rawiya e Khaldun encontraram-se num canto isolado dos jardins do palácio à noite, cercados por jasmins e amendoeiras. Ali, podiam conversar livremente, como não lhes era permitido durante o dia, a salvo da censura e da fofoca da corte. Ao longo dos anos de paz anteriores, haviam sido inseparáveis, caminhando pelos saguões do palácio, pelos jardins ou pelas ruas de Palermo. Havia-se difundido muita especulação acerca do seu relacionamento. O único outro lugar onde podiam ficar sozinhos, livres para rir e conversar como quisessem, era na oficina do palácio, debruçados sobre as suas anotações e os esboços dos mapas que estavam produzindo para al-Idrisi, que contava com ambos enquanto trabalhava e escrevia na corte do Rei Guilherme. Haviam recebido o título de acadêmicos da corte. Trabalhavam lado a lado na oficina, dia após dia, e foi lá que, com os dedos manchados de tinta, haviam dado seu tímido primeiro beijo, meses antes.

Naquela noite em especial, Rawiya e Khaldun seguravam as mãos um do outro enquanto a conversa rumava para um caminho diferente, mais nostálgico.

— As árvores estão verdes e cheias de novo — disse Rawiya — e logo os campos e pomares estarão repletos de frutas. Seis vezes a colheita de azeitonas veio e passou desde nosso retorno a Palermo, e minha mãe ainda vai andar pelo bosque de oliveiras e pela costa aguardando meu retorno. Eu era novinha quando parti de casa, mas agora sou adulta. É hora de fazer planos para voltar. — Pois, àquela altura, tanto Rawiya quanto Khaldun aproximavam-se dos vinte e cinco anos de idade e começavam a se inquietar com a vontade de criar algumas raízes.

Khaldun baixou o olhar para as mãos de ambos.

— Eu sei — disse ele. — Você deve ir até sua mãe. Ela vai querer saber que você está em segurança.

Rawiya encostou a testa na de Khaldun.

— Mas eu não quero deixar você.

Khaldun recuou e olhou-a nos olhos.

— Eu quero que a sua casa seja a minha — disse ele. — Onde quer que você vá, eu irei. Essa foi a minha promessa. — Ele beijou as mãos dela. — Eu te amo, Rawiya. Se você me aceitar, eu te seguirei até os confins da terra. Se você me aceitar, eu serei seu marido.

Mas ele mal acabara de dizer isso, quando veio um brado do pátio e os dois levantaram-se de um salto. Do palácio veio o som de vidro se quebrando, o choque de clavas contra mármore. Alarmados, correram pelos jardins na direção do pátio, mantendo as cabeças baixas, ocultas pelos galhos. Vozes impetuosas e o crepitar de tochas emergiam de lá.

Rawiya e Khaldun ficaram grudados, consternados com a cena diante dos seus olhos. Rebeldes haviam tomado o palácio. Os rumores acerca de agitações eram verdadeiros; os barões haviam incitado uma rebelião contra o Rei Guilherme.

— Precisamos encontrar al-Idrisi e sair daqui — Khaldun sussurrou.

— A biblioteca... é onde ele vai estar.

Rawiya tocou a cimitarra incrustada de joias do cartógrafo, que ela usara com orgulho durante aqueles seis anos. Sabia que al-Idrisi nunca partiria sem *O livro de Rogério*.

Atravessaram os jardins voando, na direção da biblioteca.

— Faz seis anos e o coração dele continua entre aquelas páginas — disse Khaldun.

— Ele não é o primeiro a buscar paz entre os seus livros em vez de no sono. — Fúria gotejava na voz de Rawiya. — Isso nunca teria acontecido sob o governo do Rei Rogério. Um rei sábio teria...

— Mas temos que lidar com as coisas tais como são — disse Khaldun. — Tivemos muitos anos de paz. Deveríamos agradecer.

Rawiya pressionou-se contra uma árvore ao ouvir vozes e seus dedos roçaram os de Khaldun.

— Tivemos mais do que a maioria — sussurrou.

Eles entraram na passagem aberta que dava na biblioteca. Do outro lado das arcadas das varandas, viam homens erguendo estatuetas e retalhando afrescos e azulejos, a fim de tirá-los, ateando fogo a tapeçarias e almofadas de veludo.

A biblioteca estava vazia, e todas as velas, apagadas. Havia mais um lugar onde al-Idrisi poderia estar, quase certamente. Rawiya e Khaldun correram para a oficina, onde uma única vela ardia.

Lá encontraram al-Idrisi encurvado sobre o planisfério de prata, vestindo sua túnica branca de acadêmico. Ele praguejava e chorava, lutando para colocá-lo no palete rolante, mas era pesado demais para um homem levantar sozinho.

Mais adiante no corredor, rebeldes gritavam ao saquear a biblioteca, arrancando livros das prateleiras, ateando fogo a obras raras.

— Não há tempo — disse Rawiya. — Temos que deixá-lo.

— Não. — Al-Idrisi baixou o disco de prata, esfregando os dedos. — O planisfério é tudo o que me restou de Rogério.

— Você tem o livro e o mapa — disse Rawiya. — Que isso seja o bastante. Os rebeldes vão querer o planisfério por causa da prata. É perigoso demais levá-lo.

— Por favor. — Al-Idrisi abaixou a cabeça, sua barba tão branca quanto seu turbante. Mesmo após os anos de viagens terem cobrado seu preço, Rawiya nunca o vira tão envelhecido. — Nós conseguiremos, juntos.

Rawiya deu a volta no disco de prata. Pesava mais do que dois homens.

— Tudo bem — disse ela. — Ajude-me.

Khaldun postou-se ao lado do planisfério e al-Idrisi posicionou-se à frente do conjunto de seis mãos. Juntos, os três rebocaram o planisfério até o palete, grunhindo com o peso.

As portas escancararam-se. Homens invadiram a oficina, virando mesas e a prancheta, brandindo punhais e clavas.

— Vão! — Khaldun gritou, aparando uma lâmina com sua cimitarra. Jogou o homem para longe de si e segurou o golpe de uma clava que descia na sua direção. Seus agressores guincharam e o chutaram.

— Khaldun! — gritou Rawiya.

Ele bloqueou os golpes e girou, derrubando no chão o punhal de um dos homens e seu dono, que segurava o pulso.

— Vão! Agora!

Rawiya puxou al-Idrisi na direção da porta. Mais combatentes abriram caminho para a oficina à força, usando o planisfério para empurrar Khaldun contra um canto, de costas para a janela. Um deles ateou fogo às cortinas, e as chamas espalharam-se pelas vigas de madeira do teto da oficina.

Khaldun não viu a flecha atravessar a janela sibilando, vinda do pátio.

Rawiya ganiu.

A flecha rasgou a túnica de Khaldun, salpicando o chão de sangue. Enquanto seus agressores comemoravam, Khaldun ergueu os olhos para Rawiya.

Vão, disse com os lábios.

As chamas lambiam seus ombros, derretendo a armação da janela. *Vão.*

Rawiya tirou al-Idrisi do recinto, puxando-o pelo pátio na direção do túnel secreto dos servos que vira quando chegara ali pela primeira vez. Guiou al-Idrisi através do túnel arenoso, no escuro, e os tijolos sobre suas cabeças estremeceram sob dezenas de passos.

O túnel um dia levara à cozinha dos servos, mas não mais. Rawiya piscou ao luar. Depararam-se com um pátio aberto repleto de escombros, com resquícios de panelas de cobre amassadas e cerâmicas estilhaçadas aos seus pés. O teto desmoronara; o revestimento das paredes estava chamuscado, e os azulejos, destruídos.

Rawiya e al-Idrisi avançaram com cuidado em meio à porcelana quebrada e ao tijolo enegrecido e escaparam pela entrada dos servos. Fugiram pela noite, atravessando os jardins do palácio, sobre relva pisoteada e folhagens de palmeiras queimadas. Esconderam-se sob os palmiteiros, assistindo o palácio ribombar e queimar.

Al-Idrisi ajoelhou-se e rezou, com a cabeça nas mãos, *O livro de Rogério* um contorno pesado em sua túnica.

Rawiya pressionou a mão contra o peito, tateando em busca do músculo encolhido de seu coração. Ele batia, abrindo-se e fechando-se, com apenas sangue onde antes houvera palavras.

O PRIMEIRO DIA passa devagar, e também o seguinte. Antes de nos darmos conta, passamos uma semana na casa dos contrabandistas, esperando-os reunir um grupo grande o suficiente para fazer uma viagem de travessia do deserto e da fronteira argelina. Eles não nos deixam sair para esticar as pernas, então jovens pais andam para cima e para baixo na sala e crianças achatam o rosto nas janelas.

Moscas zumbem nos cantos do teto. Toda noite, os contrabandistas nos jogam pães e gritam para esperarmos mais um dia. Abro a boca para perguntar a Zahra se podemos voltar, então lembro o que Mama falou sobre os combates espalhados pelo golfo: *As estradas viraram terra de ninguém.* À noite, ouvimos vozes masculinas, e finjo dormir.

Na última noite, um dos contrabandistas entra na casa barulhenta e circula por entre as famílias adormecidas arrastando os pés. Ele anda como se estivesse à procura de alguém, vasculhando cada um de nossos corpos com o olhar. Tremo, grudada a Zahra, e fecho os olhos com força.

Ele para perto de nós. As tábuas do piso rangem. O homem respira pesadamente e rosna pelo nariz, dando batidinhas na parede com algo de madeira.

Um pavor gelado se espalha dos meus dedos dos pés ao couro cabeludo, me deixando com um medo formigante. A distância que nos separa parece não ser nada. Ele paira acima de nós na escuridão.

Mas o contrabandista avança, e eu solto o ar. Ele chuta um dos jovens pais, que geme.

O contrabandista fala em árabe, alto o suficiente para acordar as outras famílias, mas ninguém se mexe.

Você, diz ele. *Levante.* Ele chuta o homem de novo. *A sua família não pagou.*

O pai se separa da esposa aos tropeços e vai até a parede, arrastando os pés. *O que você quer que eu te dê?,* ele resmunga. *Não tenho nada. Já falei, eles vão mandar o dinheiro.*

O estalo úmido de uma clava atingindo carne sobressalta o cômodo inteiro. O pai grita. O contrabandista o empurra na direção da porta, ainda protestando.

Não tenho nada, ele grita. *Eu te dei tudo o que tinha.*

A porta se fecha com força. Ao nosso redor, as pessoas soltam o ar, esticando pescoços tensos. Lá fora, pela janela, madeira dura golpeia músculo. O pai grita e implora. Moedas tilintam na terra. Meu coração agride meus pulmões e escondo o rosto na barriga de Zahra.

Sua respiração está pesada e irregular, aquecendo minha nuca.

— Você não entendeu nada da conversa — ela sussurra. — Certo?

Um medo tenso percorre sua voz, como ar passando pela palheta de um oboé. É algo que Mama teria dito, algo que costumava me perguntar depois dos médicos falarem com Baba no hospital.

Abro a boca, pensando em como contar a Zahra o que escutei. A porta se fecha com um baque quando o pai volta para dentro da casa mancando e Zahra estremece a cada um de seus passos.

— Não — sussurro de volta. — Não entendi.

No dia seguinte, uma dúzia de pessoas se amontoa na parte de trás do caminhão dos contrabandistas, sentadas em sacas e caixas. Há pilhas altas de bagagens e cobertores enrolados, presos com fita adesiva. Embrulhos pendem das laterais de madeira do caminhão, amarrados com cordas, fazendo-o parecer um cachorro desgrenhado com perninhas minúsculas. As pessoas sentam sobre suas malas, ombro com ombro, e aquelas alocadas na beirada do caminhão têm bastões no meio das pernas para impedi-las de tombarem para fora se pegarem no sono.

— Ande. Ande! — Os contrabandistas batem palmas para nos apressar. Eles nos jogam garrafas d'água e nos dizem para fazê-las durarem.

Zahra e eu subimos, apertadas perto do menino da minha idade e seu avô. As pessoas se atropelam quando o motor liga.

A cidade diminui até ficar do tamanho de um besouro no horizonte. O chão pedregoso vira areia. Moitas e relva desaparecem. A estrada irregular levanta nuvens de poeira.

O menino da minha idade dá sua garrafa d'água ao avô, que esfrega as espessas sobrancelhas brancas e a pele fininha sob os olhos. O menino pega uma meia inchada do bolso e tira dela um frasco plástico de remédio. Dá uma pílula ao avô, que a engole com uma bicada na água.

Ele me percebe o encarando. O menino diz baixinho em inglês:

— É para o coração dele.

— Ah.

Nós quicamos com o movimento, e o suor respinga, desprendendo-se dos nossos queixos.

Considero minhas palavras em árabe, mas meus nervos me faltam, e respondo em inglês:

— Eu sou Nur. Essa é minha irmã, Zahra.
— Sou Esmat.
— Por que você esconde as pílulas? — pergunto.
— Elas custam muito dinheiro — diz Esmat. — Não queria que as roubassem. — Ele encara as mãos. — Você gosta de futebol? Eu gostava de jogar com os meus amigos, em casa.
— Minha irmã Huda jogava, antes de partirmos — eu digo. Consigo sentir as traduções em árabe por trás das palavras em inglês, como se meu cérebro houvesse se tornado duas engrenagens entrelaçadas. — Ela era a melhor, capitã do time da escola.
— Isso é incrível — diz Esmat.
O sol vira a cabeça ao longo do céu. O menino sacode as pernas, suspensas para fora da lateral do caminhão, chutando bolas de futebol imaginárias.
— Algum dia — diz ele — espero que sua irmã possa voltar a jogar.

À TARDE, paramos para as pessoas poderem descer e fazer xixi. Algumas pedem água. O contrabandista prageja e as empurra, jogando garrafas d'água para os outros até voltarem ao caminhão. Ele nos diz que não receberemos nosso dinheiro de volta se formos deixados para trás.

A estrada faz curvas em meio a morros-testemunho pedregosos e colinas avermelhadas, então se distende numa vastidão arenosa pontilhada de tufos verde-acinzentados de relva resistente. De vez em quando, passamos por camelos sentados com as pernas dobradas sob o corpo e, às vezes, ao longe, silhuetas minúsculas nos observam.

Ao nos aproximarmos da fronteira da Argélia, as dunas do Saara se erguem a oeste — penhascos de areia, cumes ondulados de cordilheiras e montanhas de areia da cor do mel. O caminhão continua avançando devagar, pulando e reclamando.

Quando o sol vai descendo, Esmat dá ao avô o resto da sua água.
— Ele tem que continuar bebendo — diz.

Ao pôr do sol, fazemos outra pausa para o xixi e o motorista ameaça nos obrigar a tomar pílulas para nos impedir de urinar. *Nada de água de agora em diante*, ele grita.

Ao nosso lado, Esmat se remexe em meio às pilhas de embrulhos, inquieto. Ele sacode a garrafa vazia de água para obter as últimas gotas e suas mãos tremem.

O menino pula para fora do caminhão e aborda um dos contrabandistas, que está esticando as pernas. *Meu avô*, diz em árabe. *Precisa de água*.

Mas o contrabandista grita com ele. Pega um dos bastões do caminhão e bate no rapaz com força suficiente para fazê-lo gritar. Golpeia-o nas costas, nos pulsos, nas têmporas. Vergões vermelhos ganham relevo na pele sobre suas escápulas. Afundo o rosto no colo de Zahra e grito com cada estalo do bastão e, muito embora não os veja, cada vergão parece arder na minha própria pele.

NAQUELA NOITE, Esmat está deitado com a cabeça no colo do avô, adormecendo e despertando, quando o caminhão para num campo cheio de arbustos. O contrabandista que agrediu Esmat bate a porta do caminhão e vem até nós pisando duro, nos mandando descer.

Ficamos tremendo no campo. Ele nos diz para começar a andar, que vamos atravessar a fronteira da Argélia a pé. Diz para não fazermos nenhum som, pondo o dedo na cabeça e fingindo puxar um gatilho.

Guardas de fronteira atiram primeiro e perguntam depois, diz ele.

Mulheres grávidas e pais com crianças pequenas se esforçam para acompanhar o passo. Zahra carrega um menininho enquanto sua mãe fica por perto, com o nariz e as bochechas terrivelmente queimadas pelo sol e um bebê no colo. Esmat caminha ao nosso lado, segurando a mão do avô. Seu rosto e pescoço estão tão inchados que mal o reconheço. Enquanto andamos, me pergunto se parecemos uma família. Acaso as pessoas podem se colar umas às outras com a mesma facilidade com que podem ser afastadas?

No escuro, nossas respirações são as asas de uma dezena de gafanhotos batendo.

Então soam os estouros de balas.

Os tiros rasgam as costuras da noite. Nós nos abaixamos e corremos. O menininho se sobressalta e pula do colo de Zahra. As famílias se espalham e Esmat e o avô se perdem um do outro no caos.

Zahra agarra a minha mão e eu engancho o meu braço ao redor do cotovelo de Esmat. Nós corremos da estrada, mergulhando sob a lua.

Os estouros ficam mais altos. O caminhão dos contrabandistas é ligado ao longe. Tropeço em algo que me puxa e se prende nas minhas canelas — um rolo de arame farpado no chão, estendendo-se noite adentro. Argélia.

O braço de Esmat dá um puxão forte e ele some. Solto a mão de Zahra e me viro. Na escuridão atrás de nós, a cabeça de Esmat se recorta contra o chão, expondo para a noite os vergões vermelhos que o contrabandista causou na sua nuca.

— Esmat — eu sussurro. — Precisamos correr.

Ele é pesado demais para eu levantá-lo. Ao longe, na escuridão, as lanternas dos guardas de fronteira vasculham o chão. Bem quando os meus olhos se ajustam ao escuro, a poça brilhante de uma lanterna me ofusca e os estouros de tiros voltam. Me atiro no chão e perco Esmat no escuro.

— Ande. — Zahra me puxa para fora do círculo de luz e nós corremos e corremos até os estouros pararem. Não olhamos para trás.

Quando recuperamos o fôlego, Zahra e eu estamos sozinhas. Olho na direção da estrada atrás das dunas, mas não enxergo nada, nem o corpo de Esmat, nem o seu avô, nem a fronteira. O frio chegou como não o sinto desde a cidade, arrepiando a pele das minhas pernas. Nelas, há bolhinhas pegajosas, sangrando.

Zahra toca os cortes nas minhas canelas e as manchas de sangue nas minhas mãos.

— O arame? — pergunta, pensando que todo aquele sangue é meu.

Assinto. O maxilar dela também está cortado, com sangue endurecido marrom, grosso como gordura numa panela. É o tipo de corte feio que nunca se fecha direito, o tipo que deixa um dedo comprido de carne áspera.

Me agacho e cubro os joelhos machucados com os braços. A lua lambe o centímetro de cabelo na minha cabeça. Pisco e vejo o rosto congelado de Esmat, como se ele estivesse prestes a chorar.

— Aposto que sei o que o homem diria, se estivesse aqui.

Zahra olha para trás, na direção da Líbia.

— O que ele diria? — pergunta.

— Nada de dinheiro de volta.

O SOL É UMA TOCHA. Durante o dia, a rocha e a areia vão de gelo a brasa sob nossos pés. Nós avançamos pelas dunas com dificuldade, procurando a estrada. Ambas sabemos que, se a encontrarmos, só uma direção estará aberta para nós. Mesmo se levarmos nossos documentos à fronteira da Líbia, esta já está fechada. Não podemos voltar.

Minhas pernas viram tijolos. Suor goteja das palmas das minhas mãos. Zahra e eu trocamos a minha garrafa de água de mãos até termos acabado com ela. Imagino o gosto meio doce de pão. Imagino a corrente azul de água encanada alcançando minha língua. Tento me lembrar da cor do gosto de sorvete.

As noites são invernos duradouros e nós as passamos encolhidas sob o tapete sujo. Comemos o resto de nossas tâmaras e do atum. As latas se enrugam e secam. Pela primeira vez, rezo para agradecer ao contrabandista pelas garrafas a mais de água que nos deu quando subimos no caminhão, as que Zahra e eu andamos guardando.

As solas dos nossos sapatos têm buracos, de tanto andar. Nossos músculos têm cãibras e nossas costas doem. Me pergunto se o calor está fazendo a tinta do mapa de Mama derreter. Sinto até meu crânio pesado, minha mochila de juta e meus bolsos cheios.

— Talvez a gente já estivesse lá a essa altura — diz Zahra, depois de alguns dias —, se as coisas não tivessem dado errado.

Sobre nossas cabeças, as nuvens açoitam e correm, chamando a estação chuvosa vindoura.

Chuto seixos perdidos e vejo o rosto de Esmat nos padrões na areia.

— Aposto que nunca esteve nos planos do homem nos levar até lá — eu digo.
Zahra seca suor do rosto e do pescoço e ele pinga do seu pulso.
— Aquele grosso filho da puta. A gente não passava de dinheiro pra ele.
Limpo sangue seco das cutículas com as unhas.
— Mama não ia querer que você xingasse.
O calor se desprende do chão, tremeluzindo, contorcendo o horizonte. Me pergunto se alguém conseguiu voltar para o caminhão. Me pergunto se alguém por aí ama o contrabandista, se alguém ama todas as pessoas más e não amáveis do mundo. Me pergunto se homens maus são bons às vezes, quando não estamos olhando.

E então me pergunto: se encontrarem o corpo de Esmat, lerão as palavras que ele escreveu a giz de cera na camiseta?

Meu couro cabeludo arde e coça, o calor pintando minha visão de vermelho. Suor se acumula entre os pelos da minha sobrancelha e se gruda nos meus cílios. Meu sangue está espesso, as histórias dentro de mim, fervidas até virarem uma pasta. As palavras em mim, aquelas que não digo, contêm gravidade. Todas aquelas palavras não ditas são como pontos de gravidade feitos de ferro. O resíduo pegajoso de senti-las me sobrecarrega; sou esmagada pelo peso imenso da esperança, me perguntando se meu coração está só tentando respirar.

Paro de andar. Zahra continua se arrastando mais alguns passos no calor, até perceber.

— É setembro — eu digo.
— Provavelmente já é metade de setembro — diz Zahra. — E daí?
— Se Mama estivesse aqui, estaríamos seguras — digo. — Teríamos onde dormir. Não teríamos que fazer isso.
— O que você quer de mim? — Zahra pergunta. — Se quer encontrar Mama, precisamos andar.

Ela estende a mão para pegar a minha, mas me desvencilho.

— Temos que continuar andando — ela diz, e o desespero em sua voz explode num rubi de brasa quente, tão vermelho quanto os vergões nas costelas de Esmat.

— Pra quê? — eu grito. — Mama e Huda e Yusuf e Sitt Shadid e Umm Yusuf e Rahila já eram. Eles se afogaram, ou levaram tiros, ou estão mortos, igual a Abu Said. Igual a Esmat. Igual a Baba.

Minha última palavra se rasga no calor que sai das dunas. À distância, um trovão faz o céu estremecer.

É a primeira vez que eu digo isso em voz alta. Alguma coisa muda no mundo quando o digo, como se nenhuma das coisas ruins fossem exatamente reais até terem saído da minha boca. Como se, até eu dar palavras à morte, ela não existisse.

Acaso o mundo não passa de uma coleção de dores sem sentido esperando para acontecerem, um longo corte esperando o momento de sangrar?

Zahra se ajoelha diante de mim e diz:

— Precisamos continuar andando.

Eu fungo e tento enxugar o rosto, mas minhas bochechas estão secas.

— Meus pés estão doendo.

Zahra pisca para tirar areia dos cílios, como sombra dourada.

— Eu sei — diz ela, e toca meu rosto. — Tudo bem se você chorar.

— Não estou chorando. — Eu soluço, mas nenhuma lágrima vem. — Não consigo.

— Você está desidratada. — Zahra me passa sua garrafa de água, fazendo algumas gotas pularem.

Eu a afasto.

— Você precisa.

— Você acabou a sua hoje de manhã.

Pego a garrafa e bebo e minha garganta seca me faz tossir. Zahra tira a mochila de juta de mim. Noto três marcas bronzeadas cor de oliva nos pontos onde seu bracelete costumava ficar.

— Você vendeu — eu digo. — O bracelete de Baba.

— Existem coisas mais importantes que braceletes — diz Zahra.

Analiso o seu rosto e o corte em seu maxilar. Ou algum dos contrabandistas a esbofeteou no escuro, ou ela deve ter se cortado no arame farpado. Seja como for, Zahra terá a cicatriz para o resto da vida. Como eu, está marcada.

— Vamos só descansar — digo a ela.

O trovão ondula pelas dunas de novo, mais alto dessa vez. O céu cospe chuva em magros intervalos. Zahra e eu nos deitamos retas no chão. Abrimos a boca para beber, tentando apanhar o chuvisco na língua.

Não é suficiente, mas não nos importamos. Deixamos a noite chegar até nós quando as últimas gotas da chuva passageira caem, tortura e pura alegria ao mesmo tempo.

Mama estava certa. Às vezes, a dor vem com todo o tipo de bênçãos.

NAQUELA NOITE, um homem emerge das sombras com dez mil estrelas às costas.

Avisto sua silhueta recortada contra o céu roxo ao acordar tremendo, tendo a areia abaixo de nós esfriado. A Via Láctea lá em cima é um rasgo de luz. Zahra ainda está dormindo ao meu lado, com os músculos dos seus antebraços e ombros tendo espasmos causados pela sede. O homem dá alguns passos na minha direção e percebo que alguém nos encontrou.

Levanto, esfregando os olhos, e avanço até ele aos tropeços. Com o brilho da lua no rosto, ele aperta os olhos sob sobrancelhas grossas e grita algumas palavras que não compreendo.

— Quem é você? — grito de volta.

O homem responde, mas ainda não consigo entendê-lo. Olho na direção de Zahra, ainda dormindo vários metros atrás de mim, e o medo toma conta. Me lembro do contrabandista parado acima de nós na casa, o terror elétrico de ser observada, de estar sozinha. *Não estamos em nenhum mapa.*

O homem fala de novo, mais devagar dessa vez, pondo a mão no peito.

— Amazigh.

Repito a palavra:

— Amazigh?

O homem assente. Tento me lembrar do que Mama me falou sobre o povo que vive em partes da Argélia e do Marrocos, o povo que os livros de história chamam de berberes. Mas Mama me contou que, como a maioria dos povos, o nome que a história lhes deu não é o modo como chamam a si mesmos.

As estrelas estão baixas sobre nossas cabeças. Aqui fora, o céu é mais claro do que as constelações do teto da Grand Central. Todos, independentemente da sua língua, têm um nome para as estrelas. Eu me concentro em sua luz, lutando contra o medo, e encontro as únicas palavras que vêm:

Aponto o camelo em Cassiopeia.

— Minha preferida.

Zahra se agita atrás de mim, grogue e fraca pelo calor do dia. O homem parece confuso com meu inglês e fala de novo palavras que não compreendo. O medo borbulha, amarelo e vermelho, as cores do pânico. Me lembro das palavras que esqueci na loja de temperos em Homs — Zahra não pode me ajudar agora.

Mas o homem tenta de novo, falando mais devagar, e os seus olhos são tão jovens e pacientes quanto os de Abu Said nas fotos instantâneas de Baba.

Levanto a mão e aponto o céu. Qual era mesmo a palavra para camelo que Mama falou, a que Rawiya usou?

— An-naqah. — E então penso que ele talvez não saiba para o que estou apontando, então acrescento outra palavra em árabe que Mama me ensinou, aquela para estrelas: — An-nujum.

Encaro o homem. Ele parece incerto, me esperando dizer mais alguma coisa. Aponto o céu de novo, me perguntando se errei, tremendo de frio. Será que alguma vez Rawiya duvidou tanto de si mesma?

— An-naqah fi an-nujum.

O homem acena para alguém se aproximar. Formas surgem na noite — uma mulher e uma menina da idade de Zahra, guiando três camelos. Eles conversam entre si numa língua que nunca escutei antes.

Atrás de mim, Zahra acorda sobressaltada.

— O que está acontecendo? — ela sibila.

Observo o rosto do homem, sabendo que meu árabe é muito básico, como o de uma criancinha. Pode ele ser um homem mau, se ama as estrelas? Eu me pergunto se o contrabandista seguiu o olhar de Esmat, voltado ao céu.

Tento mais uma vez:
— Ohebbu an-naqah fi an-nujum.
Eu amo o camelo nas estrelas. Abro a palma da mão para a noite aveludada e começo a perder a esperança. Devo ter errado alguma coisa.

Mas minhas palavras fazem os olhos do homem se enrugarem, e ele começa a rir. Ele joga a cabeça para trás e ri de alívio e compreensão, uma gargalhada longa tilintando como se o céu soprasse diamantes das próprias mãos. Ele aponta para as estrelas e sorri.

— An-naqah fi an-nujum — diz ele, como se nunca tivesse sentido mais certeza de algo.

O alívio inunda minha barriga — ele *fala* árabe. Tento outra coisa:
— Ingliziya? Inglês?

A mulher atrás dele se desprende da escuridão.
— Árabe, francês. Um pouquinho de inglês. — Ela sorri. — Vem?

A mulher e o homem nos levantam e nos põem sobre seus camelos. Logo estamos atravessando as dunas, com os animais escolhendo o caminho pelas cristas de areia gelada. A mulher fica calada, cavalgando à nossa frente com Zahra. O homem me dá água e, de vez em quando, olha para cima e aponta uma constelação que uma vez escolhi com Mama ou Abu Said, mas ele lhes dá novos nomes. Ele chama as Plêiades por um nome que nunca ouvi, e a mulher diminui o ritmo para emparelhar conosco e traduz para o inglês: *As filhas da noite.*

Ouço eles falarem numa língua que nunca escutei antes. Não preciso entender nada. As vozes violeta-azuladas me envolvem, me protegendo do medo. Estou coberta por uma espessa casca de segurança, como uma laranja.

A noite afina como uma capa de chuva velha. Avançamos em silêncio na direção da aurora e o coração de todos bate tão alto. Escuto o espaço branco. Tudo o que ouço são respirações, como se fôssemos todos um órgão, um único pulmão.

DUAS COISAS AO MESMO TEMPO

OCULTOS SOB OS PALMITEIROS, Rawiya e al-Idrisi assistiram o palácio queimando.

O rosto de al-Idrisi estava sujo com as cinzas de palmeiras e linho. Ele dava batidinhas no livro e no mapa em sua túnica sem focar os olhos nas chamas.

— Como puderam se voltar contra o filho de Rogério assim? — ele perguntou.

— Porque ele não era o Rei Rogério — disse Rawiya. — As pessoas tiram vantagem quando o poder troca de mãos. — Ela acenou para a noite, na direção do Magreb ao longe, além do contorno da ilha e além-mar. — Veja o Cairo. Veja o Império Fatímida. — Nos meses anteriores, haviam chegado notícias à Sicília, através de mercadores, acerca da queda dos fatímidas, e até mesmo os servos passaram a sussurrar sobre o assunto. Com as palavras amargas na boca, Rawiya disse: — Quem é pego no fogo cruzado é que se machuca.

Al-Idrisi virou a cabeça.

— Nós o deixamos. Perdemos Khaldun e o planisfério com certeza. Eu fui um covarde.

— Eu o amava mais do que qualquer outra pessoa — disse Rawiya, golpeando o tronco do palmiteiro com o punho. — Eu queria passar a vida com ele. Você acha que eu não teria feito mais, se pudesse?

Al-Idrisi agarrou o livro dentro da túnica.

— Mas perder um homem tão bom...

Rawiya voltou a olhar o palácio, iluminado contra as estrelas. O cheiro de sal misturava-se ao enxofre azedo da fumaça. Cinzas tornavam-se uma pasta preta em suas bochechas.

— Espere por mim — disse ela.

Rawiya atravessou correndo os jardins do palácio, a cozinha destruída, o túnel dos servos, até parar no final da arcada de tijolos que dava no pátio.

Vozes e sombras vagavam pelo palácio, levando mobília, pinturas e joias. Um homem passou pela entrada do túnel, carregando uma tocha. Rawiya voltou às sombras, prendendo a respiração. O pátio incandescia com chamas destruidoras, mordazes, crepitantes. Os vândalos estavam queimando livros.

— Ei. — Rawiya saiu do túnel com a funda na mão. — O que vocês acham que estão fazendo?

Um dos homens jogou no chão um livro grosso, encadernado em couro, com o título escrito a mão em tinta dourada. Rawiya espiou a capa. Era a *Geografia* de Ptolomeu.

— Isso é uma brincadeira? — o homem rosnou. Ele pisou no livro, esfregando-o contra as pedras. — O dia de Guilherme acabou. Você deveria ter corrido feito um cachorro quando teve a chance.

Rawiya gesticulou na direção do livro.

— Eu quero saber o que você está fazendo com isso.

O homem deu um sorriso arrogante.

— Talvez eu o queime.

— Pegue-o do chão então — disse ela.

O homem fez menção de apanhá-lo.

Antes de alguém conseguir pará-la, Rawiya colocou uma pedra na funda e atirou-a, atingindo-o na mão. Ele desabou no chão, uivando.

Seus amigos dispararam contra ela, derrubando molduras e almofadas e peças de vidro ornamental. Ela atirou seis pedras, uma seguida da outra, abrindo feridas nas canelas de seus agressores, e atingindo suas barrigas até eles desabarem também.

O homem cuja mão ela acertara correu em sua direção, usando a perna quebrada de uma cadeira como uma clava. Rawiya enfiou a funda no cós da sua saruel e desembainhou a cimitarra incrustada de joias de al-Idrisi, bloqueando o golpe. Ela cambaleou para trás sob tamanha força.

O homem abriu um sorriso largo sobre as armas cruzadas.

— Isso é uma brincadeira, afinal de contas — disse ele, aumentando a pressão, forçando-a a recuar. — Uma mulher com uma espada? Guilherme afinou tanto que deixa mulheres protegerem o palácio? Uma mulher. — Ele cuspiu. — Você não é uma guerreira.

— Eu sou uma mulher e uma guerreira — disse Rawiya, com sua lâmina cortando a clava improvisada dele. — Se você acha que não posso ser ambas, mentiram para você.

Ela jogou o peso para frente, cortando a clava ao meio. O homem tropeçou para trás e caiu. Seus amigos levantaram-se, esfregando os membros doídos, e avançaram de novo. Rawiya aparou seus punhais e clavas, jogando homens de lado com a força da sua lâmina. Ela mergulhou em meio às suas fileiras, correndo para a oficina.

O recinto estreito estava cheio de fumaça. Ela tossiu, com a visão ofuscada.

— Khaldun?

Não veio resposta.

Rawiya engasgou com a fumaça e jogou a cabeça para trás. Vieram golpes pelas suas costas e ela ergueu a espada para bloqueá-los. Rolou para o lado ao longo de uma parede, gritando:

— Khaldun!

— Seu amigo se perdeu no fogo — seu primeiro agressor gritou. Ele estava sentado no chão esfregando a canela. — Não sobrou nada dele.

Rawiya correu para ele, que se levantou num salto e tentou esfaqueá-la com um punhal, fazendo-a pular para trás. Rawiya afastou-se num ímpeto, agarrando a *Geografia* de Ptolomeu no caminho. O resto dos homens cercou-a, empurrando-a de volta na direção do túnel dos servos.

Com o livro nas mãos, Rawiya não conseguia pôr toda a sua força nos golpes, e tropeçou. Um homem a chutou e ela voou para trás, cruzando a arcada do túnel dos servos, rumo à escuridão.

Eles começaram a bater na entrada do túnel com suas clavas, derrubando tijolos. Dez deles golpeavam as paredes de uma vez, enquanto Rawiya limpava faíscas dos olhos, pondo-se de joelhos. As paredes começaram a rachar. Pedra desmoronava na entrada. Rawiya atirou-se para trás quando pedras caíram ao redor de seus joelhos e tornozelos. Ela engatinhou para longe da entrada bem quando a arcada desabou, sem deixar abertura.

— Khaldun — sussurrou Rawiya. — Meu lar.

Ela voltou aos tropeços para a cozinha destruída, cruzando o jardim do palácio, segurando com força o livro que resgatara, o livro que o Rei Rogério um dia lhe oferecera.

Rawiya passou pelo palmiteiro queimado onde deixara al-Idrisi. Encontrou-o chorando com a cabeça no colo, o turbante branco estremecendo.

PERTO DA ALVORADA, escalamos uma duna alta e olhamos para uma estreita planície pedregosa, com tamargueiras espalhadas. Há uma tenda quadrada com tapetes de pelo de cabra e lençóis coloridos fazendo as vezes de cortinas, apoiada nas raízes de uma das árvores, protegida do sol nascente pelas suas folhas amontoadas. Um rapaz mais velho nos observa à distância, enxotando cabras marrons e duas ovelhas magras. Um cordeiro vem cambaleando até nós, balindo. Cachorros perseguem uns aos outros atrás da tenda, latindo para chacais que estão escapulindo junto com a escuridão.

Normalmente não viajamos à noite, diz a mulher a Zahra num árabe com sotaque, *mas os cachorros sentiram o cheiro de vocês*.

Ela ajuda Zahra a descer do camelo, e sua filha me põe no chão. Eles nos enxotam para dentro da tenda e nos fazem sentar. O chão está coberto por tapetes de lã, tecidos em formato de diamantes laranja e composições estreladas verdes, dispostos com suas extremidades cobrindo umas às outras. O homem, que deve ser marido da mulher, entra e nos traz um bule prateado de chá. Ele mantém o braço no alto e serve copos num fluxo fininho. Depois de passar fome esse tempo todo, sinto o açúcar grudando nos pelos do meu nariz.

A mulher entra e senta, ajeitando o vestido florido e o lenço bordado. O chá está adoçado e quente, e a menta tem um cheiro azul pálido e límpido. Ela diz algumas palavras. Eu reconheço *bismillah* — em nome de Deus.

A mulher nos espera falar.

Abaixo a cabeça e lhe agradeço em árabe:

— Shukran. — Então pergunto em inglês: — Você fala quatro línguas?

Ela sorri.

— Meu francês e meu árabe vêm da época da escola. O inglês, do mercado. Nós fazemos kilims. — Ela aponta para os tapetes no chão.

— Eu sou Nur — eu digo. — Essa é minha irmã, Zahra.

A mulher inclina a cabeça e sorri de novo, aprofundando as rugas de sol ao redor dos seus olhos.

— Itto.

Zahra desata a falar árabe, explicando o que aconteceu conosco e que estamos tentando chegar ao Marrocos, então Ceuta, onde nosso tio mora. *Precisamos ir a Sabta*, diz Zahra, usando a palavra árabe para Ceuta. *Nós fomos separadas da nossa mãe e da nossa irmã. Viajamos durante dias.*

Itto traduz para o marido, que se levanta e sai. Ouço ele falando com o filho e a filha do lado de fora.

Itto franze a testa. *Eles iam levar vocês para Argel, e de lá pelo Marrocos até Sabta?*

Sim.

Não é fácil atravessar a fronteira marroquina para a Espanha.

Eu sei.

Itto me lança um olhar. *Esse é o seu irmão?*

Zahra olha para mim e então de volta para Itto. *Ela é minha irmã.* Explica sobre os piolhos, e desvio o olhar.

É melhor assim. Itto nos serve mais três copos de chá. *Ela nos fez rir com as estrelas. É uma criança doce.*

É mesmo. Zahra abaixa o olhar para o vapor. A filha de Itto entra com pratos de argila cheios de cuscuz quente coberto por temperos e amêndoas. Olho de Zahra para Itto, mas a minha irmã não me olha. Como sempre, acha que não entendi.

Nossas palavras saem em árabe ao mesmo tempo. Zahra fala a Itto por mim, dizendo: *A minha irmã só fala um pouquinho de árabe.*
Eu digo: *Obrigada.*
Zahra e Itto se viram para me olhar e Itto sorri. Em árabe, diz:
— Há um lugar... Uargla. Lá plantam frutas e as põem em caminhões para vender. Alguns deles vão para Ceuta.

◆

ITTO E SUA FAMÍLIA nos levam nos seus camelos na direção oeste, conduzindo as cabras e ovelhas junto. Acho que viajamos durante uma semana, mas perco a noção do tempo. Comemos e dormimos na tenda deles e os ajudamos a pastorear o rebanho. O deserto se torna familiar, um rosto decorado com narizes curvos de pedra, os lábios das dunas e trechos verdes pontilhados por eucaliptos, como a linha da divisão entre o cabelo e a testa.

Itto compartilha sua água conosco e me ensina palavras em árabe, chaouis e francês. À noite, ela e sua filha remendam tecido e, quando a luz se vai, contam histórias. Ouço suas risadas e o som dos camelos arrastando os pés e balançando. Os cachorros ladram para os chacais sob a lua.

Um dia, viro o pescoço a fim de olhar para Itto, sentada atrás de mim no seu camelo. Falo com ela em árabe. Minhas frases de bebê se tornaram mais fáceis; as palavras vêm a mim quando as procuro.

— Você nunca perguntou de onde somos — digo.

Ela aperta os olhos, para além das dunas.

— Vocês me disseram que são da Síria.

— Zahra nasceu em Homs. Mama e Baba moraram lá por muito tempo. Mas eu nasci em Nova Iorque, nos Estados Unidos.

— Nova Iorque? — Itto baixa o olhar para mim. — Você pode ser americana, mas ainda é síria.

Esfrego o pelo áspero do camelo com as palmas das minhas mãos.

— Como?

— Uma pessoa pode ser duas coisas ao mesmo tempo — diz ela. — A terra onde seus pais nasceram sempre estará em você. Palavras sobrevivem. Fronteiras não são nada perto das palavras e do sangue.

Penso no contador de histórias atrás do portão da fronteira jordaniana. Os cascos dos nossos camelos afundam na areia. Se eu pusesse a orelha no chão, poderia ouvi-lo respirando?

— Houve uma época quando estrangeiros vieram reivindicar nosso país — diz Itto. — Não podíamos falar nossa língua, nem dar aos nossos filhos os nomes que queríamos. Mas nós nos agarramos ao que nossas mães amavam. Nosso legado. Nossas histórias. Eles nos chamam berberes, de "bárbaros". Mas amazigh significa "homem livre". Sabia disso? Ninguém pode nos tirar nossa liberdade. Ninguém pode tirar nossa terra ou nossos nomes do nosso coração.

O calor distorce o horizonte, fazendo coisas próximas parecerem distantes, e coisas distantes parecerem próximas. Acaso Baba alguma vez sentiu o mesmo em relação à Síria, eu me pergunto, quando olhava para o outro lado do Rio East, para além do Brooklyn? Mama disse que o tio Ma'mun era um tipo diferente de pessoa, alguém que via a vida como uma aventura. Acaso Baba e o seu irmão também sentiam falta das coisas de um jeito diferente, de forma que Baba estivesse de luto pelo mesmo lugar que o tio Ma'mun mantinha guardado no bolso da camisa? Penso em Yusuf e Sitt Shadid e acho que talvez algumas partes de você nunca deixem de te dar saudades, quando você se dá conta de tê-las perdido.

— Acho que meu baba tentou guardar a Síria dentro de si — eu digo —, mas ela era grande demais para ele se agarrar nela.

— É por isso que tivemos que nos agarrar às velhas palavras — diz Itto —, até as vozes das nossas mães saltarem das nossas bocas.

Ela estreita os olhos na direção do horizonte, como se a própria terra contivesse camadas de realidade que sequer consigo enxergar. E percebo o quanto sei pouco sobre a dor ou os ancestrais de Itto, e o quanto cada história é mais complicada do que parece, mesmo a dos imazighen e dos normandos, responsáveis por separá-los da terra que lhes deu à luz. Se é possível usar uma língua ou história ou mapa para dar voz a um povo, ou tirá-la dele, só as nossas próprias palavras podem nos guiar de volta para casa.

— Então nosso lar é aqui. — Esboço um círculo no ar que contém todos nós, as pessoas e os camelos e as cabras. Então, aponto meu coração e minha língua. — O lar é isso. Ninguém pode nos tirar.

— Ninguém. — Itto ergue o braço. — Ali. Uargla.

A princípio, a cidade não passa de um amontoado de árvores ao longe. As estradas estão banhadas em areia, apenas visíveis por serem mais aplanadas do que todo o resto. O marido de Itto para no exterior da cidade e as cabras e ovelhas se amontoam ao seu redor, um cordeiro no seu colo. Ele levanta o braço, nos assistindo partir.

A cidade de Uargla se ergue, ondulando, branca sob o brilho intenso do calor. Caminhões passam, soprando um lençol de areia de cima do asfalto, revelando linhas amarelas. A areia pedregosa se volta a trechos de moitas.

Os primeiros prédios aparecem, gesso moreno. Ruas estreitas. A cidade foi construída ao redor de um oásis, uma tigela fina de água rasa cercada de palmeiras e íbis patinhando. Bosques de palmeiras e árvores frutíferas circundam a tigela. O som do tráfego, de folhas farfalhando, de pássaros berrando — é tudo tão alto que não aguento, não depois do silêncio do Saara.

Itto nos conduz para o mercado no centro da cidade. Seu filho e sua filha estendem os tapetes para vendê-los. Então Itto me puxa de canto com Zahra e aponta uma fileira de caminhões estacionados atrás de uma construção atarracada, do outro lado do mercado. Ela indica os veículos com a cabeça.

— Caminhões de frutas — sussurra. — Provavelmente destinados a Argel ou Ceuta.

— Provavelmente? — Zahra morde os lábios.

— Ou Fez.

Fungo, queimando os cantos rachados das minhas narinas. Alguma coisa solta um cheiro podre e doce, um cheiro forte e esverdeado. As traseiras abertas dos caminhões são buracos escancarados para a escuridão.

— Vocês estarão mais perto do que aqui — diz Itto. Ela ergue as mãos para os céus. — É perigoso. Deus traga paz.

Ao anoitecer, Itto nos ajuda a alcançar os caminhões furtivamente. Do lado de fora da construção, um homem fuma um cigarro, de costas para nós.

Espiamos o outro lado do para-choque. Os caminhões estão carregados de caixotes, cada um com um rótulo verde e amarelo. Uma fileira no meio, nos fundos de cada caminhão, entre os caixotes, leva a um escuro vazio. Uma bruma fria de vapor solta um bafo.

— É tipo o inferno — sussurro a Zahra em inglês.

— São caminhões refrigerados. — Zahra põe a cabeça para dentro, então lança um olhar ao fumante, cuja ponta avermelhada do cigarro arde e solta faíscas quando ele traga. — A temperatura não deve ser muito maior do que a de congelamento.

— Vão. — Itto olha do rosto de Zahra para o meu. — Eles já acabaram de carregar. Logo vão fechar.

— Espere. — Tateio meu bolso em busca do lenço de Abu Said, bordado com diamantes. Depois de todo esse tempo, ainda tem o cheiro de casa. Eu o estendo para Itto.

Ela hesita.

— Isso é para mim?

Empurro a minha mão contra a sua, de leve, e ela pega o lenço.

— Obrigada por tudo — eu digo. — É de outra pessoa. De alguém que também teria gostado de te agradecer.

Itto me envolve com os braços uma última vez.

— Quando você encontrar a sua mãe — ela sussurra —, não a solte.

Nós subimos no estribo do engate do caminhão e entramos. Quando eu me viro, Itto já correu de volta para os filhos na escuridão, mergulhando nas sombras entre as construções. Ela reaparece mais adiante na rua. Está longe demais para eu saber se sorri, mas ela levanta um braço e aponta as estrelas. Então some.

Zahra e eu escolhemos com cuidado o caminho entre os caixotes. Esbarramos em algo que se abre, derrubando com um baque uma meleca mole no chão.

— Eca — sussurra Zahra. — O que é isso?

Tento evitar a coisa, mas piso nela mesmo assim.

— É molenga.

— Um caixote deve ter quebrado. — Zahra fareja o ar. — Laranjas, talvez.

— Sinto cheiro de bananas. Romãs? — O cheiro verde-ácido de fruta esmagada, madura demais, é opressor. Algumas devem ter apodrecido.

Nos acomodamos nos fundos do caminhão, procurando um espaço apertado. Tento não pensar no porão da balsa.

— Itto e sua família salvaram as nossas vidas — sussurra Zahra.

— Eu sabia que eles iam nos ajudar.

— É?

O travo de laranjas e tâmaras enche meu nariz quando inspiro. Nos agachamos entre caixotes, apertadas e trêmulas. A minha pele arrepiada arranha as minhas palmas quando esfrego os cotovelos.

— Porque ninguém pode amar as estrelas e machucar as pessoas — eu sussurro. — Não tem como.

A fruta esmagada entre os nossos dedos dos pés é como um banho frio de gelatina. Ela se infiltra pelos buracos nos nossos calçados e faz arder nossas bolhas como fogo líquido. Sementes e polpa se grudam nos nossos tornozelos e nos cadarços dos tênis de Zahra.

Estremeço, soprando os dedos, e me pergunto por quanto tempo vou conseguir suportar o frio antes da minha pele começar a endurecer e a queimar.

— Acho que você está certa — Zahra sussurra.

IMERSA

EMBORA SENTISSE DOR até os ossos por tudo o que perdera, Rawiya não se arriscou no palácio outra vez. Ela e al-Idrisi esconderam-se sob os palmiteiros. Nódoas de fuligem manchavam de cinza a túnica branca dele. Rawiya tentou limpá-las, sujando os dedos. O sol teimoso recusava-se a nascer entre o Monte Pellegrino e os campos verdejantes além da cidade. As chamas continuavam a arder. Eles cobriram o rosto.

— Khaldun sobreviveu ao roque — disse Rawiya. — Sobreviveu às tempestades do deserto. Sobreviveu aos fatímidas e aos almóadas, só para ser assassinado no seu lar adotado.

— Khaldun jurou protegê-la com a vida — disse al-Idrisi.

— Eu teria dado a ele minha vida para impedi-lo — ela retrucou.

— Ele queria que você vivesse.

— Então era um tolo. — Rawiya cuspiu, e sua saliva estava da cor das cinzas, um gosto amargo na sua boca.

Al-Idrisi ergueu os olhos vermelhos na sua direção.

— Temos que lidar com as coisas como elas são.

Rawiya riu contra a sua vontade.

— Foi exatamente isso o que Khaldun disse. Que tivemos nossos anos de paz. Que deveríamos agradecer.

Al-Idrisi tirou o seu livro e o seu mapa da túnica. Limpou as teias de fuligem da capa.

— Isso é tudo o que nos restou.

Rawiya tirou a *Geografia* de Ptolomeu das vestes.

— E isso.

— A *Jugrafiya*! — Al-Idrisi pôs as suas coisas no chão e pegou o livro de Ptolomeu. — Rogério e eu lemos e relemos essas palavras. Aprendi muito do que sei de cartografia com Ptolomeu.

Rawiya curvou-se e apanhou o livro de al-Idrisi, aquele preparado para o Rei Rogério. Analisou o título na capa.

— Aqui não diz *al-Kitab ar-Rujari*. *O livro de Rogério*.

— Ele não me deixou dar seu nome ao livro — disse al-Idrisi.

— Não, oficialmente, este é o *Kitab Nuzhat al-Mushtaq fi Ikhtiraq al--Afaq*. — *O livro das viagens agradáveis rumo a terras distantes*. Al-Idrisi riu. — Só eu chamo de *O livro de Rogério*.

— Então nós dois o chamaremos assim — disse a moça.

Naquele momento, um relincho fraco alcançou seus ouvidos. Rawiya prendeu a respiração, pensando que rebeldes a cavalo os houvessem alcançado. Mas da escuridão saiu um cavalo com o pescoço abaixado: Bauza entrou na clareira aos tropeços, sob o abrigo das palmeiras onde estavam Rawiya e al-Idrisi.

— Bauza! — Ela correu até ele, acariciando a crina chamuscada. O animal esfregou o focinho no pescoço dela, com a respiração arquejante pelo esforço.

— Ele deve ter escapado dos estábulos antes de queimarem — disse al-Idrisi.

Rawiya pousou a mão na cara de Bauza e ele mordiscou seus dedos. Ela riu sem querer.

— Não tenho açúcar para você esta noite, garoto — sussurrou.

— Mas logo você vai ganhar um pouco. Prometo.

Do outro lado dos jardins, uma sombra se moveu e, com ela, veio o cheiro de queimado. A figura curvou-se sobre si mesma, então caiu entre duas tamareiras carbonizadas. Cinzas desprenderam--se das suas costas quando o corpo colidiu com o chão. Atrás da pessoa, algo grande e sujo de fuligem rolou até parar na base de um dos troncos de palmeira.

Rawiya amarrou Bauza numa das palmeiras e esgueirou-se na direção das duas sombras. Nenhuma se mexeu. As bainhas dos tecidos pendurados sobre elas estavam rasgadas, transformadas em uma franja queimada, e, quando Rawiya e al-Idrisi se aproximaram, viram que uma delas era um homem coberto por sua capa.

Rawiya deu a volta no homem prostrado. O capuz cobria-lhe a cabeça e o rosto e suas mãos estavam queimadas e ensanguentadas. Ela se manteve a um passo de distância, mas ele não se mexeu. Al--Idrisi olhou para os destroços da cozinha dos servos, em busca de outros intrusos, mas ninguém o seguira.

Inspirando fundo, Rawiya tirou o capuz do homem.

— Khaldun!

Ela se atirou no chão ao seu lado, envolvendo seus ombros com os braços, beijando o alto da sua cabeça.

Ele tossiu.

— Parece que você sempre me encontra em situações adversas — ele disse.

Rawiya tocou-lhe o peito, então afastou os dedos ao encontrar a haste da flecha enterrada no seu ombro.

— Você precisa de um médico — disse ela. — Precisamos parar o sangramento...

Mas Khaldun agarrou a flecha, fazendo uma careta.

— Eu devo ter cantado uma canção que agradou a Deus — disse ele. Virando-se de lado, mostrou a Rawiya a outra extremidade da flecha, saindo das suas costas. — Passou direto. Um ferimento limpo.

E ele estava certo, pois a flecha não havia perfurado seu coração, e a própria haste havia parado o sangramento.

— Por que você ficou na oficina? — Rawiya limpou cinzas da barba de Khaldun. Trouxe os dedos dele à sua bochecha e sentiu o cheiro amargo de carne queimada e de ferro. — Para que serve um mapa ou um livro, se eu tiver perdido você?

— Fiz um juramento que gostaria de honrar — disse Khaldun.

— Você é um tolo — disse ela. — Você é um tolo gentil com coração de leão, e eu te amo por isso.

Khaldun tocou o rosto dela, sorrindo em meio à sua máscara de dor.

— Há certa poesia nisso — declarou.

E Rawiya beijou a testa e os lábios dele, com a flecha entre eles.

— Você não perdeu tanto quanto tinha pensado — disse Khaldun, desvencilhando-se. Ele apontou o amontoado coberto de linho atrás de si. O tecido era uma toalha retirada da cozinha dos servos arruinada, manchada de fuligem e poeira de azulejos quebrados. Al-Idrisi puxou o tecido e caiu de joelhos. Um disco largo de prata brilhava ao luar, sobre um palete.

— O planisfério — disse ele.

— A parte difícil foi sair da oficina — Khaldun contou a eles como a flecha o atingira, como seu peso arrancara a tapeçaria da parede, enrolando-o no tecido. Seus agressores haviam ateado fogo à oficina, à biblioteca e à tapeçaria, tentando queimá-lo vivo. Em vez disso, o poeta pegara a tapeçaria e a jogara, apanhando seus agressores com o tecido incendiado.

— Eu os empurrei para fora da oficina com o tecido em chamas — disse Khaldun. — E deixei a tapeçaria queimar sobre a pedra.

Ele ergueu as mãos. A camada superior de pele fora arrancada, chamuscada, revelando carne vermelha e pus.

Rawiya rasgou uma faixa de tecido do seu manto e envolveu uma das mãos dele. Al-Idrisi envolveu a outra com seu turbante branco.

— Elas vão sarar — disse a moça.

— Com o tempo. E vão ficar cicatrizes — disse al-Idrisi. — Mas é um pequeno preço a se pagar pela sua vida.

Khaldun deu prosseguimento à narrativa, contando como, tão queimado, escondendo o rosto para parecer um saqueador, puxara o palete para fora da oficina. Ele havia escapado pelo túnel dos servos depois de ver Rawiya e al-Idrisi passarem por ali. Exausto e sobrecarregado pelo planisfério, ele desabara no jardim do palácio, ocultado sob as folhas e a escuridão.

— Então você já tinha partido — disse Rawiya. — Você tinha escapado quando voltei para buscá-lo.

Khaldun piscou para limpar dos seus cílios a pasta espessa de cinzas.

— Você voltou para me buscar?

Rawiya abaixou a testa para a dele, sujando o rosto de fuligem.

— Você é o único lar que eu tenho. Eu parti uma vez, anos atrás.

Não vou partir mais. — Ela beijou seus lábios sujos de cinzas. — Sim, eu vou casar com você, Khaldun. Vou casar com você.

Em resposta, Khaldun ergueu o braço bom para o cabelo dela e beijou-a, levantando os dedos queimados para o céu.

— Você fez mais por mim do que eu jamais poderia pedir — disse al-Idrisi. — Os saqueadores teriam queimado a obra da minha vida, destruído tudo. E, mesmo assim, eu a teria dado mil vezes para vocês dois sobreviverem. Vocês, que são como os filhos que Deus me devolveu. — Al-Idrisi abaixou-se para beijar o topo da cabeça de Khaldun, e seus cílios deixaram riscos úmidos na fuligem do rosto do poeta. — Deus te abençoe.

Mas os três sabiam que o perigo não havia passado. Era impossível esconder o planisfério de prata, cujo diâmetro era da altura de um homem. O metal em si valia milhares de dirrãs. O artefato querido de al-Idrisi não estava mais seguro na Sicília, bem como Rawiya e seus amigos. Enquanto permanecessem, seriam alvos.

Juntos, decidiram levar o planisfério a um local seguro e secreto e não contar a sua localização a ninguém. Como esconderijo, al-Idrisi escolheu Ústica, a ilha abandonada de rocha carbonizada a noroeste da costa siciliana pela qual passaram no início da sua viagem. Eles esconderiam o planisfério em uma das grutas profundas do lugar, onde seria protegido pelas marés e pela rocha vulcânica da ilha, também conhecida como "a pérola negra".

— O planisfério vai ficar lá — disse al-Idrisi —, protegido para sempre, a salvo de mãos egoístas.

Acima deles, o grande leão e as gazelas percorriam o corredor estreito das estrelas.

— E quanto a nós? — perguntou Rawiya. — Nossa missão acabou, nossos anos de paz em Palermo terminaram. Há alguém me esperando do outro lado do mar, alguém que tem esperado o meu retorno há muito tempo.

Al-Idrisi sorriu e virou o rosto na direção do céu.

— É hora de eu voltar para casa também — disse ele —, para o lugar onde Deus me tricotou no útero de minha mãe. Afinal de contas, passei vinte anos viajando. — Ele riu e se levantou. — Venham. Ainda tenho amigos entre os mercadores. Decerto algum consegue nos encontrar um médico e um barco para nos levar a Ústica e, de lá, para o oeste.

— Para Ceuta então — disse Rawiya.

Al-Idrisi sorriu, com os olhos jovens novamente.

— Para Ceuta.

◆

A PORTA TRASEIRA DO CAMINHÃO se fecha com um estrondo. Somos abandonadas à escuridão, grudentas de doce e trêmulas de frio. Então o veículo ganha vida com um estremecer, o motor soltando um estouro pelo escapamento, e partimos ruidosamente.

O frio parece ganhar vida própria quando o caminhão liga. O ar frio envolve nossos pés e pernas nuas, cortante e ardente. Bem poderiam ser facas congeladas a sair dos respiradouros. Cutuco com o dedo o pedaço do azulejo de cerâmica azul e branco de Mama, preso ao cordão no meu pescoço. Ele conservou o calor do meu corpo e eu o uso para aquecer os meus dedos.

— Você acha que estamos indo na direção certa? — Zahra sussurra. — E se eles tiverem errado?

— Talvez Itto tenha lido uma placa no prédio, ou no caminhão. — Faço uma pausa, e o medo se cola às minhas pernas como a fruta esmagada. — Itto não estava errada. Não poderia estar.

Nos reclinamos nos caixotes, agachadas até as nossas panturrilhas ficarem dormentes. Não emitimos nenhum som, com medo de alguém nos ter ouvido sussurrar a cada vez que o caminhão reduz ou para. Está mais escuro do que o armário do nosso apartamento de Nova Iorque, onde eu costumava brincar de esconde-esconde. Está mais escuro do que a praia de Rockaway quando observávamos as estrelas cadentes, mais escuro do que os arbustos do Central Park.

Só sei que estou aqui porque está frio demais para não perceber a minha pele arrepiada. O ar frio envolve nossas canelas e nucas, ralando-as e queimando-as. Cada nova rajada parece mais fria do que a anterior, nos fazendo abraçar nossos troncos e nos enterrar em nós mesmas. A escuridão é um torno congelado que esmaga os ossos delicados dos meus pulsos e tornozelos até eu achar que eles vão quebrar. Zahra e eu trememos tanto que esbarramos uma na outra e nos caixotes de frutas, batendo o maxilar e os cotovelos na madeira.

Está frio demais para pegar no sono, mas logo perdemos o controle dos nossos joelhos dormentes. Quicamos e caímos com tudo no chão de madeira quando o caminhão passa por uma ladeira. Escorregamos nas frutas que esmagamos e sementes granulosas penetram nas bainhas dos meus shorts. Polpa enche meus tênis.

Nos apoiamos uma na outra, tiritando com uma força de fazer nossos braços e canelas se chocarem e deixarem hematomas. O frio me deixa dura, dolorida, ardida. As pontas dos meus dedos pulsam, com o sangue as alfinetando. Nossos corpos enrijecem, nossas unhas empedradas, nossa pele como vidro. Meu corpo inteiro grita fogo. Se um caixote cair em cima de mim, vou me estilhaçar?

— Quantos quilômetros até Ceuta? — sussurro à minha irmã para o motorista não ouvir.

— Oitocentos, talvez, ou mil e quinhentos.

Eu me agarro a Zahra, meus maxilares rangendo com espasmos.

— Quanto tempo ainda falta? — Minhas palavras são cascalho e gelo. Não quero morrer congelada. — Vamos chegar lá rápido, certo? Certo?

Zahra hesita antes de dizer:

— Depende do tamanho da carga do caminhão.

O veículo para e liga, sobe morros e desce deslizando para vales abruptos. Nossos dentes batem até nossos maxilares travarem. Fico entorpecida. Minha pele vira um lençol cinza grosso e começo a ficar sonolenta e aquecida.

A primeira sensação de calor é o que me diz que realmente podemos morrer aqui. Diz que Mama nos mandou embora da Líbia à toa. Diz que talvez atravessemos todo o caminho até Ceuta para, no fim, encontrarem nossos corpos congelados, azulados, dentro deste caminhão de frutas.

Uma vez li num livro que morrer congelada não é um jeito ruim de partir, que pouco antes de morrer você se sente aquecida em vez de gelada. Mas não quero morrer. Bato os dedos dormentes na minha cabeça ouriçada, tentando me manter acordada. A camada de suor que antes cobria minha mão se racha e se desprende, endurecida até se transformar em cristais minúsculos de gelo. E então meus braços se recusam a continuar levantando minhas mãos e murcho contra o corpo de Zahra e fecho os olhos.

Se você morrer dormindo, ainda sonha?

O caminhão para com um solavanco.

A porta se abre e o calor verte baú adentro. A dor do aquecimento nos varre em ondas. Miamos como gatos, nossa pele um lençol contínuo de chamas.

Alguém grita em árabe:

— Um caixote quebrou.

Então se seguem mais palavras em espanhol. O som me lembra da pré-escola na cidade, o modo como nossa professora de espanhol vinha uma vez por semana ler livros-imagem enquanto ficávamos sentados de pernas cruzadas, dispostos em círculo sobre o tapete.

Espanhol!

— Ceuta — sussurro, alto o suficiente para fazer Zahra se chocar contra um caixote de laranjas. — Estamos em Ceuta.

Um homem sobe no baú do caminhão e nos vê. Ele congela. O frio fez nossos dentes grudarem — não conseguimos nos mexer, nem gritar. Levanto o braço para minhas costelas, minha mão dormente congelada num punho.

Então o homem sai, dando lugar a três guardas de fronteira subindo entre os caixotes. Eles nos arrastam para fora do caminhão, para a luz abrasante. Envolvo minha mochila de juta com o braço, segurando-a com o cotovelo com a maior força de que sou capaz.

Eles nos colocam numa van. Zahra e eu desmoronamos, meu ombro em seu peito, seu queixo no alto da minha cabeça. Comparados ao caminhão gelado, os assentos de plástico estão tão quentes que queimam.

Na janela de trás, tudo é verde. Morros ganham o mar. Uma alta cerca prateada se afasta de nós em curva, rumo ao cotovelo de montanhas baixas. Casas de gesso quadradas com telhas vermelhas se amontoam contra as encostas e vales adentro. À distância, a cidade vai descendo sinuosamente em direção ao Estreito de Gibraltar, afinando até virar uma faixa delgada de terra próxima ao porto, antes de se alargar para se tornar a Península de Almina. Uma montanha baixa — o Monte Hacho, que Mama me disse antes se chamar Abila — vigia o estreito como as costas encurvadas de uma baleia. Há figueiras e alfarrobeiras altas, álamos brancos, pinheiros-anões. Ajuntamentos espessos de babosas retrocedem em meio a lares e estradas.

Não vejo tanto verde há semanas. Meu cérebro grita diante da visão.

Alcançamos casas em amarelo, bege, róseo e branco. As construções apresentam antenas parabólicas, varais e cata-ventos. Palmeiras e laranjeiras delineiam as ruas. Depois do deserto contínuo, noto rastros de gente em todo lugar. Semáforos. Iluminação pública. Cercas e varandas. Lixeiras.

A van faz uma curva. Descemos uma ladeira e nos afastamos das casas. Pressiono o rosto na janela. Nos destinamos a uma clareira vazia na beira da cidade, delineada por uma cerca alta de tela metálica. Além do portão há dezenas de barracões de concreto em forma de caixa.

— Não. — Agarro a manga de Zahra. — A gente chegou tão longe. Eles não podem nos pôr num campo de refugiados. — Tento atrair a atenção do motorista, atrás da divisória. — Temos de chegar ao nosso tio. Nuestro tío. Tío.

Mas ele não consegue me ouvir. Zahra murcha e eu afundo o meu rosto na sua clavícula. Passamos pelo concreto moreno e atravessamos o portão metálico vermelho e branco, até o outro lado da cerca de tela. A van freia com tudo. Encaro minhas mãos, comprimindo-as e afrouxando-as. Os músculos ardem quando o tato volta.

Pela janela de trás, os portões se fecham.

Eles nos deixam sair da van e um policial nos leva para dentro do campo. Há dois andares, o de cima, que parece conter escritórios, e, no térreo, aqueles barracões de caixa de fósforos. Há pessoas lá fora, digitando em celulares ou correndo atrás de crianças. Em todo lugar, há roupa lavada secando, sobre cercas, arbustos e bancos. Uma mulher da idade de Mama circula por ali, distribuindo cigarros a pessoas que pedem por eles. Ela os conta, conversando em espanhol.

Outra mulher com um cabelo curto grisalho agradece ao policial e nos leva escadas acima. A sala está cheia de porta-arquivos, a mesa, abarrotada de pastas de papel pardo. Aqui está silencioso, e os cheiros são diferentes: o cheiro cinza de assentos estofados de tecido, o verde metálico. Perfume velho. Sabão.

A mulher nos dá água engarrafada e anota os nossos nomes. Ela informa que estamos no CETI, Centro de Estancia Temporal de Inmigrantes. É onde eles mantêm refugiados e migrantes, diz.

— Temos que encontrar o nosso tio Ma'mun — eu lhe digo. Falo isso em inglês e árabe e espanhol, examinando seu rosto.

Mas tudo o que ela faz é anotar o nome dele.

— Vocês terão que esperar aqui até ele vir buscá-las — diz ela em espanhol.

— Mas o que vai acontecer com a gente? — pergunto.

A mulher abranda.

— Vocês precisarão aguardar a decisão relativa ao seu caso — diz ela. — Pode ser que sejam movidas para um centro de detenção, mas aqui vocês podem ir e vir como quiserem. Ficarão num quarto compartilhado com uma cama para cada uma. Encontrarão chuveiros por perto, quando quiserem se lavar. Podem fazer aulas de espanhol.

Aulas de espanhol? Percebo que este lugar é para preparar pessoas que não têm mais para onde ir e que elas ficam aqui por muito tempo.

Eu me viro para Zahra, falando só com os lábios em inglês: *Não podemos ficar.*

A mulher me dá mais uma garrafa de água.

— Se vocês precisarem de ajuda — diz ela —, conversem com uma das madres, as mulheres que fazem a ronda.

— Que dia é hoje? — eu pergunto.

Ela pisca, parando para pensar ao dar a Zahra um cartão verde do CETI.

— Dia 1º de outubro.

Somos levadas a um quarto com dez catres. Escolho um e Zahra pega aquele ao meu lado. Ela abre o tapete de oração de Mama entre as nossas camas, próximo à parede. É como rezar.

Outras famílias decoraram as paredes ao redor das suas camas, penduraram roupas lavadas nos parapeitos das janelas como se aquele fosse o seu lar.

Quem virá nos buscar?

Penso na primeira noção de eternidade que eu tive. Tinha perguntado ao Baba sobre o céu e como era lá, e ele disse que existia para sempre. E eu perguntei: o que é para sempre?

Na ocasião, estávamos no banco da Rua 86 Leste com a Avenida Iorque, e Baba esperava para depositar um cheque. Eu tinha a sensação de estarmos esperando muito tempo, embora provavelmente não.

Baba disse: para sempre nunca acaba.

Então imaginei entrar no banco e esperar todo esse tempo, e então ir embora — apenas para voltar e fazer tudo de novo. E de novo. E de novo.

E isso, percebi, era para sempre.

NAQUELA NOITE, depois de comermos espaguete na cantina, arranco meus tênis destruídos. Jogo no chão e desmorono no meu catre. Pombos andam se bamboleando e bicam o chão do lado de fora e crianças os perseguem. Seguranças passam pela janela, com os cintos e distintivos chacoalhando. Os barulhinhos cinzentos do quarto me deixam nervosa, as outras famílias se movendo e sussurrando como na casa dos contrabandistas. Parece haver muitas famílias no mundo sem ter para onde ir, pessoas demais cansadas de sofrer, mas sem onde dormir.

O saco de juta de Mama está no meu colo, pesado, ressecado pelo ar do deserto, ainda impregnado de sal. Se eu forçar o pescoço na janela, consigo ver, além dos muros do CETI, o nariz do Gibraltar. Imagino margaridas amarelas na beira da praia.

Abro o meu saco de juta e tento não me lembrar das mãos de Mama nele, atando a alça como uma mochila. Tiro a sacola de mercado de Mama, aquela que amarrei de novo com o mapa lá dentro. Desenrolo a lona molenga. A água não entrou, então devo ter amarrado o plástico bem apertado.

Percorro a nossa rota com o dedo, de trás para frente, voltando ao Marrocos, cruzando o Saara pela Argélia, passando por baixo da Tunísia até Misurata. Pulo a tigela do Golfo de Sidra para Bengazi. Arrasto a unha pelo mar até Alexandria, então ao Cairo. Volto pela Jordânia até as colinas de Amã onde me perdi. Mais ao norte, atravesso a fronteira, então Damasco e a rua chamada Reta. Meu dedo para em Homs.

Fulmino o mapa com o olhar. Sou o búteo-de-cauda-vermelha que esperava o verde onde fica Manhattan. Sou o ônix preto do mar, o buraco negro dentro de mim. Sem Mama, sem Baba, sem Huda.

É viver que dói.

— Ela disse pra seguir o mapa, mas não adiantou — digo a mim mesma enquanto Zahra dorme. — Viemos tão longe para acabar presas atrás de uma cerca.

Arranho com a unha o código de cores de HOMS: quadradinho marrom, quadradinho branco, preto e vermelho. Arranco a tinta com a unha e passo à camada espessa de verde cobrindo a Síria inteira, a camada que parece grossa demais para estar no lugar certo.

Minha dor é uma meleca vermelha, placas de cores ruins latejando dentro de mim como um rim inchado.

Arranho a tinta até arrancar seções inteiras da Síria, apagando Homs e o interior do país. Talvez então o mapa combine com os meus sentimentos, o modo como Baba se sentia: como se eu tivesse perdido uma cidade inteira no poço dentro de mim, um país inteiro cujo ar eu costumava respirar.

Arranho até a minha unha revelar tinta nanquim.

Há algo escrito sob a tinta acrílica — letras árabes. Reconheço a voltinha do *ūāū*, o *kâf* pontudo. É a letra de Mama, e consigo lê-la.

Depois de todo esse tempo, eu finalmente consigo ler árabe.

Começo na primeira linha, estalando a língua nas consoantes.

— Ó meu amor, você está morrendo de um coração partido.

— O que é isso? — Zahra acorda, esfregando os olhos.

— Nunca foi só um mapa. — Mostro a Zahra as palavras de Mama. — A gente tem fugido com fantasmas.

Arranho a tinta dos outros países, lugares por onde passamos, lugares onde Mama pegou suas tintas e coloriu a parte interna das linhas. Mais poemas se insinuam sob a camada grossa de tinta.

Jordânia e Egito: *Meu amor, a visão me falha.*

Quando passamos pela Líbia: *Essa dor tem mil faces; essa fome, dois mil olhos.*

Arranco tinta dos lugares que Mama deve ter sonhado em ver conosco: Argélia. Marrocos. Ceuta.

Meu nome é uma canção que canto para mim, a fim de me recordar da voz da minha mãe.

Zahra sai da cama.

— Fala de tudo o que aconteceu — diz. — As coisas tristes. Tudo o que ela já desejou.

Estávamos carregando o peso de tudo esse tempo todo.

— As palavras estavam nas nossas costas — digo. Vasculho o mapa, arrancando pedacinhos das outras fronteiras. — É um mapa de nós.

— E todas aquelas histórias enigmáticas que os nossos pais contavam... — diz Zahra. — Mama estava certa. O mapa era importante.

Fecho as mãos com força nos cantos do mapa.

— Então por que ela não está aqui pra ver?

— Você não entendeu? — pergunta Zahra. — Esse não é só um mapa de onde estamos indo. É um mapa de onde viemos.

Uma lâmpada pisca do lado de fora da janela. O acrílico suga a fraca luz amarela. O brilho mancha o poema que Mama escreveu para a Síria. Pela primeira vez em anos, penso em algo que Mama me contou quando eu era pequena: quando se desenha um mapa, você não pinta só o mundo como ele é. Você pinta o seu próprio mundo.

— É um mapa de todas as coisas ruins que aconteceram — digo.

— Mas ainda estamos aqui.

Minhas entranhas têm espasmos de raiva, a dor paralisante de todas as minhas palavras que foram enterradas com Baba, as palavras que não consigo de volta.

— Mas Mama não está aqui — eu digo, aumentando a voz, minhas próprias palavras se deformando, laranja e rubi de ira. — Huppy

não está aqui. Elas nem chegaram a sair da Líbia. Elas não vão vir, Zahra. Queria que o mapa de Mama tivesse afundado com o barco e Mama estivesse aqui no lugar dele. Quero a minha família de volta.
— Não é o suficiente, eu sei. Nada pode voltar a ser como era. Mas fizemos o que precisávamos fazer. — Zahra toca o rosto como se estivesse tentando alisar a casquinha do machucado até ela se soltar, um movimento automático como algo que Mama teria feito.
— Talvez estejamos marcadas, mas conseguimos.

Abaixo os olhos para a cidade ausente no mapa de Mama.
— Poemas não são o suficiente.
— Eu sei. — Zahra põe as mãos no meu rosto. Poeira se alojou nas rachaduras dos seus lábios e sobre a pele delicada e arroxeada sob seus olhos. Ela nos aproxima tanto que vejo trilhas na poeira. No escuro, ela andou chorando. — Mas, contanto que esteja viva, você tem uma voz. É você quem precisa ouvi-la.

As cólicas na minha barriga pioram, uma sensação forte e dolorosa.
— Eu não sei o que vai acontecer agora — digo.
— A gente segue em frente — diz Zahra. — Ainda podemos procurar o tio Ma'mun.

Passo as mãos sobre o saco. Carreguei nossas memórias por todo o caminho, a história do que aconteceu conosco. Ela pesou nos meus ombros esse tempo todo, mas não caí.

Ergo as mãos e toco as minhas costas, as asas das minhas escápulas. Ainda estou inteira, mas o meu corpo não é mais o mesmo de quando deixei a Síria. Não é o mesmo de quando deixei Nova Iorque. Minha pele está diferente, os padrões dos meus arrepios, as escarpas das minhas costelas. As minhas pernas estão mais compridas; os meus ossos, salientes.

Pressiono o rosto com as mãos. Sou alguém que não reconheço. O meu nariz é uma encosta fina, os meus lábios mais grossos. Esses quilômetros me esculpiram. O tempo tem mãos de escultor. Você nem sequer as percebe.

A dor na minha barriga aumenta, um cisco nebuloso de calor. Pressiono o músculo e a pele com as mãos, querendo tirar a polpa vermelha de mim. Meu pescoço é uma autoestrada estreita. Meu esterno está duro como a casca de um caranguejo. Penso em pôr a mão no meu bolso, onde guardo a meia-pedra. Ainda resta magia no mundo? Se eu tocar essa pedra, poderei ouvir a voz de Baba outra vez? Ou ele está mais nos meus ossos do que na terra?

Minha mão roça o cordão ao redor do meu pescoço. O fragmento de azulejo azul e branco de Mama esquenta a pele sob a minha camiseta. Deixei o azulejo meio arredondado de tanto esfregá-lo, alisando a memória afiada.

A fonte.

— Eu sei pra onde temos que ir. — Seguro o azulejo e tiro o colar para Zahra ver. — Eu sei como encontrar o tio Ma'mun.

Mas Zahra olha para baixo.

— Nur. Você está sangrando.

Olho para baixo. Meus shorts estão sujos de marrom-avermelhado entre as pernas, uma mancha escura e pegajosa.

Digo a primeira coisa que me vem à mente:

— Acho que você está certa.

— Certa quanto a quê?

— Quanto a ser adulta. — Toco no peito. Meu coração, aquele músculo assimétrico, se comprime e suspira. — A gente sangra.

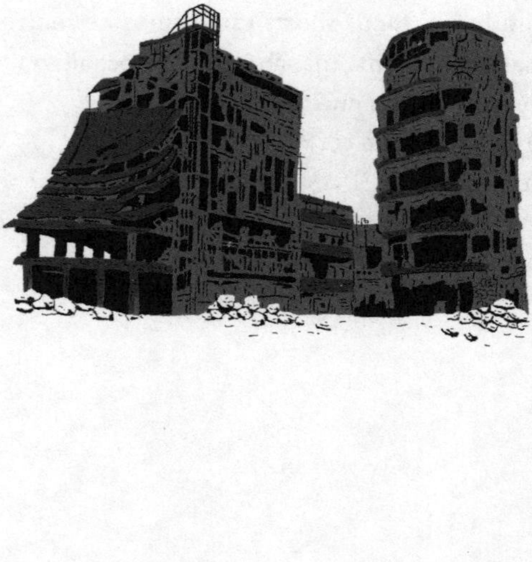

PARTE V
CEUTA

Eu voltei ao raiar do dia. Passei pela avenida onde costumávamos caminhar quando éramos jovens e apaixonados, as ruas pelas quais vagávamos, inquietos, crescente. O mundo era jovem, amável do que sabíamos manter. O que conhecíamos, julgávamos que sempre. As pontas dos seus dedos, o sangue meu pescoço, aquele espaço quente no tapete que minha avó teceu para nós. Estou contornando as bordas das mãos dela. Os oceanos frios do tempo mudaram o que um dia amei, mas acaso minha pele não é uma corda? Acaso meu sangue não é um oceano? Acaso meu osso não é um mastro? Acaso nossas lágrimas não são a mesma fenda, um hino fúnebre a tudo o que conhecemos e amamos? Não são a mesma maré, o mesmo sal? O grande albatroz branco da saudade abate-se sobre mim. Carrego a memória das fronteiras em minha pele.

sob a lua então, e mais Antigamente, tudo teríamos para pulsando no

CHEGADA AO LAR

DO ESTREITO DE GIBRALTAR, Ceuta era uma faixa escura e delgada de terra no horizonte.

O barco gemeu ao dar a volta em Punta Almina e entrar na Baía de Ceuta, onde ficava o porto. Fazia um mês desde que haviam deixado Palermo. Al-Idrisi bateu a mão no peito ao avistar o Monte Abyla, cuja vista dava para o porto. A cidade estendia-se, magra e branca diante deles, as casas brilhando com a luz da tarde.

Al-Idrisi reclinou-se na balaustrada, engolindo o ar marinho. Fazia mais de duas décadas desde que cruzara aquele trecho de água na direção oposta, afastando-se de casa.

— Finalmente — ele disse — estou de volta.

Além da península jaziam extensos campos e bosques de oliveiras, as montanhas elevadas que Rawiya conhecia desde a infância. Os morros estariam pintados de eucaliptos e pinheiros, com pontinhos de casas de pau a pique. Uma delas, aninhada na minúscula vila costeira de Benzú, era onde a jovem nascera. Do outro lado, o deserto estendia os dedos para o sul, e Ifríquia assistia o sol afogar seu fogo no mar.

Desembarcaram, conduzindo seus cavalos. Rawiya acariciou o pescoço de Bauza.

— Está tudo aqui? — perguntou. — Os livros, os mapas? Sua pesquisa e suas anotações?

Al-Idrisi sorriu.

— Ó Lady Rawiya, sempre de olho nos detalhes. — Ele esfregou as costas encurvadas e o queixo prateado, fitando as malas e dando batidinhas em cada uma. Enfim, disse: — Sim, está tudo aqui.

— E quanto à sua família? — Rawiya perguntou. — Para onde você vai?

— Não sei ao certo — disse al-Idrisi. — Meus pais morreram há muito tempo. Ainda tenho a casa da família. No entanto, sou o último da minha linhagem.

Eles guiaram os cavalos, passando fileiras de casas brancas, amarelas e rosadas, e agrupamentos de eucaliptos e laranjeiras. Barcos apareceram entre o porto e o Rochedo de Gibraltar, com as velas brancas e cheias como plumagens. Morros erguiam-se, verdes, entre eles, e os três avançaram arrastando-se.

Era outono, e o calor cedera. O céu ameaçava chuva, inchado com nuvens cinzentas de tempestade. Eles alcançaram o topo de um morro e pararam à beira da estrada, descansando os cavalos. Ceuta fervilhava com comerciantes atravessando a península. A estrada estreitava-se para uma faixa fina, um pescoço pedregoso de terra que não chegava à largura de cinquenta homens dispostos um com o pé na cabeça do próximo. Viajantes empoeirados corriam em busca de abrigo antes da chuva, e aqui e ali mulheres enxotavam seus filhos na direção de casa. O sol poente deixava as nuvens a oeste rosadas sobre o Mar da Escuridão.

— Uma vez ouvi falar de um grupo de irmãos, aventureiros intrépidos, que partiram a fim de atravessar aquelas águas — disse al-Idrisi, apontando para oeste. — Eles voltaram tagarelando sobre criaturas fantásticas, ilhas estranhas, ovelhas de carne amarga e um mar de águas enevoadas e fedorentas. Uma tempestade os fez dar a volta e eles foram devolvidos ao Magreb através de uma ilha não mapeada. Ninguém ainda foi bem-sucedido na travessia do Mar da Escuridão. Algum dia, tenho certeza. Assim como tudo, algum dia veremos o que existe do outro lado.

Eles desceram até um vale e começaram a subir de novo. Os lares foram se tornando maiores e mais elegantes, e o barulho da cidade ficou para trás. Atravessaram majestosos jardins, repletos de palmeiras não muito diferentes daquelas do jardim palaciano de

Palermo, aquelas sob as quais Rawiya e al-Idrisi haviam se escondido enquanto o lugar queimava. Lembrando-se do gosto amargo de cinzas das palmeiras, Rawiya deu a mão a Khaldun.

Subiram um caminho sinuoso na direção de uma grande propriedade, conduzindo seus cavalos.

— Exatamente como a deixei — disse al-Idrisi nos portões. — Embora esteja com as janelas um pouco empoeiradas.

Adentraram os jardins do riad quando começou a chover, escondendo-se sob os preguiçosos ramos de álamos brancos. Havia uma fonte, vazia e fora de uso, no pátio central. Água da chuva acumulava-se ali, ondulando sobre os azulejos azuis e brancos.

Desmontaram. Atrás deles, o Rochedo de Gibraltar alinhava-se perfeitamente à rua de paralelepípedos.

Al-Idrisi abriu a porta da frente, soprando poeira e teias de aranha da madeira entalhada. Dentro da casa, tudo estava silencioso. O piso ecoava sob seus passos. As paredes suspiraram com os anos. Al-Idrisi envolveu com a mão uma camada espessa de poeira numa mesa comprida, e o cinza se grudou à lateral de sua palma.

Rawiya foi para os cantos das salas, onde ficavam pendurados a caligrafia decorativa e os têxteis. Caixas de madeira incrustadas de madrepérola delineavam uma única prateleira.

Ela abriu uma das caixas. Suas dobradiças rangeram com o movimento, revelando um cordão de trinta e três contas de lápis-lazúli com um pendão de prata.

— A misbaha da minha mãe. — Al-Idrisi tirou as contas da caixa e fechou a tampa. — Eu queria levá-la comigo quando parti, mas sabia que enfrentaria perigos e bandidos.

Ele tirou do bolso uma segunda fileira de contas opacas, presas a um cordão.

— Sementes de azeitona — disse ele. — Essas são mais baratas. Foram presente da minha mãe antes de eu viajar à Anatólia.

Sua mão lançava uma sombra comprida sobre os sofás, a mesa, a parede.

Rawiya estabilizou as mãos trêmulas e tocou suas próprias contas de oração no bolso, a misbaha de madeira que sua mãe lhe dera quando a jovem saiu de casa mais de sete anos antes. Até mesmo a fragrância familiar do ar trazia à mente o rosto da sua mãe. Do lado de fora, no pátio, pardelas e petréis assobiavam e ajeitavam as penas sob a chuva.

— Acho que nunca vi uma casa tão adorável em toda a minha vida — disse Rawiya.

Al-Idrisi riu.

— Você viu o palácio de Rogério e o de Nur ad-Din. Algum dia, esta casa empoeirada será uma ruína. Construirão de novo neste morro, mas meu lar terá sumido há muito tempo. Como meus modestos tesouros poderiam ser mais duradouros, mais adoráveis do que aqueles de emires e reis?

— Riqueza não substitui pertença. — Rawiya abaixou a cabeça, fechando os dedos ao redor da misbaha no seu bolso. — Com licença. Preciso fazer uma coisa.

Al-Idrisi desviou o olhar dos corredores vazios para as janelas incrustadas de joias, as cortinas vermelhas de veludo embotadas pela idade. Seus olhos vagaram pelas caligrafias do Alcorão entalhadas nas portas de madeira, agora deformadas pelo ar marinho.

— Se eu tivesse alguém em casa para quem voltar — disse, baixinho —, eu iria também. — Ele fechou gentilmente a caixa em sua mão, soltando os aros de poeira e teias. — Eu aguardarei o seu retorno.

RAWIYA E KHALDUN montaram os seus cavalos e desceram o morro. A chuva parou, as nuvens carregadas arrastando-se até os penhascos do Jebel Muça. Bauza balançou a juba e sacudiu o pescoço, dispersando nuvens de pardais. Era como se estar de volta a Ceuta lhe houvesse devolvido um pouco da juventude. Embora enfim Bauza houvesse envelhecido enquanto ela continuava jovem, Rawiya consolou-se pensando que ele logo estaria, finalmente, em casa.

Cavalgaram pela estrada costeira na direção do Gibraltar tingido de vermelho até a noite ter quase caído. A costa rochosa cedia espaço a montanhas de argila vermelha e pinheiros abraçados por nuvens baixas. Tudo se silenciara.

Ao longe, casas coloridas marcavam a aproximação da vila de

Benzú. Rawiya endireitou-se sobre a sua sela e passou os dedos pelas trinta e três contas de madeira da misbaha da sua mãe. Quanto mais se aproximava da casa, mais fundo no seu âmago se enterravam a tristeza e a culpa.

— Minha mãe não recebe notícias de mim há anos — disse Rawiya. — Ela deve pensar que estou morta. Por que menti para ela a respeito da minha viagem ao mercado em Fez? Eu deveria ter contado a ela os meus planos. Eu nunca imaginei que tanta coisa fosse acontecer, que minha viagem me levaria para tão longe por tanto tempo.

— Você ainda era criança — disse Khaldun. — Agora já é adulta, uma guerreira. Tudo mudou.

Rawiya deu uma batidinha no pescoço de Bauza. O animal apertou o passo ao se aproximarem do morro familiar que dava na casa da mãe dela. Inspirando fundo o ar salgado, Rawiya deu a Khaldun um sorriso astuto.

— Nem tudo.

Ela riu e impeliu Bauza a avançar mais rápido. Embora ele houvesse envelhecido nos anos passados em Palermo, tinha mais força em si do que alguns potros.

— Yalla, querido amigo — ela sussurrou no ouvido dele. — Vamos correr neste morro uma última vez.

Bauza correu pela estrada familiar, batendo seus cascos na terra. Khaldun seguiu-a, rindo. Eles galoparam rumo à vila aninhada ao pé das montanhas, até Bauza parar diante de uma casa minúscula de pedra e gesso, cuja entrada era sombreada por uma figueira.

Rawiya desceu da sela, dando a Bauza um pouco de açúcar de tâmara do seu bolso. As casas da vila ficavam de frente para Gibraltar, com vista para o bosque de oliveiras abaixo. Ela fitou as primeiras estrelas aparecendo e então a baía, desprovida de barcos.

Khaldun desmontou e amarrou seu cavalo à figueira.

— É aqui o local? — Como Rawiya não disse nada, ele se aproximou. — Qual o problema?

— Eu tentei só fazer o bem. — Uma brisa marinha agitou seu turbante vermelho e fez esvoaçar sua saruel. — Mas ficou tanta coisa para consertar.

— Quando tentamos fazer o bem, raramente sabemos se o resultado das nossas ações será mesmo bom — disse Khaldun. Ele riu consigo mesmo. — Talvez Deus planeje as coisas assim, para nos ensinar que é melhor deixar os planos para ele.

As primeiras constelações abanaram as cabeças como crianças tímidas. Rawiya deu uma batidinha no pescoço de Bauza.

— Os bezerros ainda estão fazendo o moinho de grãos girar — disse ela.

Khaldun ergueu a mão.

— E não importa o que os homens façam, eles vão continuar a girá-lo, e sempre, sempre, o mundo partido segue em frente.

— Deveríamos entrar. — Rawiya espiou o telhado de telhas vermelhas, a figueira retorcida. Soltou o ar. — É tão estranho encontrar as coisas iguais. Minha mãe uma vez visitou Fez quando era criança e meu avô vendia azeitonas no mercado. Ela nunca se esqueceu. — A jovem passou os dedos pela porta de madeira rachada. — Ela entendia mais do que eu sabia.

Khaldun pousou uma mão no braço dela.

— Bata — disse ele. — Bata e volte para casa.

E então Rawiya do deserto e das estrelas pousou a mão na madeira e bateu à porta.

Nada.

Ela franziu a testa. Nenhuma vela ardia nos recintos internos. A porta estava trancada e, por um momento, um terror apoderou-se da jovem, de que a casa estivesse abandonada.

— Meu Deus, você acha...?

Khaldun contornou a casa até os fundos, à procura de luz. Trocaram palavras em voz baixa, ambos relutantes em dizer em voz alta o que poderia ter acontecido à mãe de Rawiya naqueles anos. Mas a moça voltou à estrada com passadas largas, pois sabia que, se sua mãe ainda estivesse viva, só haveria um lugar onde iria a cada noite, quando a tristeza e a solidão se tornassem insuportáveis.

Rawiya correu para o bosque de oliveiras. Khaldun voou atrás dela, aos tropeços, levantando poeira.

Ela alcançou o lugar primeiro, arfando. A lua pairava, baixa e gorda como um nabo. A brisa carregava o sibilo das ondas. Rawiya atravessou as oliveiras, lançando olhares por entre os ramos. Tudo estava vazio.

Saindo da cobertura do bosque, ela alcançou o litoral pedregoso, onde muitas vezes ficara com o seu pai. Ali era o lugar onde havia ido após a morte dele, esperando a chegada do barco do seu irmão. O arrastar dos seus pés deslocou seixos do lugar, batendo conchas em rochas. Ao semicerrar os olhos na direção da praia, os seus dedos do pé cutucavam algas.

Uma silhueta escura perto da zona de rebentação enrijeceu ao som das pedras se movimentando. A pessoa se virou, segurando um lenço ao redor do pescoço. Uma forma feminina emergiu da noite, com o luar úmido em seus ombros. Os anos entre elas se esvaíram, e foi como se nem um dia houvesse passado desde que Rawiya se despedira da mãe, naquele dia quando o vento soprara forte do estreito.

— Mama?

A mãe viúva de Rawiya, encurvada e grisalha, começou a correr. Ela voou por entre os rochedos, de braços estendidos.

A jovem apressou-se na direção do sorriso largo da mãe. As ondas sobrepuseram-se às suas vozes até estarem quase uma sobre a outra.

— Rawiya!

O rosto da sua mãe congelou numa expressão de choque e alegria e maravilhamento. Ela abriu bem os braços e Rawiya afundou neles como em águas profundas, aquecida e preenchida e sem fôlego.

— Achei que nunca mais te veria outra vez — disse Rawiya.

Sua mãe acariciou o rosto da filha, limpando-lhe as lágrimas com o polegar, e sorriu.

— Eu nunca deixei de ter esperanças.

Rawiya beijou-lhe as duas bochechas e o alto da cabeça.

— Está tarde — disse ela. — Você deveria estar em casa. Estava esperando Salim? Os barcos estavam no porto horas atrás.

— Estava esperando você. — A mãe tocou-lhe o rosto com ambas as mãos. — Me disseram que você foi sequestrada, vendida a salteadores, assassinada. Me disseram que você fugiu. Eu nunca acreditei em nada disso.

— Eu prometi que voltaria para casa. — Rawiya desvencilhou-se e abriu a bolsa de couro presa ao redor do seu tronco. Tirou o lenço vermelho e azul de Bakr e colocou-o nas mãos dela. — Um presente de alguém que teria apreciado estar aqui. Alguém que gostaria que você soubesse que nunca te abandonei.

Fizeram o caminho de volta pelo bosque de oliveiras e Rawiya contou à mãe a respeito dos seus companheiros e da sua viagem: Palermo, Bilad ash-Sham, Cairo, a batalha de Barneek.

Ao alcançarem a estrada, encontraram Khaldun vindo na sua direção.

— Você a encontrou? — ele gritou.

A mãe de Rawiya agarrou um punhado da sua saia comprida e correu a distância de dez passos entre eles. Envolveu Khaldun com os braços.

— Poeta — disse ela —, hoje à noite você é um hóspede em minha casa. Hoje à noite, você é da família.

A mãe de Rawiya abriu a porta com um empurrão e as dobradiças rangeram e vacilaram. E, embora houvesse prometido contar tudo à filha, a jovem prendeu a respiração. A pungência do sal invadira a casa e o cheiro penetrante do mar se assentara no piso e nas cortinas. O aroma evocava o irmão de Rawiya, Salim, e, mesmo ela sabendo que ele deveria ter perecido no mar muito tempo antes — por qual outro motivo sua mãe desistira de esperar por ele no litoral e esperava o retorno de Rawiya, em vez disso? —, era como se Salim ainda estivesse na casa, o cheiro salgado das suas mãos ásperas cobrindo tudo.

A mãe de Rawiya acendeu uma vela, e elas espantaram a friagem. Os quartos estavam cheios de sombras. Quando a jovem tirou a capa, sua mãe chamou a escuridão:

— Venha — disse ela. — Venha ver as maravilhas que a mão de Deus fez!

Do quarto, uma figura encurvada saiu arrastando os pés, ajudada por uma bengala. Sua barba se tornara grisalha cedo e seu rosto estava esquelético, mas Rawiya o teria reconhecido em qualquer lugar.

— Salim!

Ela correu para o irmão, abraçando-o na altura das costelas. Ele a envolveu com um braço, equilibrando-se na bengala, pois se ferira no mar e encerrara sua carreira de marinheiro um ano antes. Salim beijou a bochecha da irmã. Por longos minutos, nenhum deles conseguiu dizer uma só palavra, tão repleto de alegria era seu choro.

A mãe de Rawiya os fez sentar e preparou um bule de chá de menta. Começou a pegar a melhor comida que tinha: farinha fina e um jarro gordo de azeite, um bonito fresco envolto em linho. As escamas do peixe reluziam, suas guelras vermelhas.

Enquanto sua mãe cozinhava, Rawiya falou das suas viagens com al-Idrisi, do seu encontro no mercado, da visita ao palácio do Rei Rogério em Palermo, da derrota do roque, de como ela e os amigos haviam lutado em meio a cobras gigantes e três exércitos para recuperar o livro de al-Idrisi das mãos do general almóada, Mennad. Ela tocou no ponto onde o roque quebrara suas costelas, a pele sobre seu coração que formara uma cicatriz torta ao se curar.

Quando Rawiya terminou sua história, ela e Khaldun puxaram para fora da sua bagagem um baú cheio de moedas e pedras preciosas e o pousaram no chão. Era a parte de Rawiya do tesouro de Nur ad-Din.

— Isso não é mais útil para mim — disse a jovem. — Será melhor se ficar com vocês.

Salim, que nunca vira tamanha riqueza em toda a vida, tocou o topo do baú com a bengala. A peça tinha centenas de joias incrustadas.

— Só o baú em si poderia nos alimentar pelo resto das nossas vidas — disse ele.

— E você nunca mais vai precisar ir para o mar de novo — disse Rawiya, abraçando-o.

A mãe pousou diante deles tigelas fumegantes de argila contendo cuscuz e sementes de romã, e louças largas com pastel de bonito, a torta de peixe que alimentara Rawiya na infância. Aquela noite era para celebrar, e a mãe de Rawiya preparara o melhor que tinha.

Quando todos sentaram, a jovem pigarreou e falou de novo:

— Os poetas dizem que Deus faz chover riquezas sobre nós mesmo em solo infértil, e falam a verdade. Nenhum rei poderia me deixar mais rica do que sou. — Ela estendeu a mão e segurou a de Khaldun. — Nós queremos nos casar aqui, onde nasci.

Sua mãe abaixou a cabeça.

— Minha filha, você foi abençoada com grande honra e me foi devolvida. Como posso contar a Deus as profundezas da minha alegria?

Diante das suas palavras, a jovem chorou, pois sabia o quanto a sua mãe sentira dolorosa saudade.

— Prometo que nunca mais te abandonarei daquele jeito — disse Rawiya. — Eu nunca teria ido embora daquele jeito se soubesse...

A mãe de Rawiya dispensou suas palavras com um gesto.

— O que me importa isso agora, quando Deus me devolveu a minha filha perdida?

Muito acima da casa, a última das gaivotas montava o vento marinho na direção do seu pouso noturno, chamando a lua. A mãe de Rawiya agarrou tanto as mãos da filha quanto as de Khaldun.

— Minha filha é chamada de aprendiz de cartógrafo, guerreira corajosa, matadora do roque. Por toda a vila de Benzú e a cidade de Ceuta, você será conhecida como uma inimiga dos tiranos pelos anos por vir. Se esse é o homem que você ama, o guerreiro poeta Khaldun de Bilad ash-Sham, nenhum outro poderia ser tão corajoso e nobre. Nós fomos ricamente abençoados.

— Dizem que o deserto é estéril e vazio como a palma das mãos de uma pessoa — disse Rawiya. — Mas o deserto, como um ano difícil, é vivo e repleto de bênçãos. — Ela beijou os dedos da mãe. — Eu encontrei mais do que estava procurando. Encontrei a mim mesma.

ZAHRA E EU vamos aos chuveiros lavar meus shorts até o sangue sair. É quase de manhã. As madres patrulham o CETI e uma moça, ao nos encontrar, me dá uma caixa de absorventes. Esfrego a mancha marrom com um naco de sabão e água fria, e minhas unhas juntam espuma rosa. A dor latejante no meu baixo ventre faz com que eu me sinta poderosa e forte.

Eu me sento no meu catre e balanço as pernas.

— Eu sei o que temos que fazer. Sei o que estamos procurando.

— Tudo o que você tem é um palpite, e não pode vasculhar uma cidade inteira com base num palpite. — Zahra pega a faca dobrável de Yusuf e começa a cortar, pegando o resto do nosso dinheiro das línguas dos meus tênis. — Isso não é uma brincadeira. Não é como se a casa do tio Ma'mun estivesse no mapa marcada com um X.

Eu enrolo o tapete de oração de Mama e o guardo junto com o mapa.

— Melhor ter um palpite do que nada — digo.

Zahra vai na direção da porta sem erguer os olhos.

— Não vou mais abandonar as coisas à sorte.

Levanto de um salto com a minha mochila improvisada de juta e a sigo, passando pelos outros barracões, pela praça vazia. Do lado de fora, a manhã está cinza como chocolate velho e o vento carrega o calor vindo do sul.

— Você fica aqui enquanto vou à prefeitura — diz Zahra. — Talvez eles possam me dizer o endereço do tio Ma'mun. Alguém deve conhecê-lo.

— Por que você não me ouve? — Agarro seu pulso, então sua mão. Suas articulações ossudas machucam o resto da gordurinha infantil das minhas mãos. — Eu sei o que fazer.

Ela se vira para me encarar, tentando se desvencilhar, mas não a solto. Quinze passos à nossa frente, um homem de longa papada tira um chaveiro do bolso e destranca o portão do CETI.

— Me solte — ela diz.

Plantamos os pés no chão e encurvamos nossos corpos, nos inclinando para frente e para trás num tipo esquisito de cabo de guerra. Zahra luta para se soltar de mim. Enquanto brigamos, uma das madres se aproxima sem pressa e nos observa, com um ar receoso, os olhos pesados de sono e o bolso inchado por um maço de cigarros.

— Estou falando que eu sei — digo.

Zahra empurra minhas mãos, envolvendo o próprio pulso com os dedos como uma algema.

— Você sabe o que teria acontecido com a gente se não tivessem aberto o caminhão? — ela sussurra. — Você tem alguma ideia?

Travo os meus dedos contra os seus, o sal molhado de seu suor ensebando as minhas mãos. A manhã úmida acaricia as bolhas vermelhas e brancas nas minhas pernas, impressões digitais do frio. Zahra me fulmina com o olhar, fazendo minhas mãos deslizarem pelos seus pulsos como braceletes invisíveis. Sua cicatriz marca uma ondulação no seu maxilar, como um hematoma na casca de uma azeitona, do mesmo modo que essas bolhas vão deixar opalas pálidas de queloides nas minhas canelas. Penso comigo: a vida arranca sangue e deixa as suas joias na nossa pele.

As veias dos olhos injetados de Zahra são um mapa de medo, exatamente como as de Mama.

— Você não pode ir sem mim — eu digo. Planto os pés no chão e cerro a mão ao redor do braço da minha irmã. Puxo-a na minha direção, para longe do portão.

— Solte. — Ela luta comigo. Levantamos poeira com nossos tênis. — Solte!

— Ei! — A madre intervém, nos separando. — O que está acontecendo aqui?

Zahra vai rapidinho para o portão.

— A minha irmã quer me deixar aqui sozinha — digo.

Não funciona.

— Se ela tem algo a fazer, vamos ficar de olho em você — diz a madre.

Ela segura o meu ombro com firmeza. Assisto os ombros de Zahra desaparecendo além da entrada do CETI.

— A sua irmã vai voltar — diz a madre.

— Você não tem como saber — falo.

Ela me observa, então ri.

— Os pequenininhos são os mais bocudos. — Ela toca o maço de cigarros no seu bolso.

— Eu vou atrás dela. — Avanço para o portão, ajeitando a mochila. — Ela precisa da minha ajuda.

— Ei! Oye! — A madre agarra a alça da minha mochila. — Menininhas não saem do CETI sozinhas. O café da manhã é às oito. Até lá, você pode assistir televisão na cantina.

Entre minhas pernas, o absorvente é uma massa pesada e áspera. O lábio superior da madre tem uma sujeirinha de pelos finos, o tipo que começou a aparecer no meu nas últimas semanas. Coço a barriga através do cós dos meus shorts e sei que nunca mais vou usar um cinto com uma fivela metálica.

— Não sou uma menininha — digo.

A madre troca o peso de perna e põe as mãos na cintura.

— Suba comigo então.

Sigo-a até um dos escritórios. Ela abre sua mesa, tira algumas balinhas duras e as deixa cair na minha mão.

— Coma — diz ela. — São docinhas.

A cauda dos meus nervos se agita contra minhas costelas. Estou com fome demais para negar, então desembrulho uma e ponho na boca. Mas não como uma dessas há tanto tempo que, em vez de chupar, eu mastigo. A madre ri.

— Ficamos longe tanto tempo — digo com a boca cheia. — A gente não tinha comida sempre.

— Pobrecita — diz a madre, e, sob seu ar nada impressionado, consigo perceber que ela de fato tem pena de mim. — Tudo aquilo passou. Você terá três refeições por dia, e amanhã o ônibus virá para levar as crianças à escola. Você está aqui agora, segura.

— Mas eu preciso ir — digo. — Preciso encontrar o meu tio que vive em Ceuta...

Vejo uma curva de azul-petróleo e estalos de cinza quando uma voz se ergue para a janela, vinda do pátio abaixo. Viro o rosto para lá, seguindo as cores. O azul-petróleo e o cinza pertencem a uma voz gutural que não consigo esquecer. Sob a janela, ao lado do portão do CETI, ela verte das costelas e das escápulas de um rapaz magrelo.

— Yusuf! — Corro para a janela. Luto para abri-la, mas está trancada. Bato no vidro. — Yusuf!

Seus cachos negros balançam na direção da entrada do CETI quando ele cumprimenta um dos guardas com a cabeça. Então ele passa e deixa os ombros murcharem, com as mãos nos bolsos. Ainda está vestindo a mesma camiseta cinza de quando o vi se afastar por uma rua de Bengazi.

Disparo para a porta e desço os degraus com um estardalhaço. Estou a meio caminho quando a madre chama os seguranças. Os policiais entram correndo, bloqueando a parte de baixo das escadas.

Eu me viro e subo correndo, passando direto pela madre.

— Oye! — ela chama. — Não corra! Está ouvindo?

Um guarda tenta me segurar. Eu me desvio para um lado, batendo a coxa na lateral da parede do barracão. Alguma coisa estala e racha em meu bolso, mas não tenho tempo de olhar o que é.

As escadas em frente estão abarrotadas de seguranças. As janelas se enchem com os rostos curiosos de outras famílias do CETI. No pátio, pessoas jogando futebol param e olham para cima.

Subo até o nível superior colada ao corrimão, procurando outro modo de descer. Chego a um ponto onde há um par de varais amarrados da balaustrada em uma varanda lá embaixo. Sob mim, há o teto reto de um barracão.

A madre e os seguranças se aproximam de mim bufando. Acima das suas cabeças, um pássaro cinza e branco pula de um telhado para o ar, enrolando seus dedinhos minúsculos.

Onde está Zahra agora, zanzando pelo mundo que engoliu a minha família e nos marcou a todos?

Agarro a balaustrada e pulo para o outro lado. O metal está gelado como o fundo de um rio. Agarrando o varal, eu me atiro dali.

A princípio, o varal sustenta meu peso. A meio caminho para o barracão, o fio cede. Estendo ambos os braços e agarro o telhado. Me puxo para cima, arranhando os cotovelos no concreto.

No térreo, os guardas descem as escadas correndo na minha direção. Os homens espalharam um tapete no chão para as orações matinais. Quando os guardas passam correndo, os ajoelhados erguem o olhar para mim, silenciosos e confusos.

Corro para a beirada oposta do telhado. O barracão chega até a cerca verde que marca a extremidade do CETI. Do outro lado, há uma encosta com moitas e pinheiros espalhados. Parece próxima o bastante para eu pular, se tiver um pouco de sorte e uma distância para correr para tomar impulso.

Abaixo de mim, entre a cerca e o morro, há um buraco imenso. Recortaram um cânion no penhasco a fim de abrir espaço para o muro do CETI, deixando um rasgo aberto. O buraco deve ter uns dois metros de largura e uns seis de profundidade.

— Pare! — A madre corre na minha direção.

Eu recuo alguns passos.

— Desça — ela grita. — Espere a sua irmã voltar. Desça daí!

Dobro os joelhos, e o calor enche minhas panturrilhas tomadas de bolhas.

Começo a correr e pulo do telhado, por cima da cerca e do buraco largo. Pairo no ar, agitando as pernas, de braços estendidos para agarrar a encosta. A luz do sol se emaranha no centímetro de cabelo que tenho. Minhas cicatrizes ali se distendem.

É o oposto de estar nos arbustos escuros. Uma corrente elétrica esmurra cada osso do meu corpo. Latejo de calor. Estou viva.

Aterrisso com tudo, minha mochila esmagando minhas escápulas. Deslizo um pouco pela encosta antes de conseguir agarrar as raízes de um pinheiro. Luto para subir, cravando as unhas na terra, espalhando agulhas laranja de pinho.

Corro para a floresta, deixando a gritaria para trás.

Dou uma corridinha rumo à estrada que dá na entrada do CETI, na direção oposta. Não sei o quanto estou para baixo ou onde saí, mas me obrigo a continuar. Meus tênis desgastados batem no pavimento, o asfalto queimando os calos na planta dos meus pés. Uma floresta de pinheiros me cerca. Procuro ouvir a voz azul-petróleo, qualquer voz. Não escuto nada.

Paro para recuperar o fôlego.

— Yusuf! — chamo.

Pássaros brancos respondem da costa, atravessando o estreito. Eu o perdi.

Ando em ziguezague de um lado do caminho para o outro, espiando a floresta. Subo no cotovelo dividido de uma árvore para conseguir olhar melhor a estrada, mas não alcanço os galhos altos.

Ponho as mãos ao redor da boca e berro:

— Yusuf!

Minha voz ecoa entre os troncos.

Sento no meio da estrada e ponho a cabeça entre os joelhos. Agulhas de pinho morto ficam presas aos meus shorts e coladas entre os meus cadarços.

Ponho a mão dentro do bolso e sinto fragmentos de madeira, cortando o dedo em metal nu. Sibilo e estremeço e pego pedaços da faca quebrada de Yusuf. Quando trombei na parede do barracão, o impacto deve ter separado a madeira do aço. Meu dedo sangra.

Lágrimas vêm, quentes, à minha garganta. Se eu tivesse sido mais rápida, mais esperta, maior... Eu me senti tão grande pairando no ar. Por que me sinto tão pequena?

Passos esmagam o asfalto atrás de mim. Eu me viro, apoiando uma mão no pavimento.

— Nur?

Uma voz azul-petróleo. Uma camiseta cinza. Uma barba de três semanas.

— Yusuf!

Eu me levanto e corro. Colido com ele no meio da estrada, os pinheiros derrubando suas agulhas na brisa, o ar denso por causa do sal.

Enterro o rosto na sua camiseta. O coração dele bate no estômago.

— Pensei que tinha sonhado você — eu digo. A lâmina de Yusuf espeta a palma da minha mão. — Pensei que ninguém se lembrava de nós.

Yusuf envolve meus ombros com um cotovelo e se curva para pôr a bochecha contra meu ouvido.

— Então temos que lembrar uns dos outros — diz ele.

— Mas você conseguiu chegar até aqui — eu digo. — Como?

— A luta estava feia na Líbia — diz Yusuf. — A gente tinha feito aquela viagem toda para voltar a ouvir tiros durante o sono? Então seguimos em frente. A jornada marítima era perigosa demais, mas ainda podíamos continuar na direção oeste. Nosso destino era a Espanha. Ceuta era o único lugar.

— Preciso encontrar o meu tio Ma'mun — digo. — Mama disse que ele mora aqui, ou morava.

— Ummi, Sitti e Rahila estão na cantina do CETI — ele diz, então pausa. — E as suas irmãs?

Espremo suor do rosto com as costas da mão.

— Zahra está na cidade. Huda...

Ele pega a minha mão.

— Uma coisa por vez — diz ele. — Vamos encontrar Zahra.

Caminhamos até a floresta recuar da estrada e a cidade se estender sob nós. O porto se afasta numa curva, como uma mão aberta. Os prédios são caixas de fósforo brancas, amarelas e rosa. Gaivotas planam sobre as nossas cabeças. O sal gruda no meu cabelo e o infla, criando anéis apertados de cachos.

Bem lá embaixo, no laço da estrada, uma silhueta marcha em direção à cidade, com a bainha dos jeans rasgados e as solas dos tênis pretas de tanto andar.

— Zahra!

Nós descemos a ladeira voando, gritando. Zahra se vira. Quando nos vê, pressiona as mãos no rosto e então as mantém à sua frente, como se estivesse tentando pegar algo que Deus está soltando nelas.

Yusuf e eu corremos até ela, agarrando uns aos outros pelos ombros e pela cintura, rindo. Nós desmoronamos juntos na beira da estrada, com os braços e as pernas emaranhados, costurados pela alegria.

— Como você chegou aqui? — Ela me olha duas vezes antes de me ver. — Eu te disse para ficar no CETI.

Yusuf segura com força os antebraços de Zahra. Eles se ajoelham, se encarando, ficando com o topo das cabeças na altura dos meus ombros.

— Atravessamos a fronteira três noites atrás, num grupo — diz Yusuf. — Sitti e Rahila foram em porta-malas de carros, uma após a outra, mas Ummi e eu fomos mandados de volta. Estávamos desesperados. Tomamos um barco a remo até o porto. — Seus olhos vagam na direção do estreito antes dele piscar. — Fiz pedido de asilo para todos nós.

Zahra sorri, o tipo de sorriso estupefato que poderia levar tanto ao riso quanto às lágrimas. Sob seus olhos, o mar ferve.

— Você sabe o que isso significa? — Yusuf aproxima a testa dela da sua, como se o que estivesse tentando dizer pudesse pular de dentro da sua pele para os ossos dela. — Eu vou ficar. Se a sua família puder pedir asilo, se você puder ficar também...

Com os joelhos ainda se arrastando na relva, Zahra envolve Yusuf com os braços e o beija. E então ela me puxa e beija o topo da minha cabeça, onde meu cabelo, de tamanho suficiente para formar apenas minúsculos cachos, está cheio de terra. O ar entre nós está ácido pelo sal e o suor.

Nós três nos separamos e nos levantamos. Olhamos na direção da cidade com seus aglomerados de casas feito pérolas e sementes de azeitona e argila vermelha.

— O que a gente faz agora? — Zahra pergunta.

Levanto o azulejo na extremidade do meu colar e pego a lâmina livre da faquinha de Yusuf. Corto o cordão de prata. O pedaço redondo e quebrado de azulejo azul e branco cai na minha mão.

— A gente acha o tio Ma'mun.

DESCEMOS PARA A PENÍNSULA, saindo da floresta na direção de construções de estuque e gesso. Contornamos bicicletas, descemos ruas delineadas por palmeiras e becos estreitos. Dá para ver a praia de quase qualquer lugar, a costa com suas pedras feito vidro recortado. Passamos pelas varandas brancas de hotéis, parquímetros e cercas de treliças. Passamos por jardins de rosas.

Procuramos a cidade ao longo da tarde, até anoitecer, mas não encontramos uma casa com uma fonte em azulejo azul e branco.

No topo de um morro, observamos o sol começar a sua descida. Me sento sob uma laranjeira, com as pernas esticadas na calçada, e encaro o sol em forma de tigela. O azulejo quebrado afunda na minha palma. Onde estão Mama e Huda hoje à noite? Alguém as enterrou do modo como Rawiya e seus amigos enterraram Bakr? Eu sei que Deus ouviu ambas no final e que ele as amava igualmente, muito embora suas orações fossem diferentes. Me pergunto se quem quer que as tenha enterrado sabia disso.

Aqui nos arredores, os sons da cidade parecem mais distantes. A rua se afasta em curva. Atrás de nós, lá em cima do morro, há casas maiores e mais velhas, o tipo com pátios murados e jardins e telhados elegantes. Eu as espio por sobre o ombro. Tudo o que vejo é a nossa casa em Homs, da qual Zahra ainda tem a chave, nosso próprio telhado quebrado.

Zahra e Yusuf estão sentados perto de mim, de frente para o mar. Álamos antigos estendem os braços por entre os prédios, como se a cidade houvesse crescido ao seu redor quando não estavam prestando atenção. A leste, a noite está vindo da Síria. Em algum lugar, Itto conduz o seu camelo rumo à escuridão.

Yusuf se inclina na minha direção.

— Eu amo muito sua irmã — diz ele. — Quero que sejamos uma família.

Levanto a cabeça, desviando o olhar dos paralelepípedos.

— Eu ia gostar disso. — Tiro os restos de sua faca dobrável. — Desculpe. Eu cruzei o deserto com ela no caminhão de frutas e sujei de polpa. E aí bati com tudo numa parede antes de pular e ela quebrou no meu bolso.

Yusuf segura os dois pedaços de madeira e a lâmina curva, analisando as lascas e o aço opaco. Coloca-os no lugar, enfiando o metal de volta em meio à madeira, até o conjunto voltar a ser sua faca de bolso. Então abre a mão, avaliando o peso do objeto remendado, como se ter se quebrado não fosse algo que destrói você.

Ele sorri.

— Polpa de fruta não é nada — diz ele.

Lá embaixo, descendo a encosta, o mar parece marmorizado com suas cristas brancas. Zahra se inclina para frente e pega uma pedra do meio-fio.

— Você sabe de onde vem o nome árabe para Ceuta? — pergunta.

Sacudo a cabeça.

— Em árabe, Ceuta é Sabta — diz ela. — Vem do latim *septum*, que significa sete.

— Por quê?

— Porque a cidade foi construída sobre sete colinas. — Zahra joga a pedra na sarjeta.

— Eu nunca soube disso. — Penso nas sete irmãs das Plêiades e ajeito as pernas sob o corpo a fim de poder enxergar melhor lá embaixo. Os paralelepípedos se dissolvem um no outro ao longe. Através da neblina noturna, o Rochedo de Gibraltar se mantém de queixo erguido, perfeitamente alinhado com a rua.

— Eu conheço isso. — Eu me levanto, com a barriga zumbindo de calor. — Já vi essa vista antes.

— Isso não é engraçado — diz Zahra.
— Não, eu conheço essa colina — digo. — É a colina da história, aquela onde ficava a casa de al-Idrisi. Ele disse que voltariam a construir casas aqui. E construíram.

Corro na direção oposta, me afastando do sol, rumo às casas na encosta. Passo por jardins e palmiteiros, lajes com antenas parabólicas, janelas arqueadas e cercas de ferro. Corro até o meu peito arder.

Viro uma esquina e apoio as mãos nos joelhos para recuperar o fôlego. Zahra e Yusuf sobem correndo atrás de mim. Analiso as propriedades, casas grandes com fachadas cheias de janelas.

Ali, à minha frente, há uma com telhado de três águas, feita de pedra rosa. Uma cerca de ferro fundido, torcido em forma de flores e pássaros de cauda longa, faz frente para a rua. Entre o portão e a casa, há um jardim com uma fonte.

— Estou vendo!

Zahra sobe a ladeira com esforço.

— Vendo o quê?

— A fonte. — Corro até o portão. — Me levante.

Yusuf me pega por baixo das axilas e eu encontro um apoio para o pé no portão. Passo as pernas para o outro lado e pulo para dentro do jardim. O sol está descendo para o mar atrás de mim, criando sombras alongadas.

A velha fonte rachada, com a água drenada, fica diante da grande casa com sua porta de madeira entalhada. Palmeiras e samambaias farfalham. Pombos se acomodam para passar a noite, soltando arrulhos de tons azul-bebê e roxo.

Vou até a fonte. Espio um pátio interno através de uma janela lateral da casa, mas ninguém vem. Ponho as mãos na borda.

Ali, no centro da velha fonte, há um espaço vazio. Os azulejos são quase todos quadrados, formando um desenho delicado de flores e vinhas em azul e branco. Mas no centro há um espaço para um azulejo circular ainda em falta. Sobrou apenas argamassa áspera.

Pulo para dentro da fonte. Pego meu pedaço quebrado de azulejo e o coloco no espaço vazio no centro.

Exceto pela lasca faltando no canto esquerdo, cabe perfeitamente.

— É aqui — sussurro.
— Nur? — Zahra e Yusuf esperam na calçada, com os olhares ansiosos.

Deixo o azulejo na fonte e pulo de volta para a escuridão crescente. Vou até a porta da casa. Num momento, me lembro que não se pode construir a mesma coisa duas vezes do mesmo jeito e me pergunto se entendi tudo, no fim das contas, se alguma coisa no mundo pode permanecer igual.

Bato mesmo assim.

Um homem alto com uma barriga protuberante sai. O seu cabelo está rareando perto das orelhas, exatamente como o de Baba, e os seus olhos são grandes e castanhos com cílios compridos. Primeiro, tenho certeza de já tê-lo visto antes; ele parece muito familiar. Mas então ele estreita os olhos para mim nas sombras e franze a testa, e fico em dúvida.

— Sim? Quem é você? — ele pergunta em espanhol.

Tento dizer meu nome, mas nada sai. No fundo do estômago, algo me diz que estou errada e o medo petrifica minha garganta e meus pulmões.

Levanto o queixo e forço um sorriso. O nome vem.

— Rawiya.

— Rawiya?

O homem o repete como se eu houvesse dito algo que deu uma sacudida na sua memória. Ele se inclina na minha direção, e o finzinho da luz recai sobre sua figura. Está vestindo um suéter grosso de tricô, com um lenço no pescoço, como um marinheiro usaria para observar o mar. Ele não faz a barba há dias e ela cresce em uma bagunça, espalhando-se como glicínias por suas bochechas, emaranhando-se nas suas costeletas, descendo em caracóis por seu pescoço até sumir dentro do colarinho do suéter.

Ele olha na direção da rua e vê Zahra e Yusuf agarrados ao portão. Ele tem os olhos e o nariz de Baba, ou é só minha imaginação?

— Consertei a sua fonte. — Me esqueço de usar espanhol, mas fico firme, lambendo o sal dos meus lábios. — Mama me deu o último azulejo.

— O azulejo? — o homem repete.

— Ela disse que é difícil fazer a mesma coisa igual duas vezes. — Levanto a cabeça. — Tio Ma'mun?

— Ya Allah! — ele diz. — Nur? Você se parece tanto com o seu baba! — Ele me envolve com os braços. — Entrem! — ele grita para Zahra e Yusuf. Se arrasta pelo caminho até o portão. — Hamdulillah! Entrem. Vocês vieram até aqui!

— Você sabia que estávamos vindo? — Saltito atrás dele por entre as samambaias.

O tio Ma'mun deixa Zahra e Yusuf entrarem pelo portão e abraça ambos, tirando minha irmã do chão.

— Não vou deixar minha família ficar na soleira como uns vagabundos — diz ele. — Entrem.

Entramos. Os pardais se calam no pátio de pedras frias e portas em arco. O tio Ma'mun vai à frente, passando por uma cozinha quentinha e uma mesa bruta que parece ter sido feita a partir de madeira encontrada à deriva. Ela foi alisada por mãos e pelos anos, polida com óleo derramado. A superfície macia exibe nós em formas de ondas. Em algum lugar, há ensopado de peixe no fogo, soltando aquele cheiro caloroso e inebriante que me lembra a cozinha de Sitt Shadid — o cheiro de casa.

É tão reconfortante e familiar que enrijeço, enraizada no piso e sobrecarregada. O choque repentino da segurança me traz a sensação de que vou morrer com meu coração martelando de alívio no peito.

O tio Ma'mun nos enxota casa adentro e adquirimos velocidade ao avançar. Corremos escadas acima, então por um corredor com quartos dos dois lados. Há uma única porta entreaberta, com uma brisa salgada grudada ao batente. Vejo primeiro as cortinas de linho e renda brancos. Então cachos de lavanda suave se pintam na minha visão. Sinto cheiro de rosas.

Engulo um nó duro na garganta. Há uma mulher sentada na janela, de costas para nós, observando o estreito.

Tudo volta: Huda na cama do hospital em Damasco, sangue dos curativos. Eu me aproximo. Engulo ar, procurando o cheiro de morte, mas nenhum vem. O amarelo pungente daquele odor salgado é opressor num primeiro momento. Então, por trás dele, vem o vermelho e o violeta, o cheiro de romãs e flores, o cheiro que foi engolido em Manhattan pelas lágrimas de Mama.

— Mama?

A mulher se vira, dando as costas à janela.

— Habibti!

Eu me atiro na sua direção, agarrando-a com os dois braços e nos emaranhando na cortina. Ela me abraça, me balançando contra as suas costelas. Sinto seu anel de âmbar na minha nuca. Seu cheiro está por toda parte: entre meus cílios, no meu cabelo curtinho arrepiado. É o cheiro da Síria, como se eu nunca tivesse partido de casa.

— Eu li o que estava por baixo — digo contra sua blusa. — Sei o que aconteceu conosco. Sei a história de cor.

— Você não precisava que o mapa te dissesse isso — diz Mama, com os lábios no alto da minha cabeça. — Já tem o mapa dentro de si.

Não consigo deixar a pergunta para depois. Eu recuo.

— E a Huppy?

De trás de mim vem uma voz rouca pelo esforço.

— Ya Nuri?

E aquela prata me percorre, a mesma que senti na casa funerária quando vi que era o corpo de Baba na maca. Aquele sentimento que veio primeiro, antes do medo pegajoso da morte: a sensação formigante de sangue correndo pelo meu couro cabeludo, alegria semelhante a um pavor esmagador. Como se a terra dos mortos se dobrasse ao meio para tossir os vivos para fora.

Viro para encarar a voz. Numa cama de solteiro, jaz uma moça envolta num cobertor amarelo pálido, cujas dobras envolvem seu ombro esquerdo. Não é seu rosto magro que reconheço primeiro, seus olhos mais velhos do que já os vi. É o padrão de seu lenço, escondido por tempo demais sob as manchas de poeira.

As rosas.

— Huppy! — Eu me atiro na sua direção e Zahra grita algo atrás de mim; não palavras. Eu me jogo na cama, pressionando a bochecha contra o lenço de Huda. Inalo e então sei de onde veio o aroma roxo de flores. Huda é a razão de eu ter sentido o cheiro de rosas.

Huda dobra o braço ao meu redor, com o ombro esquerdo ainda sob o lençol. Ela me segura contra o peito.

— Hamdulillah — diz Mama. Graças a Deus. Ela silencia as perguntas de Zahra. — Nós ouvimos que vocês tinham morrido enquanto ainda estávamos no hospital. Ya Allah, quando explodiram aquela balsa de ajuda humanitária, eu pensei...

Mama se levanta e senta na extremidade da cama. A brisa traz o mar pela janela, agitando as cortinas.

— A sua mama e a sua irmã estavam em perigo — diz o tio Ma'mun. — Atravessaram o deserto com contrabandistas.

— Quando a cirurgia acabou e deixamos o hospital — diz Mama —, a Argélia já tinha fechado a fronteira com a Líbia. Havia um homem, um caminhão com outras famílias. Nós fomos paradas na fronteira da Tunísia e voltamos. Da segunda vez, atravessamos o deserto. Conseguimos. Muitos, não. Eles puseram areia na comida. Para nos fazer beber menos água, misturaram com gasolina. — Mama descansa a boca na mão e desvia o olhar. — Mas nada disso importa agora.

O tio Ma'mun puxa uma cadeira para mais perto da cama.

— Esperei meses na expectativa de vocês chegarem — diz ele.

— O seu tio Ma'mun ajuda pessoas que não têm nada — diz Mama. — Ele as ajuda a encontrar um lugar para morar, se certifica de suas famílias terem comida e ajuda com os papéis. Mas algumas pessoas ficam bravas. Pensam que nós somos perigosos. Nós os assustamos.

— Eu não queria assustar ninguém — digo. Enterro o rosto no hijab de Huda. — Eu só queria vir pra casa.

O tio Ma'mun inclina a cabeça, com as mãos unidas no colo. Quando ergue o rosto, os seus olhos estão redondos e úmidos como os de um pônei, ainda com o riso em algum lugar lá no fundo.

— É onde você está — diz ele.

Eu me viro para abraçar Huda de novo e puxo o cobertor de cima do seu ombro. Mas seu braço esquerdo sumiu. Não há mais nada do bíceps para baixo, com a extremidade cheia de curativos, a manga dobrada com esmero. Se eu me concentrar, consigo imaginar a curva esguia do seu cotovelo e sua mão macia de dedos finos.

— A infecção estava avançando para o meu coração — diz Huda, ajeitando-se na cama. Seu bíceps contrai para compensar, sob a manga dobrada. — Disseram que seria menos doloroso e menos perigoso. Muitos médicos tinham fugido ou morrido.

— O hospital estava sobrecarregado — diz Mama, estendendo a mão para mim. — Às vezes, ficávamos sem eletricidade ou remédio.

Eu fico de joelhos e até mesmo o atrito com os lençóis faz as bolhas nas minhas canelas arderem. Toco o osso por cima das bandagens de Huda. Embaixo delas, há cicatrizes como as minhas, piores do que as minhas. Para escapar ao metal dentro do seu corpo, ela teve que abrir mão de uma parte de si.

— O metal já era — eu digo. — Não é?

Huda puxa minha cabeça para a sua clavícula com o braço direito, e o seu ombro esquerdo se curva à minha volta como se o resto do seu braço continuasse ali.

— As coisas não podem ser como eram antes — diz ela. — Mas ainda sou a sua Huppy.

Agarrando-me a Huda, sinto o ponto onde as suas costelas encontram umas às outras, perto do coração. Seu sangue e o meu tamborilam nas nossas nucas e nas pontas dos nossos dedos.

— Eu teria aberto mão do meu — digo. — Eu não ligaria de ter mais cicatrizes, se você pudesse ter menos.

Huda acaricia o osso protuberante onde minha nuca encontra os ombros.

— Há coisas piores na vida do que cicatrizes — diz, repousando a palma da mão sobre os cabelinhos novos grudados no meu crânio.

— Só porque eu tive que perder os ossos que os destroços quebraram, não quer dizer que todos os meus ossos estejam quebrados.

Meu baixo ventre dói por causa do sangue, e todo o caminho até o meu coração.

— Nem os meus.

Do outro lado da península, o vento mergulha no estreito. Ele passa pelo estuque e pela floresta de pinheiros, puxando o sal das minhas palavras.

O ÚLTIMO ESPAÇO VAZIO

NO DIA SEGUINTE, Rawiya e Khaldun deixaram a casa da mãe dela em Benzú para ver como estava al-Idrisi e lhe contar as boas novas. Voltaram pela estrada costeira e adentraram a cidade, chegando à propriedade dele ao meio-dia.

Encontraram-no esperando-os no jardim. A fonte fora devolvida às suas bolhas e murmúrios, com a água borrifando as samambaias ao redor da bacia azulejada.

Caminharam pelo terreno da propriedade, parando de vez em quando para al-Idrisi recuperar o fôlego.

— Tivemos aventuras maravilhosas, não foi? — perguntou al-Idrisi. — Avistamos coisas fantásticas, sobre as quais eu já tinha lido, mas nunca visto. Coisas que nunca sonhei em ver.

— Encontramos tesouros além da imaginação — disse Rawiya.

— Mapeamos o mundo, sobrevivemos a uma guerra e banimos a tirania do roque de ash-Sham e do litoral do Magreb pelas próximas gerações.

— Pelo que dizem os poetas, a morte do roque, a maior de todas as águias, foi prevista séculos atrás — contou Khaldun. — Ele desapareceu da terra agora, deixando apenas as águias brancas na sua esteira.

— A lenda se completou — disse al-Idrisi. — E está no final.

— Que lenda? — perguntou Rawiya.

— Vega. A estrela chamada Waqi, a grande águia que cai. — Al-Idrisi gesticulou na direção do céu azul onde as estrelas se moviam, invisíveis acima deles. — A grande águia caiu. A lenda de Vega está completa. — Ele tirou o astrolábio do bolso da sua túnica. — Isso é tudo o que resta do roque — disse, apontando a forma de pássaro na aranha, o símbolo que indicava a estrela. — Mas nós sabemos que a verdade vai continuar em forma de lenda pelas gerações por vir, contando a história do seu poder e da sua tirania e também a história de como tal tirania encontrou seu fim.

Chegaram à fonte outra vez. Rawiya e Khaldun ajudaram al-Idrisi a sentar na sua borda. Olharam as casas brancas e amarelas da península lá embaixo, muito distante, e, além dela, a mão aberta do mar.

— Mas qual é a lição? — perguntou Rawiya. — O que devemos aprender com tudo isso, essa destruição, esse caos? Vimos o magnífico mundo ferido, suas montanhas, seus rios, seus desertos. Dá para tirar algum sentido dele?

Al-Idrisi sorriu e ofereceu o astrolábio a Rawiya. O sol reluziu nas gravuras da aranha, a prata se movendo como renda. A jovem pegou-o. Assim como tantos anos antes, o disco gordo aqueceu a sua mão.

— Precisa haver uma lição? — perguntou al-Idrisi. — Talvez a história simplesmente continue, sem parar. O tempo ascende e cai como um pulmão que sempre respira. A estrada vem e vai, e o sofrimento, com ela. Mas as gerações de homens, alguns gentis e outros cruéis, continuam sem parar sob as estrelas.

SITT SHADID concorda em nos acompanhar até o pescoço da doca, mas não além. Ela acena para prosseguirmos.

— Vou esperar aqui, habibti — ela me diz em árabe e se acomoda num banco sob uma palmeira. — Não demore. Não vai levar muito tempo para sua mama e seu tio estarem com o almoço pronto.

Zahra, Huda e eu avançamos pela doca de La Puntilla, passando por barracões de telhado vermelho e pilhas soltas de vigas de aço e arame. É o segundo fim de semana de outubro, e a migração de pardelas começou. O ar está cheio de penas marrons e brancas. Elas enchem as fendas entre os sete morros de Ceuta como a cola entre as sete estrelas das Plêiades.

Em algum lugar no morro próximo ao porto, Mama está na cozinha do tio Ma'mun, pintando os seus mapas de novo, e ele está liberando um quarto no andar de cima para duas refugiadas, Aisha e Fatima, que chegaram hoje de manhã. Depois das suas orações do meio-dia, o tio Ma'mun lhes dará explicações de como pedir asilo, junto com xícaras de chá e tigelas de lentilha e triguilho. A luz deve estar entrando pelas cortinas a essa altura, a neblina do fim da manhã abafando as buzinas dos carros.

Vou trotando na frente, passando por velhos para-choques de pneus acorrentados à doca, até a beira do píer. Do outro lado da entrada para o porto fica a doca de Alfau, estendendo-se na nossa direção como um braço.

Sento na beirada, balançando as pernas sobre a água verde, e o sol brilha no rosa das minhas cicatrizes ovais. Zahra e Huda sentam ao meu lado. O mar se move como uma coisa viva, arranhando madeira e concreto, um arco-íris de zumbidos sem vozes.

— Queria que Yusuf visse isso — diz Zahra, o sal fazendo os seus cachos se emaranharem.

Dou batidinhas em cada um dos apoios de madeira ao longo da doca, um de cada vez.

— Aposto que ele te pediu.

Zahra sorri e põe um cacho negro atrás da orelha.

— Mama disse que ele pediu permissão primeiro para ela. E respondeu que não era com ela.

— Você vai casar com ele? — pergunto. — Depois de terminar a escola?

Zahra olha para as nuvens. Seu cabelo roça a cicatriz lisa do seu maxilar.

— Acho que já disse sim, por dentro — responde —, naquele primeiro dia em Ceuta, quando vi ele descendo a ladeira. — As palavras saem surpresas, como se tivessem partido da língua de outra pessoa.

Huda aponta com sua mão direita e diz:

— Dá pra ver a parte continental da Espanha daqui.

Tarifa é uma faixa azul no horizonte, as costelas de montanhas baixas. Quantos quilômetros de água existem entre a Europa e a África? O espelho verde do mar distorce o meu reflexo com seu marulho. Penso em como a água, à semelhança da terra, toca tudo. Uma pedra caída no Rio East poderia provocar ondulações no Estreito de Gibraltar, com seus ecos.

Eu remexo a meia-pedra verde e roxa no meu bolso. Em algum lugar em meio ao verde, Abu Said ainda está segurando a sua pedrinha achatada, aquela que guardou para o filho. Acaso Deus fala conosco através das pedras?

O concreto está morno entre as nossas pernas, o sol quente nos nossos ombros bronzeados.

— Você ainda tem? — Huda pergunta. — O mapa de histórias de Mama?

— Com certeza — digo. — Claro que sim.

Barcos a vela cortam a água, inclinados pelo vento. Balanço as pernas.

— Eu me pergunto se todos os mapas são histórias.

— Ou se todas as histórias são mapas — diz Huda.

Toco a meia-pedra no meu bolso.

— Talvez nós sejamos mapas também. Nossos corpos inteiros.

Zahra se reclina para trás e estende os braços no píer.

— Para onde?

Me inclino sobre a água e o meu rosto aparece. O marulho distende os meus olhos e o meu nariz. Por causa de um truque da luz, vejo o rosto de Baba no lugar do meu.

— Para nós mesmas?

— Não consigo entender as suas reflexões. — Zahra ri e se espreguiça. — Vamos lá. Sitt Shadid está esperando.

— Já vou.

Tiro a meia-pedra do bolso. Não ouço a voz caramelo e cor de carvalho de Baba. Abro a mão e deixo a pedra cair no mar. Ela afunda devagar. Parece pulsar, como se eu tivesse deixado cair um coração.

Fazemos o caminho de volta. Um bando de pardelas faz uma algazarra sobre as nossas cabeças, voando na direção do estreito, o ar zumbindo com milhares de asas. Suas barrigas brancas passam por cima de nós e, por um segundo, ouvimos somente os seus berros alegres.

EM CASA, Zahra ajuda Mama a secar os pincéis. Rahila ajuda Umm Yusuf a pôr a mesa com os pratos de cerâmica azul, e Yusuf e Sitt Shadid abrem as cortinas para deixar a luz entrar.

Passo pela cozinha no caminho para o meu quarto. O tio Ma'mun está sentado à mesa com Aisha e Fatima, com tufos de papel e xícaras de chá de sálvia pela metade espalhados entre eles. As mulheres se viram para sorrir para mim e Huda. Aisha passa dois dedos delgados pela asa da xícara com desenhos de peônia. O cardigã de Fatima tem um único botão diferente dos demais, e reconheço o plástico cor de leite do botão que estava se soltando da blusa de Mama. Mama deve tê-lo costurado para ela hoje de manhã. O calor preenche a cozinha pequena.

— Venham e sentem — diz o tio Ma'mun. — O almoço está quase pronto.

— A gente volta logo. — Entrelaço os dedos de Huda nos meus. — Quero mostrar a ela uma coisa.

— Ya 'amo — o tio Ma'mun grita com uma risada quando subimos as escadas —, você está sempre correndo. Para onde vai com tanta pressa?

— Só um minuto. — Puxo Huda para o meu quarto comigo, abrindo a minha porta de madeira.

Aqui em cima, você consegue sentir o cheiro do mar e da floresta de pinheiros. Pego o saco de juta do seu lugar no canto e tiro o mapa, desenrolando a lona.

— Viu? — digo a Huda. — Ainda tenho. Eu o teria pendurado, mas não alcanço.

Huda sorri. A poeira nunca saiu completamente de seu hijab. As rosas estão desbotadas, uma daquelas coisas que foi amada até se arruinar.

— Eu, sim — diz ela.

Escolhemos um ponto livre da parede, acima da minha cama. Huda segura o canto superior esquerdo com a mão direita enquanto eu prego o mapa no lugar. Nós o penduramos juntas, alisando os cantos enrugados.

Me deito na cama com os pés para cima na parede e Huda se senta perto de mim. Encaro os meus joelhos, que não são mais tão protuberantes, o modo como os dedos ossudos do meu pé têm um tamanho suficiente para eu alcançar a parte de baixo do mapa.

A lona espia num dos cantos, por baixo de uma mancha de tinta a óleo. O tecido do mapa é da mesma cor cinza-rosada das rosas de Huda.

O ponto vazio atrai meu olhar outra vez, o único que Mama não preencheu com cor ou palavras.

Huda segue o meu olhar.

— O que você está vendo? — ela me pergunta.

— O que está faltando.

Pego uma caneta e a destampo. Uma brisa agita os cantos do mapa e penas brancas de pardela se equilibram no parapeito da janela como nuvenzinhas. Minha caneta paira sobre o último espaço em branco. Firmando a mão, eu o preencho.

NOTA
DO AUTOR

ESTE LIVRO É UMA OBRA DE FICÇÃO. Os personagens al-Idrisi, Rei Rogério e Rei Guilherme são baseados em pessoas reais. O califa az-Zafir, mencionado brevemente, foi de fato um califa fatímida no Cairo de 1149 a 1154. Mas todos os demais personagens são ficcionais, incluindo todos na linha do tempo contemporânea. Qualquer semelhança com pessoas reais, vivas ou mortas, é pura coincidência. Nenhum dos personagens ou situações da linha contemporânea são baseados na minha vida ou nas minhas experiências, nem nas da minha família.

Rawiya é um produto da minha imaginação, uma das janelas através das quais eu esperava mostrar aos leitores um período histórico extraordinário. Al-Idrisi foi um acadêmico e cartógrafo, nascido em Ceuta por volta de 1099, e colaborou com o rei normando Rogério II, em Palermo, para criar, em 1154, o que ficou conhecido como *Tabula Rogeriana*, o mapa-múndi mais preciso feito até aquela data, assim como o *al-Kitab ar-Rujari* (*O livro de Rogério*) e o planisfério de prata. Não é claro quanto do conhecimento de mundo de al-Idrisi foi reunido a partir de relatos em primeira mão das suas próprias viagens, pois muito da informação contida no *al-Kitab ar--Rujari* foi baseado nos relatos de outros viajantes e mercadores passando por Palermo. Entretanto, o próprio al-Idrisi realmente viajou muito, incluindo uma viagem à Anatólia (na atual Turquia) quando era adolescente. A partir das minhas pesquisas, não ficou claro se al-

-Idrisi chegou a casar ou se teve filhos, uma vez que detalhes da sua vida pessoal são escassos; alusões à sua vida familiar no texto são fruto das minhas especulações imaginativas.

A *Tabula Rogeriana* de al-Idrisi tinha, de fato, orientação com o sul virado para cima, como era comum os cartógrafos árabes fazerem na época. Os mapas de al-Idrisi foram considerados os mais precisos do mundo por muitos anos. Durante três séculos, foram copiados sem alterações. *Al-Kitab ar-Rujari* ou *Kitab Nuzhat al-Mushtaq fi Ikhtiraq al-Afaq* (cuja típica tradução livre do árabe é *O livro das viagens agradáveis rumo a terras distantes*) foi traduzido para o latim e o francês, e passagens receberam traduções em diversas outras línguas. A obra sobrevive até hoje em bibliotecas pelo mundo, embora cópias originais sejam raras e difíceis de encontrar. Uma cópia digital de um manuscrito árabe de 1592 sem os mapas está disponível nas coleções digitais da biblioteca da Universidade de Yale: (http://findit.library.yale.edu/catalog/digcoll:177851).

Sou grato por ter tido a oportunidade de estudar análises e excertos do *Kitab Nuzhat al-Mushtaq*, traduzidos para o espanhol e o catalão, através do trabalho de Juan Piqueras Haba e Ghaled Fansa ("Cartografía islámica de Sharq Al-Andalus. Siglos X-XII. Al-Idrisi y los precursores", *Cuadernos de geografía* 86, 2009, p. 137-64; "Geografia dels països catalans segons el llibre de Roger d'Al-Sarif Al-Idrisi", *Cuadernos de geografía* 87, 2010, p. 65-88), assim como nas descrições inclusas em *Palestine under the Moslems*, traduzido por Guy Le Strange, originalmente publicado em 1890 por A.P. Watt, Londres, e em *The history of cartography: volume two, book one*, citado a seguir. Depois de fazer pesquisas em Ceuta, também tive a oportunidade de estudar trabalhos acadêmicos acerca da vida de al-Idrisi, traduções de excertos do *Kitab Nuzhat al-Mushtaq* para o espanhol, e as descrições da Andaluzia medieval compiladas pelo Instituto de Estudios Ceutíes num livro intitulado *El mundo del geógrafo ceutí al Idrisi* (Ceuta, Espanha, 2011). Além disso, sou grato por ter tido a oportunidade de estudar a restauração (e transliteração romanizada) feita por Konrad Miller, em 1927, da *Tabula Rogeriana* de al-Idrisi (Idrīsī e Konrad Miller, *Weltkarte des Idrisi vom Jahr 1154 n. Ch., Charta Rogeriana*, Stuttgart: Konrad Miller, 1928. Disponível na Biblioteca do

Congresso, https://www.loc.gov/item/2007626789/). O *Mappae Arabicae* de Miller (*Mappae Arabicae: Arabische Welt- und Länderkarten*, I.-III. Band, Stuttgart: 1926 & 1927) também se mostrou muito útil para interpretar a *Tabula Rogeriana* de al-Idrisi.

Quanto ao planisfério de prata, ninguém realmente sabe o que aconteceu com ele; alguns dizem que foi derretido ou desapareceu após o golpe contra o Rei Guilherme, em 1160, ocorrido seis anos depois da morte do Rei Rogério. A especulação do romance quanto à sua possível sobrevivência e localização, incluindo o esconderijo na ilha de Ústica, não passa disso — pura imaginação.

Ao contar a história de Rawiya e al-Idrisi, fiz o meu melhor para manter o mais precisos possível as localizações geográficas e os anos dos acontecimentos históricos, com poucos desvios, quando necessário, para acomodar o enredo. Nur ad-Din, de fato, tomou posse de Damasco em 1154, quando pediram sua ajuda para repelir o cerco cruzado de Damasco durante a Segunda Cruzada, embora o roque mítico, é claro, não tenha nada a ver com isso. Na verdade, o roque vem de *As mil e uma noites*, especificamente do conto de Simbá, o Marinheiro, no qual serpentes gigantes também aparecem. A conquista de Bilad ash-Sham pelo roque e sua derrota subsequente são invenções puramente simbólicas, assim como a lenda da pedra do olho do roque (embora aspectos da pedra em si sejam baseados numa gema real). Essa "lenda" à qual o texto se refere é mais ou menos baseada no conto do pescador e do gênio de *As mil e uma noites*. A inclusão desses elementos de *As mil e uma noites* serve para ancorar com firmeza a história de Rawiya e de al-Idrisi nas tradições árabes, e oriundas do mundo islâmico, de contação de histórias. Sinto informar que não há lenda relacionando o roque à estrela Vega; essa é uma ligação que eu mesmo estabeleci, ficando em dívida com o velho nome árabe da estrela: *an-Nasr al-Waqi*, a Águia que Cai.

Sinto um particular interesse pelo início da astronomia árabe e islâmica, e gostei muito de pesquisá-lo. Todos os nomes e histórias das constelações mencionadas são baseadas em fatos. Para ler mais a respeito, recomendo as seguintes fontes: "Bedouin Star-Lore in Sinai and the Negev", de Clinton Bailey, *Bulletin of the School of Oriental and African Studies*, University of London, vol. 37, n° 3 (1974), p.

580-96 (http://www.jstor.org/stable/613801); *The history of cartography, volume two, book one: cartography in the traditional islamic and south asian societies*, editado por J. B. Harley e David Woodward, University of Chicago Press (pdfs disponíveis em: http://www.press.uchicago.edu/books/HOC/HOC_V2_B1/Volume2_Book1.html); e *An eleventh-century egyptian guide to the universe: the book of curiosities*, edição com tradução anotada por Yossef Rapoport e Emilie Savage-Smith, Boston, MA: Brill, 2014. Para ler mais a respeito das tradições culinárias do Oriente Médio e do Norte da África medievais (incluindo receitas), sugiro *Medieval cuisine of the islamic world: a concise history with 174 recipes*, California Studies in Food and Culture nº 18, de Lilia Zaouali, traduzido por M. B. DeBevoise, com um prefácio de Charles Perry (Oakland, CA: University of California Press, 2007). A pesquisa de ArchAtlas no Departamento de Arqueologia, na Universidade de Sheffield, mostrou-se muito útil para tornar as localizações dos khans e caravançarais na Síria do século 12 o mais precisas possível (Cinzia Tavernari, "The CIERA program and activities: focus on the roads and wayside caravanserais in medieval Syria", ArchAtlas, versão 4.1, 2009, http://www.archatlas.org/workshop09/works09-tavernari.php).

Os imazighen (singular: amazigh) são um grupo étnico indígena ao Norte da África. O termo *imazighen* engloba várias comunidades diferentes, todas marginalizadas em graus variados tanto pela arabização quanto pelo colonialismo europeu, e apenas se alude à sua história neste romance. Sugiro fortemente ao leitor procurar literatura escrita por autores imazighen, que detalham as suas próprias experiências nas suas próprias palavras. Como ponto de partida, recomendo diversas fontes, incluindo: *We are imazighen: the development of algerian berber identity in twentieth-century literature and culture*, de Fazia Aïtel (Gainesville, FL: University Press of Florida, 2014) e os trabalhos de Assia Djebar, particularmente *Fantasia: an algerian cavalcade*, traduzido por Dorothy S. Blair (Portsmouth, NH: Heinemann, 1993).

Não preciso lembrar que a guerra na Síria e a crise dos refugiados sírios são ambas muito reais, e que os refugiados enfrentam violência e injustiça horrendas na tentativa de alcançar locais seguros.

Mulheres refugiadas sofrem ainda mais risco de violência, especialmente de natureza sexual. Um estudo de março de 2017 feito pela ONG Save the Children descobriu que 70% das crianças sírias mostravam sinais de estresse tóxico e estresse pós-traumático depois de seu país ter sido destruído pela guerra durante quase seis anos (A. McDonald, M. Buswell, S. Khush, M. Brophy, "Invisible Wounds: The Impact of Six Years of War on Syria's Children"). Ao longo do conflito, infâncias foram interrompidas; sonhos e carreiras promissoras, estilhaçados; famílias, desestruturadas. Espero que este livro sirva como um ponto de partida para informar e criar empatia, e que os leitores procurem fontes adicionais, particularmente aquelas escritas por sírios com as suas próprias palavras.

AGRADECIMENTOS

ESTE LIVRO NÃO EXISTIRIA se não fosse pela ajuda de muitas pessoas. Seria impossível expressar a cada uma delas as reais dimensões de minha gratidão:

Trish Todd, este livro é muito mais forte por sua causa, e fico honrado por tê-la como minha editora. Obrigado por polir o sal da pedra bruta e tornar este livro o melhor que poderia ser. A toda a incrível equipe da Touchstone/Simon & Schuster, especialmente Susan Maldow, David Falk, Tara Parsons, Cherlynne Li, Kaitlin Olson, Kelsey Manning, Martha Schwartz e Peg Haller: obrigado por sua paixão por este livro e por pastorá-lo pelo mundo. Obrigado por fazer sua a minha missão.

Michelle Brower, minha extraordinária agente literária: obrigado pelo seu discernimento e por ver o que este livro estava tentando ser desde o começo. Obrigado por defender o meu trabalho incansavelmente, por acreditar em mim e por fazer os meus sonhos virarem realidade. Agradeço também a Chelsey Heller, Esmond Harmsworth, toda a equipe da Aevitas Creative Management, e todos os meus agentes internacionais, por levarem este livro a leitores ao redor do mundo. Sou profundamente grata aos seus esforços.

Beth Phelan, obrigado por criar o concurso de pitching do Twitter, o #DVPit, e por constantemente elevar as vozes de escritores marginalizados. Também sou eternamente grato a Amy Rosenbaum por me encontrar via #DVPit e me recomendar a Michelle, um ato de generosidade que nunca esquecerei. Obrigado aos meus amigos do #DVSquad por compartilharem essa jornada. Não posso esperar para ter os seus livros em mãos.

Para a minha família da Voices of Our Nations Arts Foundation (VONA): Tina Zafreen Alam, Cinelle Barnes, Arla Shephard Bull, Jai Dulani, Sarah González, John Hyunwook Joo, Devi S. Laskar, Soniya Munshi e Nour Naas. Obrigada por me apoiarem, me estimularem e por guardarem espaço para mim e minhas palavras. Obrigada a Tina, Arla, John e Devi por lerem seções deste livro e darem um feedback valioso. Agradeço a Elmaz Abinader pelo encorajamento, pelo trabalho absolutamente vital que você faz e por juntar nossa família da Oficina de Conteúdo Político. Amo você, Conteúdo Poético!

Agradeço à Radius of Arab American Writers (RAWI), especialmente Randa Jarrar, Hayan Charara, Susan Muaddi Darraj, e a equipe da Mizna, particularmente Lana Barkawi, por me encorajarem quando eu era um autor iniciante, por acreditarem no meu trabalho e por me receberem numa comunidade de escritores na qual me sinto em casa.

Obrigado às bibliotecas que foram lugares de inspiração e refúgio ao longo da minha vida. Obrigada aos professores que me encorajaram quando eu era um jovem escritor aspirante. Obrigado aos editores que publicaram meus contos e defenderam meu trabalho no caminho.

Obrigado à minha avó Zeynab. Obrigado à minha família e aos meus amigos por me amarem, me apoiarem e acreditarem em mim. Vocês significam mais para mim do que consigo expressar, não importa quantos quilômetros haja entre nós. Que um dia celebremos juntos a paz, insha'Allah.

Descubra a sua próxima
leitura em nossa loja online
dublinense.COM.BR

Composto em DANTE e impresso
na LOYOLA, em PÓLEN BOLD 70g/m², em MAIO de 2021.